Louise Duquette

3,00$

Mère un jour, mère toujours !

ÉDITION DU CLUB QUÉBEC LOISIRS INC.

Dépôt légal — Bibliothèque nationale du Québec, 1998
ISBN 2-89430-362-9
(publié précédemment sous ISBN 2-8904-4645-X)

Imprimé au Canada

Harriet Lerner

Mère un jour, mère toujours !

Comment les enfants
transforment votre vie

Traduit de l'américain
par Monique Désy-Proulx

INTRODUCTION

Être mère, d'après une mère

Pour moi, il est aussi naturel d'être mère que d'être astronaute. Ce seul fait devrait inspirer confiance. Qui voudrait lire un texte signé par une mère arrogante, qui réussit sans effort, qui est au septième ciel quand vient le temps de mettre un habit de neige à son petit qui gigote, ou dont les yeux brillent toujours d'un éclat des plus brillants quand, à la question «Que faites-vous?», elle répond «J'ai des enfants». Je ne ressemble en rien à ces personnages, je suis donc bien placée pour offrir mon honnête expérience et mes meilleures idées sur la maternité et sur la manière dont cela nous transforme – ainsi que notre entourage – aussi bien au-dedans qu'au-dehors.

Après avoir commencé à rédiger un livre sur les parents, j'ai changé d'orientation en cours de route. Voici comment cela s'est produit. Depuis des mois j'écrivais joyeusement quand je me suis décidée à aller dans une immense librairie de trois étages croulant sous les livres les plus divers. Courageusement, je me suis dirigée vers la section concernant les parents. N'importe quel auteur qui commence à écrire un livre sur un sujet donné doit jeter un coup d'œil aux autres travaux concernant ce même sujet, même si cette perspective est quelque peu intimidante.

J'étais particulièrement inquiète, car je craignais de trouver un livre semblable à celui que j'étais en train d'écrire, perspective à peu près aussi vraisemblable que le fait de croiser sur ma route une mère qui aurait des enfants exactement comme les miens. Mais les auteurs sont comme les mamans, ils s'inquiètent de tout; alors je ne pouvais m'empêcher de ressentir des palpitations et de petits vertiges en approchant de la section étiquetée, «Naissance/Éducation/Parents».

En fait, à la naissance de mon premier fils, je m'étais juré de renoncer à tout livre de ce genre, pour des raisons que j'expliquerai plus loin. Alors que je m'étais tenue relativement à jour par rapport à la documentation scientifique sur la maternité, je n'avais guère fait attention, depuis environ 20 ans, aux publications destinées au grand public. Je voyais bien maintenant qu'il y en avait à profusion. Plusieurs *milliers* de livres remplissaient la section «Parents» afin d'aider les mères à vivre la grossesse, l'accouchement et l'allaitement, et afin de montrer aux parents comment assurer la suite.

D'accord, j'exagère, mais ce qui ne fait pas de doute, c'est qu'il y avait beaucoup trop de livres pour ce que tout parent normal a le temps de lire tout en se réservant du temps avec son enfant. Il est rafraîchissant de constater qu'aujourd'hui, les livres portent plus sur le fait d'être de «bons parents» que de «bonnes mamans». Mais des pans entiers de murs sur le parentage? Il est sans doute plus facile de faire un autre enfant ou d'en adopter un que de lire ne serait-ce qu'une parcelle de tous ces bouquins.

Est-ce que je tenais vraiment à ajouter un autre livre à cette panoplie, expliquant l'art-d'être-un-bon-parent dans un marché déjà saturé? Il s'était peut-être dit assez de choses. Pourtant, après avoir feuilleté le contenu des livres dans cette librairie et dans d'autres magasins du genre, je ne pus m'empêcher de remarquer le silence évident qui entourait le fait même d'être mère; en réalité, je trouvai bien peu de choses sur l'expérience de la mère et sur les changements qui, avec la maternité, surviennent dans sa vie et dans celle des siens. Alors au lieu d'écrire un livre sur le parentage, je décidai d'en écrire un sur le maternage — ce que cela nous fait d'être mère et ce que cela provoque en nous — à partir de ma double expérience de mère et de psychologue.

❧

Lorsque j'ai commencé à écrire ce livre, j'avais un fils à l'école secondaire et un autre au collégial. Deux ans plus tard, en mettant le point final à mon projet, j'étais dans la position stratégique de celle dont le nid vient d'être déserté. J'ai apprécié d'avoir pu jeter un coup d'œil rétrospectif à ma propre expérience de mère, expérience complexe s'il en fut, et je n'ai pas hésité à en partager le meilleur et le pire. Les lecteurs et lectrices qui me connaissent par mon livre *Le pouvoir créateur de la colère* ou par mes autres livres seront peut-être surpris d'apprendre que je peux me conduire aussi mal avec mes enfants. Mais j'espère que ma franchise aidera de nouvelles et de futures mamans à se préparer à ce qui les attend et à se sentir moins seules dans leur désir de donner un sens à cette grande expérience. Comme le fait remarquer Christina Baker Kline dans son livre *Child of Mine,* les nouvelles mamans ont soif d'entendre d'autres mamans s'adresser à elles et leur dire qu'elles ne sont ni folles ni les seules à se sentir ainsi.

Cette soif est tout aussi urgente pour les femmes dont les enfants, comme les miens, ne sont plus petits. Que votre enfant ait 2 ans ou 20 ans, peut-être regardez-vous le passé en vous jugeant durement comme mère, pensant que vous n'avez pas bien réussi. Si vous vous reconnaissez là, j'espère que vous vous rendrez compte, à travers ces pages, de l'incroyable variété de sentiments que les mères ressentent, et qu'ensuite vous vous laisserez moins entraver par une culpabilité inutile, par vos inquiétudes et par les reproches que vous vous faites.

Il y a toutes sortes de mères et toutes sortes de familles, et chaque mère fait face à des problèmes et à des défis multiples. Je ne prétends pas tout dire dans le présent livre. L'expérience de chaque mère est à la fois universelle et unique, et il n'y a jamais deux journées semblables au cours de l'aventure périlleuse que constitue l'éducation des enfants. Kline cite Gloria Steinem, qui s'exprime en ces termes: «Peut-être racontons-nous nos histoires tout comme les explorateurs montrent leurs cartes, espérant aider l'autre à voyager, mais sachant que l'aventure que nous avons vécue restera la nôtre.»

Bien sûr, j'ai également glissé ici mes meilleurs conseils de mère. Après avoir tenté pendant 25 ans d'aider les gens à régler leurs problèmes, je peux difficilement m'arrêter maintenant. En vérité, non seulement j'aime donner des conseils, mais je compte également en recevoir des autres. Bien des gens veulent faire leur affaire à leur guise, sans que les autres s'en mêlent, mais ce n'est pas mon cas. Je crois que nous sommes ici pour nous entraider. Et nous avons besoin de toute l'aide possible quand nous avons des enfants.

Première partie

L'initiation

1

Conception et naissance: un cours de vulnérabilité intensif

Je suis devenue enceinte comme dans l'ancien temps. Je ne croyais pas *vraiment* que je pouvais devenir enceinte, car l'idée d'une autre personne poussant à l'intérieur de mon corps me paraissait si étrange qu'à mes yeux, il fallait être cinglée ou fanatique religieuse pour penser qu'une telle chose était normale. Puis il s'agit de savoir comment le bébé sort de là, ce à quoi une personne normale n'aime pas trop penser.

J'avais 30 ans quand je suis devenue enceinte la première fois. Avant cette grossesse, je n'avais jamais ressenti le moindre élan maternel. Quand mes amis se présentaient dans des dîners avec leurs bébés au fond d'un cabas, j'étais mal à l'aise pour eux (les parents) parce que leur situation me semblait tellement problématique. Je répondais «oh oui», avec un enthousiasme totalement feint, quand on m'offrait de prendre dans mes bras l'un de ces petits bébés. Je ne le faisais que par politesse ou pour avoir l'air normale. Je m'assoyais toujours avant d'autoriser quiconque à me faire tenir un bébé, car je suis assez maladroite et, j'en étais convaincue, si quelqu'un devait échapper un bébé, ce serait moi.

Dire que je n'étais pas maternelle est un immense euphémisme. J'appréciais la compagnie des adultes, et la perspective de sortir avec un bébé incapable de s'habiller, d'utiliser les toilettes ou d'avoir une conversation intéressante ne correspondait pas du tout à ma conception du plaisir. En revanche, mon mari, Steve, aimait vraiment les nourrissons et ne craignait pas du tout de les échapper. Nous avions toujours prévu avoir des enfants, mais de mon côté, ce n'était pas pour combler un élan du cœur. Je me disais simplement que le fait d'avoir des enfants était une expérience de vie importante que je ne voudrais pas rater, de la même manière que je ne voulais pas rater certains concerts et certains voyages en Europe. J'avais beau me dire que j'aurais des enfants un jour, je retardais tant que je le pouvais l'arrivée de ce jour-là.

Mais dès que j'appris que j'étais enceinte, je me mis à déborder de suffisance et d'orgueil. J'avais envie d'interpeller des étrangers au supermarché et de leur dire: «Hé, j'ai peut-être l'air de rien comme ça, mais vous savez, je suis *enceinte!*» Le fait que cela soit déjà arrivé à d'autres femmes avant moi ne rendait pas cet exploit personnel moins miraculeux.

J'acquis encore plus d'assurance quand je vis que j'avais passé le premier trimestre sans l'ombre d'une nausée ou d'un inconfort. Je m'attribuai le crédit du fait que les choses se passaient aussi bien et j'en conclus que cela était «bon signe», que peut-être, après tout, j'étais faite pour être mère. Or, au début du deuxième trimestre, je commençai à avoir des pertes, puis à saigner. Mon médecin me demanda si je songeais à l'avortement parce qu'il y avait un certain danger que le cerveau du bébé soit endommagé. Il m'arrivait de ne pas saigner du tout et j'étais alors remplie d'espoir; d'autres fois, je saignais vraiment et je pensais que j'allais mourir, ou encore le bébé. Je me sentais prise de panique, à la fois effrayée à l'idée de notre double survie et totalement humiliée à l'idée d'abîmer le luxueux sofa des gens chez qui j'étais.

C'est alors que j'ai consulté un spécialiste du Centre médical de l'université du Kansas, pour me rendre ensuite chez le meilleur obstétricien de Topeka, réputé pour son habileté exceptionnelle à poser des diagnostics et qui ne croyait pas que mon bébé subirait de dommages au cerveau. Au fond, toute cette histoire tenait du pari. Nous ne savions pas si le placenta tiendrait assez longtemps en place, car il s'était implanté trop bas et se détachait à mesure que la grossesse avançait. Il existe probablement une manière plus précise de décrire médicalement ce qui se passait, mais c'est comme cela que j'avais compris la situation à l'époque. J'avais un fœtus sain dans l'utérus, et je pensais que la profession médicale, avancée comme elle l'était, devait bien savoir comment faire tenir un placenta. Cela avait l'air d'une petite technicité qui n'avait pas de raison de déboucher sur une question de vie ou de mort.

Il était difficile de ne pas m'inquiéter. Un soir, j'étais enceinte de cinq mois, Steve et moi regardions un film de fin de soirée où il était question de gens pris dans l'ascenseur d'un gratte-ciel. Le «méchant», caché au-dessus d'eux dans la cage de l'ascenceur, sectionnait les câbles d'acier qui retenaient la cabine. Les occupants se balançaient au-dessus du vide, pris de panique, leur vie ne tenant qu'à un fil. Quelle histoire stupide et ennuyeuse, me disais-je. Quelques secondes plus tard, je me retrouvai le souffle coupé. Je dis à Steve que j'allais m'évanouir, avoir une crise cardiaque ou que j'allais tout simplement mourir. J'ordonnai à mon mari terrorisé: «Appelle le médecin chez lui! Réveille-le!»

«On dirait que vous faites de l'hyperventilation. Serait-ce possible?», dit le médecin quand je réussis à me calmer suffisamment pour lui décrire mes symptômes. J'aurais voulu me cacher la tête dans un sac de papier. Maintenant qu'il était évident que j'allais survivre, j'étais plutôt gênée de l'avoir réveillé au beau milieu de la nuit – deux psychologues ne réussissant pas à reconnaître les symptômes classiques de l'anxiété! Le film à la télévision avait dû déclencher mes craintes à propos de ce qui se passait dans mon corps. Je gardai longtemps dans la tête l'image de gens prisonniers dans un ascenceur que des câbles affaiblis menaçaient de pousser vers une mort certaine.

Le fait d'avoir un bébé était désormais la seule chose qui me préoccupait. Je voulais ce bébé avec une ardeur que je n'aurais jamais crue possible, et je pouvais aussi bien éclater en sanglots si je me retrouvais à faire la queue au supermarché derrière une mère et son enfant. Je ne suis pas sentimentale à propos des fœtus, alors je n'aurais pu en aucun cas prévoir l'intensité fulgurante du lien qui m'unissait au bébé et la douleur que je ressentais à l'idée de le perdre. Je voulais ce bébé éperdument, éperdument, éperdument, mais ce que je faisais, c'était de suivre un cours intensif où j'apprenais à me sentir totalement vulnérable et impuissante. En fait, avoir des enfants, même dans des circonstances dites normales, c'est apprendre à perdre le contrôle durant toute sa vie. Donc, si vous faites partie de ces gens qui tiennent à tout contrôler, je vous conseille vivement d'éviter de faire ou d'adopter un enfant.

❧

On m'avait dit de m'attendre à une césarienne et à une naissance prématurée, mais comme pour conjurer le sort, Steve et moi nous étions inscrits à un cours prénatal à l'hôpital local. À part nous, le groupe était constitué de couples normaux dont les femmes avaient des grossesses normales. L'enseignante était du genre à ne pas se mettre les pieds dans les plats en faisant une chose aussi folle que de mettre un enfant au monde, et elle parlait avec cette fausse vivacité que certaines personnes utilisent pour s'adresser aux gens très vieux ou très jeunes. Le mot *femme* ne faisait pas partie de son vocabulaire. Elle parlait toujours de «dames», comme dans «une dame peut remarquer un écoulement sanguin de sa muqueuse au début du travail» ou, au pluriel, «Mesdames, vous verrez que l'on rasera les poils de votre pubis quand vous entrerez à l'hôpital».

À chaque cours, je songeais à l'approcher poliment pour lui suggérer d'essayer d'utiliser le mot *femme* – ne serait-ce qu'une fois ou deux – mais je ne réussis jamais à rassembler assez de courage pour y parvenir. Je continuais à avoir des saignements sporadiques, j'avais les nerfs à fleur de peau, et j'étais devenue frénétiquement superstitieuse, de telle sorte que j'étais convaincue que tout mon placenta se décrocherait immédiatement de ma paroi utérine si je faisais fâcher cette enseignante avec mes exigences radicalement féministes.

Je levai quand même la main en classe pour poser une ou deux questions, en fait la même question posée de deux manières différentes: «Comment savons-nous que nous venons d'entrer en travail?» et «Qu'est-ce que l'on ressent quand les contractions commencent?» Chaque fois que je demandais des renseignements, elle répondait: «Certaines dames disent que cela ressemble à des crampes menstruelles.» Je faisais bien attention à ses réponses, car j'ai tendance à être distraite. Je ne voulais surtout pas m'apercevoir un jour que la tête du bébé était en train de se pointer sans crier gare, car il serait alors trop tard pour ma césarienne, alors que l'on m'avait avertie que cette opération serait nécessaire pour épargner la vie de mon bébé ainsi que la mienne. Nonobstant la distraction, cependant, j'étais horrifiée de m'apercevoir à quel point j'arrivais mal à m'assurer – et à assurer à mon bébé – que tout irait bien.

L'abandon

Beaucoup plus tard, j'allais comprendre que je devais m'abandonner à ma peur – que la grossesse et l'accouchement nous enseignent inévitablement à nous soumettre à des forces qui nous dépassent. L'abandon n'est pas une idée très américaine, et presque tout le monde associe ce mot à des idées très négatives. Abandonner, se rendre, c'est perdre, c'est lever les mains en l'air pour admettre sa défaite. Au lieu de cela, notre orientation culturelle nous demande d'avoir le contrôle. Les hommes sont censés prendre en charge les autres hommes, les femmes et la nature. Les femmes sont censées contrôler leurs enfants, comme si cela était possible. On associe l'abandon à la reddition, à l'idée d'échec, plutôt qu'à l'idée de nous en remettre à des forces ou à des événements qui nous dépassent.

Il est typiquement américain de croire que tout problème comporte une solution et que tout obstacle peut être surmonté. Nous croyons que nous sommes responsables de notre destin, que nous obtenons ce que nous méritons. Quand les choses deviennent difficiles, nous pouvons essayer plus fort, faire de nouveaux projets, penser de façon constructive et nous tailler un chemin vers le succès. Tout ce qui va mal peut être réparé, sinon par nous-mêmes, alors certainement par le médecin ou le thérapeute, le rabbin, le prêtre ou le guérisseur. La plupart du temps, la douleur et la peine que les mères ressentent viennent du fait qu'elles croient devoir maîtriser leurs enfants, alors qu'il est déjà si difficile de se maîtriser soi-même.

Jusqu'à la période où l'on se mit à associer ma grossesse au mot *complications,* je présumais que ma vie adulte se déroulerait selon mes plans, que rien de vraiment mauvais ne pourrait m'arriver. Intellectuellement, je savais que tel n'était pas le cas, puisque tout le monde vit de mauvaises expériences à l'occasion et que j'en avais moi-même vécu quelques-unes. Mais secrètement, j'étais convaincue que tout irait bien pour moi quand je serais enceinte, si seulement je m'en occupais comme il faut. En réalité, la grossesse est un événement qui dépasse largement notre contrôle et il n'y a pas de bonne ou de mauvaise façon de vivre cette expérience.

❧

Comment *pouvons*-nous nous préparer le mieux à la grossesse? Prenons par exemple ce que dit cette nouvelle maman.

Dès que j'ai su que j'étais enceinte, j'ai tout lu ce qui me tombait sous la main. Je voulais tout savoir, autant que possible. Je suis devenue une experte du développement du fœtus. J'ai étudié la grossesse aux points de vue biologique, hormonal et affectif. J'ai tout lu sur l'accouchement. Je voulais savoir exactement ce qui se passait dans mon corps et ce qui pouvait m'arriver à chaque étape du parcours. Quand je ne lisais pas, je parlais à d'autres femmes et je leur demandais leur avis. Pour moi, la connaissance était un pouvoir.

En revanche, voici les mots dont me fit part une mère de deux enfants.

Dès que je laissais les gens savoir que j'étais enceinte, d'autres femmes commençaient à me raconter leurs histoires personnelles. Je ne leur demandais pas de me faire part de leurs expériences, et je ne tenais pas particulièrement à les écouter. Je voulais faire confiance à l'univers, voir ma grossesse comme un processus normal qui n'exigeait pas que je devienne une sorte d'experte en la matière. Je ne lisais rien sur le sujet, parce que je voulais seulement vivre le moment présent. Je ne voulais pas être prise au piège de fausses attentes ou de peurs à venir. Si j'entendais des histoires d'horreur, ça ne faisait que me faire peur. Si j'entendais parler de grossesses parfaites, je me sentais de mauvaise humeur de voir que la mienne ne se passait pas de la même manière. Mon médecin me montrait le minimum à savoir sur les soins prénatals. Je me préparais à une naissance naturelle. Je connaissais l'essentiel. Outre cela, je voulais simplement vivre ce qui m'arrivait.

Ces deux femmes peuvent sembler aussi différentes que le jour et la nuit, mais leurs histoires reflètent simplement les deux côtés d'une même médaille. Chacune décrit à sa façon une manière de faire face à une expérience catastrophique. Par *catastrophe*, je ne veux pas dire un désastre ou une tragédie. Dans ce contexte, catastrophe réfère à «l'énormité poignante de notre expérience de vie», comme l'expliquait Jon Kabat-Zinn dans son livre *Full Catastrophe Living*.

La grossesse et l'accouchement peuvent être des moments de grande désolation ou de grande allégresse. Il en est de même du processus d'adoption. Que ces aventures se produisent en douceur ou non, il n'existe aucune autre expérience aussi importante dans nos vies, à part notre naissance et notre mort, il n'existe rien d'autre qui nous engage dans un tel processus de changement et de transformation, en un laps de temps aussi bref. Le défi consiste à étreindre la totalité de l'expérience et quelquefois simplement à la vivre du mieux que nous le pouvons.

Quand les choses suivent leur cours, ce qui risque fort d'avoir lieu statistiquement parlant, la grossesse est une bonne leçon d'humilité et de vulnérabilité. Votre corps est habité; vous vous rendez compte que l'accouchement est une chose étrange; et vous savez à un niveau ou à un autre que votre vie sera bientôt transformée comme vous ne sauriez même pas l'imaginer. Peu importe à quel point vous vous êtes bien préparée, vous n'arriverez pas à dominer la situation. Vous êtes au beau milieu d'une grande catastrophe et la seule certitude que vous pouvez vraiment avoir, c'est que les choses vont changer.

Et tout cela pour... un bébé!?

Ma grossesse m'ayant occasionné tellement d'inquiétude, j'avais presque oublié que tout cela pouvait aboutir à un bébé. Mais le 5 juin 1975, je me réveillai au milieu de la nuit et je m'aperçus, à mon grand étonnement, que j'avais des crampes menstruelles. Je me creusai la tête pour comprendre comment Dieu possible je pouvais avoir des crampes menstruelles alors que je ne me souvenais même pas de la dernière fois que j'avais eu mes règles. Mais je m'imaginais que tout allait de travers de toute façon, alors il ne s'agissait que d'une autre bizarrerie de mon corps totalement indigne de confiance. Je songeai à aller chercher des médicaments mais je me souvins alors que les «dames enceintes ne prenaient pas de pilules». Alors je m'étendis dans le lit, songeant que les crampes allaient certainement s'en aller, étant donné qu'elles n'avaient rien à faire là.

Dans le jargon de ma profession, on pourrait affirmer que je m'engageais dans un processus de «déni», ce qui, comme on dit, n'est pas vraiment un fleuve d'Égypte. On avait prévu mon accouchement pour le mois d'août, et le fait d'entrer en travail en juin était impensable. Alors je me rendormis avec mes crampes menstruelles, pour me faire réveiller quelques minutes plus tard par quelque chose qui jaillissait hors de moi et que je pris d'abord pour du sang, ce qui voulait dire que j'allais mourir en quelques minutes, car il était impossible de me rendre à l'hôpital assez vite pour me sauver.

Je réveillai brutalement Steve et il bondit hors du lit pour allumer la lumière. Alors, à notre plus grand soulagement, nous vîmes que ce qui coulait de mon corps n'était absolument pas du sang, puisque c'était incolore. Tandis que nous examinions le drap mouillé, je mentionnai à Steve que j'avais des crampes menstruelles, entre autres choses. Il suggéra alors que j'étais peut-être en travail, que mes eaux avaient crevé et que oui, c'était prématuré, mais que cela arrivait et que c'était pour cette raison que le lit était détrempé.

Je refusais d'admettre cette réalité. Cela n'était pas vrai puisque que le temps n'était pas venu. De toute évidence le bébé avait accroché ma vessie et en avait fait sortir toute l'urine; j'avais récemment entendu parler que cela était arrivé à une femme enceinte pendant qu'elle faisait son épicerie. Alors je m'accroupis à quatre pattes au-dessus du lit, je mis mon nez contre le drap mouillé et insistai pour que Steve s'approche et sente lui aussi. J'étais assez convaincue d'avoir détecté une odeur de pipi.

Carol Burnett affirme que la comédie, c'est la tragédie présentée au bon moment. Si j'avais été une mouche sur le mur, j'aurais observé une scène très drôle: nous deux accroupis comme des chiens sur notre lit, le nez contre le drap, reprenant notre souffle seulement de temps en temps pour nous disputer l'un l'autre, à savoir si oui ou non cela sentait l'urine. Nous avons alors appelé le médecin, qui nous a dit qu'il nous rejoindrait à l'hôpital immédiatement.

Sous la lune, à la porte de l'hôpital, toutes mes peurs s'évanouirent. À la place, je ressentis la plus indescriptible tristesse que j'aie jamais connue. Je me tournai vers Steve et lui dis «je suis tellement triste». Il me prit dans ses bras et me dit qu'il m'aimait et que rien n'était de ma faute, mais je savais qu'il avait tort. Je savais que je venais de faire la pire bêtise du monde. L'enjeu n'avait jamais été aussi important et je n'arrivais même pas à être enceinte comme il faut.

❧

Le travail est une expérience très épuisante qui mérite bien son nom. Quand il fut entendu que je pouvais aller de l'avant avec un accouchement naturel, je fus totalement absorbée par l'idée d'en venir à bout. Je renonçai à mes émotions, comme un athlète en compétition lors d'une épreuve importante. Mon obstétricien me dit qu'un hélicoptère serait disponible pour emmener le bébé au service de soins intensifs du Centre médical de Kansas City, si le besoin s'en faisait sentir. Tout le monde prévoyait un tout petit enfant prématuré de, disons, quatre livres. J'en imaginai un encore plus petit, parce que j'étais étendue sur le dos et quand je regardais mon ventre, je n'avais même plus l'air enceinte.

Je ne pouvais rien faire d'autre que d'avoir ce bébé. J'étais subjuguée par l'aspect purement physique de l'événement, et maintenant les choses suivaient leur cours. Bientôt on me transporta d'une petite chambre sombre dans une grande pièce inondée de lumière. Je me rappelle que mon corps poussait pour moi et à quel point je fus frappée par la nature mammifère de tout cela. Ensuite se faufila à l'extérieur de moi le plus beau bébé que vous puissiez même imaginer voir dans toute votre vie. Le plus beau et *gros* bébé.

Je n'en croyais pas mes yeux. Je me suis dit, «peut-être n'a-t-il que la taille d'un hamster, mais dans ma psychose, mon esprit le grossit et me le fait paraître comme un bébé de taille normale». Alors je retenais mon souffle et j'attendais que quelqu'un parle. Puis le médecin s'est écrié: «Il est *gros!*» Et quelqu'un d'autre a ajouté: «Et bien, regardez-moi donc ce beau garçon!» Steve était fou de joie et si jamais dans ma vie j'ai été parfaitement heureuse, ce fut à ce moment-là.

Matthew Rubin Lerner mesurait 20 pouces et pesait 7 livres et 4 onces. Il montra quelques signes de prématurité (3 ans plus tard, son frère Ben marqua 9 livres et 13 onces à la pesée), mais il était loin d'être aussi prématuré que ce que nous avions craint. On l'emmena et quand je réentendis parler de lui, ce fut pour me faire dire qu'il avait obtenu 9 sur 10 au test Apgar. Je ne savais pas ce que cela voulait dire, mais je me disais que c'était comme d'avoir un A à son premier examen. J'étais remplie de fierté à l'idée qu'il se distinguait déjà d'une manière académique, tandis qu'on le sortait encore de la chambre pour quelque amélioration.

Ma première grossesse m'enseigna les principes de base de l'art de la maternité. J'appris que nous ne commandons rien de ce qui arrive à nos enfants, que cela ne nous empêche pas de nous sentir totalement coupables et responsables, qu'en un rien de temps les événements peuvent passer de la vie à la mort, et que la plupart des choses que nous craignons pour eux ne surviennent jamais (quoique, souvent, il arrive des malheurs que nous n'avions pas prévus). Voilà les leçons essentielles de maternité que j'ai apprises et réapprises sans cesse en élevant des enfants au cours de ma vie, et ces leçons, l'univers me les a mises directement sous les yeux.

2

Faite pour être mère?

Je ne conseillerais pas à n'importe quelle femme de se lancer dans la maternité à l'aveuglette. Ce n'est jamais une bonne idée que de vous fermer les yeux, vous boucher le nez et sauter. Il y a des choses à prendre en considération, et l'une des plus importantes étant de savoir comment un bébé s'intégrera dans votre projet de vie et si vous vous sentez prête à l'élever. En fait, il y a une multitude de questions auxquelles il vous faut réfléchir si vous envisagez d'avoir des enfants. Par exemple, quels sont vos objectifs à court et à long terme en ce qui concerne votre travail et votre carrière? Où voulez-vous le plus investir votre temps, votre talent, votre énergie et votre argent? Dans quel état est votre mariage, si vous êtes mariée, et l'ensemble de votre réseau d'amis et de connaissances? Que prévoyez-vous gagner ou perdre en ayant un bébé? À quel point êtes-vous prête à assumer des responsabilités? Comment vous et votre conjoint allez décider de la répartition des tâches par rapport au soin des enfants? Êtes-vous prête, le cas échéant, à prendre soin d'un enfant qui aurait une grave déficience mentale ou physique? La liste pourrait continuer ainsi longtemps.

Mais quand tout a été bien accepté (ou refusé), la décision d'avoir un enfant implique fondamentalement un acte de foi. Il existe tant de variables inconnues. Plusieurs décisions importantes de la vie comportent également leur part d'inconnu et d'inconnaissable, mais jamais à un point tel. Votre mari, si vous en avez un, peut vous réserver des surprises, mais au moins vous l'avez choisi après l'avoir fréquenté, ce qui en principe vous a laissé assez de temps pour effectuer un choix éclairé. Vous devez avoir la volonté de garder l'enfant que vous aurez. Il n'est pas question d'en essayer un pendant un bout de temps et ensuite d'en changer si cette petite personne ne correspond pas à ce que vous aviez envisagé. Vous faites donc face à la décision la plus grave de votre vie, et pourtant vous ne pouvez vous préparer à l'avance à cette réalité.

Par ailleurs, il est impossible d'être totalement rationnel quand il est question d'avoir des enfants, peu importe à quel point vous analysez la question. Une femme peut avoir un ou plusieurs enfants pour toutes sortes de raisons irrationnelles et inconscientes. Elle peut être motivée par le désir de transmettre son code génétique, de s'immortaliser, de plaire à sa mère, ou de correspondre à une image qu'elle s'est faite de la famille idéale. Elle peut vouloir un bébé pour combler un grand vide dans sa vie, ou encore parce qu'elle n'a aucune idée de ce qu'elle devrait faire et qu'elle est terrorisée à l'idée de se mesurer au monde du travail. Elle peut vouloir un enfant pour remplacer quelqu'un qu'elle a perdu, pour surpasser sa grande sœur, pour combler sa solitude, ou pour mettre le grappin sur son mari et le garder à la maison.

❧

Peut-être avez-vous hoché de la tête avec consternation en lisant cette longue liste des peurs et des désirs inconscients qui incitent les femmes à devenir enceintes, mais on ne compte plus les femmes qui se reproduisent pour des raisons ignobles. Il n'y a pas que les adolescentes immatures qui conçoivent par accident et sans y songer sérieusement. Des adultes éduquées en font autant. Mais ce qu'il faut retenir, c'est qu'il n'existe pas de lien clair entre les motifs inconscients qui nous poussent à devenir enceintes et la manière dont nous en venons, avec le temps, à aimer et à prendre soin de nos enfants. Bien sûr, ces motifs se combinent avec d'autres, avec d'autres raisons meilleures pour vouloir des enfants.

Sonia, l'une des mères les plus heureuses que je connaisse, devint enceinte à 19 ans. Elle était pauvre et célibataire et tellement immature que la seule raison qu'elle pouvait donner pour garder son bébé était qu'elle voulait avoir quelqu'un qui aurait vraiment besoin d'elle. Elle vivait avec sa mère et sa grand-mère, et les trois femmes, soutenues par d'autres membres de leur famille, élevèrent la petite fille avec beaucoup de difficultés et énormément d'amour. Grâce à sa famille, Sonia put terminer ses études collégiales et apprendre les techniques informatique pour avoir un bon emploi. Maintenant, 10 ans plus tard, elle et sa fille se portent particulièrement bien.

Je ne veux pas dire que c'est une bonne idée que de mettre un enfant au monde quand nous n'avons pas suffisamment de ressources pour l'élever. Dans le cas de Sonia, sa famille et ses contacts à l'église étaient assez forts pour obtenir le soutien nécessaire, et Sonia sauta sur l'occasion. Mais j'ai assez roulé ma bosse pour me sentir très humble quand vient le temps de porter des jugements sur qui devrait et ne devrait pas avoir d'enfants, et sur ce qu'il adviendra. Je me suis récemment rappelé ce point de vue en lisant Erma Bombeck décrivant *sa* mère: « Ma mère avait été élevée dans un orphelinat, elle s'était mariée à 14 ans et elle était devenue veuve à 25 ans, seule avec deux enfants et une quatrième année.» Erma Bombeck était un trésor national, mais si l'on avait tenu compte uniquement des faits, qui aurait cru que sa mère était prête à se reproduire?

Il faut également garder à l'esprit que peu importe vos qualifications personnelles par rapport à la maternité, vous pouvez être certaine que vous vous surprendrez vous-même en réagissant bien devant certaines situations qui vous inquiétaient. En revanche, vous vous sentirez moins bien préparée que vous ne l'imaginiez face à d'autres situations.

Qui vous juge?

La société considérera toujours que certaines femmes ne sont pas faites pour être mères. Voici une liste des genres de mères considérées comme «douteuses»: les femmes célibataires, les professionnelles ambitieuses («pourquoi se mêle-t-elle d'avoir un enfant si elle n'est pas là pour s'en occuper?»), les lesbiennes («inaptes», peu importe à quel point la personne ou le couple est mûr et aimant), les femmes pauvres (surtout les femmes de couleur) et les adolescentes. En revanche, on encourage les femmes riches et mariées à avoir autant de bébés qu'elles daignent en vouloir, en dépit de ce que nous rappelle Alice Walker, que les enfants de milieux privilégiés utilisent beaucoup plus que leur juste part des ressources mondiales et que la planète ne peut continuer à nous soutenir à moins que nous ne modérions nos penchants pour la reproduction.

Les femmes qui choisissent de *ne pas* avoir d'enfants sont également jugées. Elles sont souvent considérées comme égoïstes, malavisées et non maternelles, comme si toutes les femmes devaient par nature *vouloir* des enfants. Les femmes d'aujourd'hui disent enfin «C'est assez!» aux déclarations insinuant que celles d'entre nous qui ne sommes pas mères sont coupables de quelque chose ou qu'elles ont un statut plus ou moins suspect. Mais les anciennes attitudes perdurent. Même le terme *sans enfant* reflète une attitude qui persiste à être négative ou condescendante envers les femmes qui ne se reproduisent pas.

Voici ce qu'écrit ma belle-sœur Lisa Birnbaum, qui enseigne l'anglais, à propos de sa décision de ne pas avoir d'enfants.

> *Rares sont les gens qui me disent que je n'ai pas de raisons à donner. Ma sœur me dit qu'elle m'envie d'avoir la liberté d'aller à la plage avec un livre quand cela me plaît, après m'avoir raconté en détails la journée de son enfant de six ans dont je sais que je ne voudrais pas. C'est peut-être que je suis trop au courant de ce que je réussis et de ce que j'aime faire pour m'embarquer dans un travail comme celui de parent. Attendez un peu et vous vous retrouverez peut-être juste à un cheveu de distance de ce genre de bénévolat qui vous prend 24 heures sur 24.*

Birnbaum continue en notant ce qui suit.

> *Mais cette différence me rend consciente qu'au mieux, cela inquiète les gens et qu'ils me prennent sans doute en pitié ou me jugent. Nous risquons toutes que les autres nous considèrent de façon simpliste quand nous sommes différentes, mais c'est souvent exaspérant... Habituellement, je réussis à me concentrer assez sur moi-même pour me demander si je suis satisfaite de la manière dont je vis, si je suis honnête, courageuse, raisonnable. Dans ces moments-là, il me semble plus difficile d'inventer ma vie que de décider d'en créer une autre.*

Pour celles d'entre nous qui voulons avoir des enfants, nos capacités de mères peuvent être remises en cause longtemps avant que nous devenions mères. Un jour, une femme de 52 ans me demanda conseil parce qu'elle avait découvert que la fiancée de son fils avait vécu une histoire d'inceste. Parlant également au nom de son mari, elle disait: «Nous avons lu des articles sur le profil psychologique des adultes qui ont vécu l'inceste, alors nous nous demandons bien quel genre de mère cette femme pourra devenir. Nous voulons seulement ce qu'il y a de mieux pour notre fils et nous nous demandons si la thérapie peut aider des gens à surmonter complètement un tel traumatisme, de sorte que cela ne les affecte plus du tout.»

Bien sûr, nous ne «surmontons» jamais assez un traumatisme pour qu'il ne nous affecte plus du tout. On aura beau suivre toutes les thérapies du monde et remonter la pente, jamais nous ne nous retrouverons comme s'il ne s'était rien passé. Nous ne voudrions pas non plus nécessairement qu'il en soit ainsi, car nous ne serions pas la personne que nous sommes. Donc, oui, la future belle-fille de cette femme allait être affectée par son expérience d'inceste, et également par tout ce qui lui était arrivé dans la vie.

À part le fait qu'elle avait dû vivre et survivre à un terrible traumatisme, le fait que sa belle-fille ait été victime d'inceste ne lui disait pas grand-chose sur ce qu'elle avait de particulier ou de limitatif. J'ai travaillé avec toutes sortes de femmes abusées sexuellement et qui montraient une grande capacité de créativité, d'amour et de joie, tout comme j'ai travaillé avec des femmes qui n'avaient pas vécu d'abus et qui pourtant manquaient de ces mêmes qualités. L'esprit humain est remarquable, imprévisible et ne se soumet pas aux lois. Cela étant dit, qui sait quelle sorte de mère sa belle-fille allait devenir?

Pourquoi cette femme ne s'inquiétait-elle pas de la sorte de père que son *fils* allait devenir? Je lui suggérai de diviser son énergie et de s'inquiéter autant de son fils que de sa belle-fille. Mon intention n'était pas de minimiser les effets profonds de l'inceste ou le souci que cette femme se faisait de l'avenir de ses éventuels petits-enfants. Au lieu de cela, je voulais l'encourager à aborder sa belle-fille comme la personne complexe qu'elle était sûrement, sans présumer de ses capacités et de son comportement futur, à cause de son passé. Il faut nous imprégner de cette humilité et de cette générosité d'esprit quand nous nous demandons quelle sorte de mère nous sommes ou nous pourrions devenir.

Vous n'êtes pas condamnée par votre passé

Des jeunes femmes en thérapie me disent combien elles se sentent condamnées à cause de leurs parents et à quel point elles pensent qu'elles vont hypothéquer leurs enfants, comme si l'histoire ne pouvait que se répéter inlassablement, à la manière d'un disque qui saute.

Quand je demande aux femmes d'évoquer le pire scénario qu'elles pourraient imaginer pour elles-mêmes si elles devenaient mères, ce que j'entends le plus souvent ressemble à ceci: «J'ai peur de devenir comme ma mère.» Cette crainte est si profonde que la poétesse Lynn Sukenick a créé le terme *matraphobie*, la peur de devenir sa mère. Effectivement, une femme, quand elle devient mère, peut réagir en répétant son histoire. («Oh mon dieu», s'écrie-t-elle un matin en buvant son café, «je suis exactement comme ma mère!») Plus souvent qu'autrement, elle tentera de «résoudre» le problème en essayant d'être aussi *différente* que possible de sa mère, ce qui lui causera autant de soucis que si elle copiait son attitude. Un homme peut aussi avoir l'impression de répéter son histoire, mais il s'embarquera alors dans la paternité avec des objectifs modestes, en visant par exemple à devenir un meilleur père que celui qu'il a eu. Les hommes ont tendance à moins craindre de «ruiner» la vie de leurs enfants, étant donné qu'ils considèrent que leur première responsabilité consiste à faire bouillir la marmite, alors que les mères ont encore tendance à se blâmer elles-mêmes pour les problèmes de leurs enfants (elles sont d'ailleurs aussi blâmées par les autres).

Notre première famille nous offre le contexte le plus marquant, elle constitue le moule qui détermine toutes nos relations futures, et c'est aussi le groupe le plus important auquel nous appartiendrons jamais. Cependant, quoique tout le monde soit influencé par son passé, personne n'est condamné par lui. Pas plus que nous ne pouvons faire de prédictions faciles sur la manière dont nous allons aborder la maternité en nous fiant à notre histoire, à la famille dans laquelle nous avons grandi ou à nos préjugés sur notre manière de réagir dans le futur.

Le célèbre auteur Dorothy Allison était interviewé par Judith Pierce Rosenberg pour son livre *A Question of Balance,* dans lequel des artistes et des écrivains disaient comment leur maternité avait influencé leur travail artistique. Allison a grandi dans un monde où l'on méprisait sa famille comme étant de «petits Blancs pauvres», et dans une famille où son beau-père la battait et l'abusait sexuellement et où sa mère l'aimait sans pouvoir la protéger. Allison, une militante féministe et lesbienne, disait: «Je ne voulais pas mettre un bébé au monde et lui faire du mal.» En parlant de l'époque où sa conjointe, Alex, était enceinte, Allison dit: «Une des choses qui me terrorisait, c'était de m'apercevoir en le regardant que je ne l'aimerais pas, et de devoir faire semblant.»

Quand leur fils, Wolf, vint au monde à la suite d'une césarienne, Allison était dans la salle d'opération. Elle se rappelle qu'il avait l'air d'une énorme balle rose-et-blanche, et que cette balle s'est épanouie comme une fleur. «Il a ouvert les jambes et les bras et s'est étiré; il a ensuite ouvert les yeux. J'ai pleuré pendant deux jours parce que je n'arrivais pas à croire qu'en voyant ce bébé, j'avais su immédiatement que je l'aimais passionnément.» Allison dit à Rosenberg: «J'ai découvert que j'étais capable d'imaginer une sorte de paix et de joie que je ne crois pas avoir connues auparavant. Jusqu'à ce que le bébé ait six mois, je le berçais et lui chantais des chansons, et il y avait quelque chose là-dedans de purement satisfaisant sur les plans physique et affectif. C'était mieux que le sexe, et je n'avais jamais rien trouvé de mieux que le sexe.»

Il n'y a pas d'équations simples entre la famille où nous avons grandi et la famille que nous contribuons à créer. À différents moments tout au long de la vie, nous serons confrontées aux douleurs et aux lourds problèmes non résolus de notre passé. Mais peu importe qui nous a élevées, ou qui n'a pas réussi à le faire, la maternité nous donne également l'occasion de revoir le passé et de réinventer nos relations avec les membres de notre première famille. Il est également rassurant de savoir que presque tout le monde a eu un passé plus ou moins difficile; quoiqu'il faille reconnaître que ce «plus ou moins» fait une grosse différence. Mais comme le dit si bien l'auteur Mary Karr, une famille dysfonctionnelle c'est «n'importe quelle famille de plus d'une personne».

Devriez-vous, oui ou non?

En feuilletant un magazine féminin, je tombe sur un quizz intitulé «Êtes-vous prête à devenir maman»? Ah, si seulement vous pouviez répondre à 25 questions à choix multiples, additionner vos résultats, classer votre cas sur une échelle de préparation à la maternité et, *illico,* connaître la vérité. En fait, la vérité c'est que personne d'autre que vous ne peut savoir ce qui vous convient le mieux, quoiqu'il ne manque pas de conseils là-dedans qui peuvent vous concerner. De toute évidence, il y a beaucoup de points à prendre en considération, et je vous suggère de vous observer autant que possible, tout en gardant à l'esprit que vous ne pouvez vous attendre à pouvoir prédire l'avenir.

D'abord et avant tout, voulez-vous *vraiment* un enfant, ou réagissez-vous aux pressions qui se perpétuent de mère en fille et qui lient l'amour au mariage, le mariage à la maternité et la maternité à la «véritable place» des femmes dans la société?

Ensuite, avez-vous bien pensé au moment le plus opportun pour mettre au monde un enfant, de façon à ce que vous soyez en mesure d'arriver financièrement? C'est encore la mère qui perd ses revenus et son influence économique quand les enfants entrent dans le décor. La pauvreté est le problème qui affecte le plus les mères et leurs enfants, et ce n'est pas quelque chose qui arrive seulement aux autres. Peut-être voulez-vous terminer votre formation, au travail ou à l'école, et entreprendre une carrière, si vous le pouvez.

Enfin, comment va votre mariage, si vous êtes mariée? Un ménage où les mécontentements et les conflits règnent en permanence ne s'améliorera pas si vous y ajoutez le stress associé à l'arrivée d'un enfant. Si vous voulez vraiment un bébé, et que votre conjoint n'en veut absolument pas (ou vice versa), je vous conseillerais de placer devant vos yeux un énorme drapeau rouge.

Il dit, elle dit

Observons cette lettre que j'ai reçue d'une femme nommée Geneviève et qui s'est adressée à moi à titre de courriériste dans le magazine *New Woman*. Depuis sept ans qu'elle était mariée, elle voulait désespérément avoir un enfant tandis que son mari voulait désespérément ne pas en avoir. Après avoir assisté à maintes séances de *counseling* et de thérapie, ensemble ou séparément, ils se retrouvaient toujours au même point.

Maintenant, toutefois, le mari de Geneviève était d'accord pour avoir un enfant, à la condition que Geneviève en prenne totalement soin, toute seule. Elle écrit: «Il dit qu'il va s'occuper de l'aspect financier mais qu'il ne lèvera pas le petit doigt pour changer une couche, trimballer l'enfant chez le pédiatre ou au centre commercial, ni pour faire quoi que ce soit d'autre pour l'élever.» Geneviève reconnaît que leur situation est extrême, mais elle fait remarquer que les mères célibataires élèvent bien leurs enfants toutes seules et qu'elles y arrivent. Sa question: «Devrais-je signer un tel contrat?»

Quand j'ai parlé de la situation de Geneviève à un couple d'amis, j'ai eu la surprise de les entendre dire que Geneviève aurait dû percer son diaphragme des années plus tôt dans l'espoir que son mari adoucisse sa position une fois face à une petite personne bien en vie qui lui tirerait la manche. Je serais la première à dire que ce revirement de situation pourrait survenir, qu'il est possible que son mari tombe follement amoureux du bébé et entame une transformation majeure qui annulerait toutes les négociations précédentes, mais cela tient du pari. De la manière dont Geneviève décrit l'intensité et la rigidité de son mari qui souhaite ne pas avoir d'enfant (ce qui est assez différent de l'habituelle ambivalence que les membres d'un couple ressentent souvent tour à tour), je dirais que c'est un pari qui met trois personnes en danger.

J'ai dit à Geneviève que je ne pensais pas que la proposition était saine. Je lui ai dit que l'affaire marcherait peut-être avec un bébé perroquet où elle pourrait, disons, le nourrir, nettoyer la cage et l'amener chez le vétérinaire quand il serait malade, tandis que son mari se contenterait de payer les factures. Mais ce n'est pas là un arrangement viable quand il s'agit d'élever un enfant. Il est vrai que les parents célibataires élèvent leurs enfants seuls, mais cela ne marche pas quand les parents sont mariés, qu'ils sont en santé et qu'ils vivent ensemble.

J'ai également rappelé à Geneviève que son enfant n'était pas là pour signer leur contrat et qu'il aurait d'interminables exigences égocentriques envers ses deux parents. De plus, il ou elle voudrait avoir un papa, surtout étant donné qu'il en aurait un de service juste devant les yeux. Si

Geneviève disait: «Ne dérange pas ton père, parce qu'il a pris une entente avec moi avant que tu ne viennes au monde», ça ne marcherait pas. Si jamais un enfant s'arrangeait de cela – mais à quel prix sur le plan affectif – son thérapeute en entendrait parler pendant des années et des années. Sans compter le fait que Geneviève pourrait mourir ou devenir handicapée ou simplement s'absenter pendant une semaine, et alors quoi? Tout compte fait, je n'ai pas encouragé Geneviève à signer ce contrat. Au lieu de cela, je lui ai suggéré qu'elle et son mari continuent à se demander comment ils allaient résoudre ce gros différend.

Évidemment, les couples devraient discuter et négocier la question du bébé (comme tous les autres sujets d'importance) avant de s'engager sérieusement, même s'il n'y a aucune garantie que les sentiments de l'un d'entre eux ne changeront pas ou ne s'intensifieront pas en cours de route. Mariés ou non, il n'est pas facile pour les couples de tenir des positions opposées, avec une personne tout feu tout flamme d'un côté et, de l'autre, une personne qui ne voit que les aspects négatifs d'une situation. Geneviève est peut-être plus ambivalente qu'elle ne le croit par rapport au fait d'avoir un enfant, tandis que son mari a peut-être plus d'attraits pour la procréation qu'il ne le pense. Ni l'un ni l'autre ne peut vraiment explorer ces sentiments si chacun s'oppose à l'autre de façon aussi inflexible.

Si le mari de Geneviève maintient sa position et continue à ne pas vouloir assumer les responsabilités de père, Geneviève pourrait faire face à la difficile décision de se demander ce qui prime: son mariage ou son désir d'être mère. C'est là un dilemme douloureux mais, souvent, un choix de vie en précède un autre et le fait d'obtenir une chose implique d'en perdre une autre. Finalement, c'est à Geneviève de devenir une experte d'elle-même.

Les femmes qui pensent trop

La décision d'avoir des enfants est pour une femme un choix personnel, fait en collaboration avec un conjoint, si elle en a un. Toutefois, l'ennui quand on a des choix à faire, c'est que l'on peut s'embarquer dans un genre de ruminations et de gymnastique mentale dont on ne sera pas venue à bout quand arrivera la ménopause. Un bon exemple m'est fourni par une amie qui était enthousiaste à l'idée d'avoir son premier enfant, mais qui continue à se sentir paralysée face à la décision d'en avoir un autre ou non. Récemment, j'ai eu la conversation qui suit avec elle, conversation où je ne jouais absolument pas mon rôle de thérapeute.

❧

«Ma fille continue à me supplier de faire un autre marmot», me dit mon amie. «Elle est obsédée par cette idée.»

Je connais bien le mot *marmot,* mais je ne m'y suis jamais faite. Quand j'entends *marmot,* je pense *marmotte* – ou ce genre de mots – de sorte que je m'imagine l'enfant de mon amie faisant des pressions pour avoir un petit rongeur à la maison. Un jour j'ai entendu un commentateur à la radio exprimer des sentiments identiques, alors je sais que je ne suis pas la seule à avoir cette impression. Mon amie s'en fait tellement avec le désir de sa fille d'avoir un frère ou une sœur, que je ne lui fais pas part de mes pensées.

«Je sais que ce n'est pas une bonne raison pour avoir un autre enfant», continue-t-elle.

«Qu'est-ce qui n'est pas une bonne raison?» Je suis perdue, car je ne pense qu'à de furieuses petites créatures poilues qui détalent de tous côtés.

«D'avoir un marmot juste pour donner à Sophie un frère ou une sœur. Je ne devrais même pas m'en occuper. Mais ça me fait peur de savoir qu'elle sera enfant unique. Même l'expression *enfant unique* m'incite à croire que je devrais m'en faire ou me sentir triste pour elle.»

Toutes les deux nous tombons d'accord sur le fait que l'expression *enfant unique* devrait probablement être retirée de la langue française et que les supplications de Sophie n'étaient pas une bonne raison pour envisager une deuxième grossesse. Je sais, à cause de conversations précédentes, que mon amie elle-même est extrêmement attirée par l'idée d'avoir un deuxième enfant, mais elle est très ambivalente, étant donné qu'elle sait par expérience ce que représente un enfant. Elle et son mari y songent depuis presque deux ans, mais dès que l'un d'eux est prêt, l'autre se met à douter. Tout au moins, ils se transfèrent l'un l'autre leurs réticences.

«Et s'il y a une décision à laquelle on devrait vraiment réfléchir très attentivement», continue mon amie, cette fois s'adressant plus à elle-même qu'à moi, «c'est bien la décision d'avoir un autre enfant». Cela dit, elle me demande comment j'en suis venue à prendre la décision d'avoir Ben, qui a suivi Matthew de trois ans et sept mois. «Est-ce que tu as simplement pris sur toi d'avoir deux enfants?», me demande-t-elle. Mon amie me considère comme une personne très réfléchie et elles s'attend à entendre quelque chose d'intelligent.

«Oui», lui dis-je. «Je me suis toujours imaginée avec deux enfants, si jamais j'en avais. Pourtant, quand Matthew a eu environ deux ans, Steve et moi nous sommes demandé longuement et péniblement si nous étions prêt à en avoir un autre. Nous en avons parlé beaucoup et avons réfléchi du mieux que nous le pouvions, parce que nous ne voulions pas être influencés négativement par la crainte que nous avions ressentie lors de la première grossesse. Plus nous en parlions, plus il devenait clair pour nous deux que notre famille était complète et que nous ne voulions pas un deuxième enfant.»

Mon amie m'écoute à présent avec une concentration extrême parce que, de toute évidence, l'histoire est en train de prendre une tournure inattendue. Je continue à raconter comment Steve et moi avons été sous le choc quand un test de laboratoire nous a confirmé qu'un condom brisé m'avait conduite à devenir enceinte une deuxième fois. Nous étions également surpris de nous apercevoir à quel point nous voulions ce bébé et comme nous étions excités d'apprendre la nouvelle imprévue. Tout le raisonnement que nous nous étions fait pour expliquer pourquoi nous voulions seulement un enfant venait de s'évanouir. Nous avons accueilli Ben avec autant d'enthousiasme que nous en avions eu pour son grand frère.

«Au fond, qu'est-ce que tu me dis là?» Mon amie me demande de lui expliquer ce qu'elle peut retenir de mon histoire, mais je n'en suis pas sûre moi-même.

«Il n'est peut-être pas toujours nécessaire que la logique l'emporte. Dans ton cas, tu peux te poser des questions *ad vitam æternam* ou simplement décider de plonger. Quelle est la différence?» Mon amie me regarde comme si je radotais. «Regarde», lui dis-je. «Si tu as un autre enfant, tu vas probablement l'aimer, peu importe à quel point il te rendra la vie difficile. Si tu n'as pas d'autre enfant, c'est tout aussi bien. Ta vie sera beaucoup plus facile, et tu éviteras un tas de stress et de peines. Il y a du bon dans les deux cas, et il n'existe pas de "bonne" solution parce qu'aucune réflexion intelligente ne réussira jamais à prédire l'avenir.»

Mon amie ne cache pas sa déception face à mes élucubrations. «Tu parles comme une idiote», me dit-elle. «Tu ne veux certainement pas me dire que je ne devrais pas réfléchir à cette décision d'avoir un autre enfant, même si cela prend du temps.»

«Je ne sais pas exactement ce que je veux dire», lui répondis-je, quoique je sais qu'il est préférable qu'elle veuille faire un deuxième enfant plutôt qu'un frère ou une sœur à son aînée.

Plus tard, j'ai repensé à notre conversation. Je ne voulais pas être désinvolte avec mon amie par rapport à une décision aussi énorme que celle d'avoir un autre enfant. N'importe quel enfant peut porter le coup de grâce à une femme, même la meilleure qui soit, si elle n'a pas de place pour lui dans sa vie. Or, tous les enfants qui viennent au monde méritent certainement d'être aimés et de bien se développer. Mais quelquefois, il n'existe pas de bonne ou de mauvaise réponse, seulement deux chemins différents. Et il peut arriver que nous ne sachions pas ce que nous voulons tant que nous ne l'avons pas vraiment expérimenté, comme ce fut le cas pour moi lors de ma deuxième grossesse.

En post-scriptum, je dois ajouter que quand les hommes et les femmes soupèsent le pour et le contre par rapport à la décision d'avoir des enfants, ils ne soupèsent pas les mêmes choses. Je me suis rappelé ce fait récemment quand une de mes patientes en thérapie m'a annoncé carrément: «Je veux un bébé, mais je ne veux pas être une mère.»

«Ces deux choses ont tendance à aller de pair», lui répliquai-je, dans ma grande sagesse!

«Oui», reconnut-elle, «mais je préférerais être un père.»

Il ne s'agit pas là d'une femme immature qui veut se soustraire à ses responsabilités de parent ni de quelqu'un qui souffre de confusion par rapport à son identité sexuelle. Au contraire, elle souffre d'une «clarté de vue» par rapport à son sexe. Elle sait très bien que son mari, malgré ses bonnes intentions féministes, finira bien par présumer que c'est elle qui sera le «véritable» parent, dans le concret, et *elle,* malgré ses bonnes intentions féministes, finira par présumer que son travail à lui a plus d'importance. Ma patiente avait de bonnes raisons de craindre de devenir maman. Elle comprenait qu'elle pouvait perdre beaucoup d'elle-même dans cette aventure de la maternité ou que son mariage égalitaire pouvait se transformer en «sphères séparées» après la naissance du bébé. Quand une femme envisage la maternité, ses amies lui disent que sa vie va changer. Elles seraient plus précises en lui disant: «Tu n'auras plus ce que tu appelles aujourd'hui ta vie. Tu auras une vie différente.»

Quelquefois, il est si difficile et laborieux de peser le pour et le contre dans une telle décision, qu'il vaut mieux laisser arriver les «accidents». Comme le disait la romancière britannique Margaret Drabble dans une interview datant de 1978, «je me sens triste pour les gens d'aujourd'hui qui doivent prendre la décision d'avoir ou non des enfants. C'est là une décision qui ne se prend pas de sang-froid, qui devrait être prise dans le feu de l'action, autrement vous ne faites qu'attendre d'avoir le bon emploi ou les revenus suffisants.» Ce n'est pas exactement ce que je pense, mais je comprends bien les sentiments de Drabble.

Pour certaines personnes, emprunter le chemin du hasard peut très bien convenir. D'autres prennent bien soin de planifier l'affaire. Pour d'autres encore, la décision exige un mélange de hasard et de planification. Le point à retenir, c'est qu'il n'existe pas de «bonne» façon de devenir enceinte. Il y a tellement de facteurs en cause dans une telle décision que personne ne peut s'attendre à être capable de les prendre tous en considération.

3

Ramener le bébé à la maison et autres problèmes de parents

Il y a quelque temps, le magazine *New Woman* voulait publier un numéro spécial pour son vingt-cinquième anniversaire et y célébrer les 25 moments les plus significatifs dans la vie d'une femme. Il devait y avoir un article sur le premier baiser, le premier amour, le premier désir sexuel, la première révolte, la première trahison et ainsi de suite. En tant que chroniqueuse régulière, je devais contribuer en écrivant quelque chose sur des moments de transformation et des points tournants majeurs dans la vie d'une femme, la mienne comprise.

J'étais tellement bloquée que j'en suis venue à ressortir tous les journaux intimes que j'avais écrit dans mon enfance et ma jeunesse pour voir si je pouvais repérer un moment précis où le changement était «survenu». De toute évidence, quand je comparais, de journal en journal, ma deuxième année avec ma cinquième année et ensuite avec ma deuxième année au secondaire, le changement était énorme; pourtant, en feuilletant le tout page par page, je n'arrivais pas à trouver un seul moment de transformation. Les changements personnels, comme les changements physiques, sont tout aussi saisissants qu'imperceptibles.

Bien sûr, je savais très bien que la vie des adultes comporte des moments de grands changements, mais les seuls auxquels j'arrivais à penser avaient quelque chose à voir avec la mort, les drames, la maladie ou les deuils, ce qui n'était pas exactement le ton que *New Woman* voulait pour ce numéro-anniversaire. En fin de compte, j'ai écrit quelque chose, mais j'ai dû me creuser la cervelle pour retrouver des moments de ma vie adulte que je pouvais identifier comme étant des points tournants. Manifestement, j'avais oublié de regarder ce qui sautait aux yeux.

Là où ma vie s'était *vraiment* transformée, c'était quand j'avais enjambé le seuil de l'hôpital pour affronter le monde avec Matthew dans mes bras et Steve à mes côtés, nous trois en route pour notre petite maison de Topeka, au Kansas. En réalité, je n'avais pas *enjambé* le seuil de l'hôpital. J'avais été poussée dans une chaise roulante par un bénévole de l'hôpital. On m'assurait que cela n'avait rien de personnel, que cette pratique était imposée par l'hôpital à cause des compagnies d'assurance et que chaque femme qui entrait à l'hôpital enceinte et qui en sortait avec un bébé s'en allait exactement ainsi. Je ne m'en faisais pas trop de ne pas avoir le choix de la manière, parce que fondamentalement j'étais un peu gaga et je me sentais tellement heureuse, chanceuse et soulagée de me faire pousser ainsi avec Matthew en sécurité sur mes genoux.

Au cours de mes journées euphoriques de post-partum à l'hôpital, je n'avais pas totalement pris conscience du fait que désormais, il revenait entièrement à Steve et à moi d'avoir la responsabilité de garder Matthew en vie... et au sec. J'avais gardé l'impression que c'était l'hôpital qui en avait la garde, tandis que de notre côté, nous avions de généreux droits de visite. J'appréciais cet arrangement, parce que je ne faisais par partie de ces mères qui ne veulent pas que leur nouveau-né sorte de leurs bras et de leur champ de vision.

Au contraire, il m'apparaissait évident que le personnel de la pouponnière en savait beaucoup plus que moi sur les bébés, et j'étais tout à fait heureuse que Matthew passe du temps avec ces gens-là. J'étais contente qu'on me l'emmène pour que je le nourrisse, tout propre et sentant bon, une belle raie au milieu de ses cheveux brun foncé bien lissés sur les côtés, et qu'ensuite on me l'enlève dès qu'il faisait le difficile et que je voulais me reposer. J'adorais marcher le long des corridors pour aller le voir dormir paisiblement derrière les vitres de la pouponnière, parmi tous les nouveau-nés alignés en rang d'oignons, avec son air angélique plein de promesses. Je me sentais encore, sans doute, comme si mon corps avait été un champ de mines, que le bébé avait échappé de peu à ce territoire dangereux, et même ennemi, et que l'endroit le plus sûr pour lui maintenant était cette pouponnière d'hôpital où des gens bienveillants posaient leurs regards attentifs sur lui.

Quand Steve et moi sommes arrivés à la maison avec Matthew, nous n'avions pas la moindre idée de ce qu'il fallait faire avec cet enfant, et nous pouvions à peine comprendre que le personnel si gentil de l'hôpital ait pu soudain nous abandonner ainsi. Nous avons alors décidé de faire une liste du moment, de la couleur et de la consistance des selles de Matthew (nous n'avions jamais fait ce genre de liste ni pris l'habitude de surveiller nos intestins). C'était littéralement presque la seule chose que nous avions l'idée de faire et nous nous sentions obligés de faire quelque chose pour manifester une quelconque compétence en tant que parents. Heureusement nous avons été sauvés de nos activités scatologiques assez inutiles par des amis plus expérimentés, qui avaient partagé notre inquiétude tout au long de ma grossesse et qui nous rendaient maintenant visite pour se réjouir avec nous.

Comme Matthew était né prématurément, nous n'étions pas vraiment prêts pour son arrivée, mais ça allait quand même. Des amis nous donnèrent tout ce dont nous avions besoin – un berceau, une table à langer, des couches, des petites camisoles, une belle poussette et un lit portatif pour le promener. Le plus beau cadeau que je reçus fut la surprise que je trouvai en ouvrant la porte de la chambre à coucher que je réservais à Matthew. Un ami psychiatre, Al Delario, l'avait décorée pendant que j'étais encore à l'hôpital. Artiste doué et généreux, Al avait coupé des feuilles de papier contact pour créer un énorme pommier dont le tronc partait du plancher, grimpait le mur à côté du berceau de Matthew et se divisait vigoureusement au plafond en branches tentaculaires et en une multitude de belles grosses pommes rouges.

Une glissade en pente raide

Malgré toutes les résolutions qu'un couple peut prendre pour ne pas laisser les problèmes d'éducation des enfants s'interposer entre eux et pour entretenir leur relation, tout en s'adaptant afin d'intégrer une nouvelle personne dans la famille, il y a toujours des problèmes imprévus qui surgissent. C'est là un aspect inévitable lié au fait d'avoir des petits et d'être un humain. Les conjoints peuvent se retrouver brusquement en brouille.

J'aimerais bien raconter que notre nouvelle famille vécut la première année de Matthew dans le calme et la sérénité, mais les lecteurs de mon livre *Le pouvoir créateur de la colère* sauraient bien que tel n'est pas le cas. Voici un bref résumé du développement particulier de Matthew et la glissade en pente raide que nous empruntâmes au cours de cette période.

Matthew sembla être un bébé alerte et réceptif, mais il restait surtout assis tranquillement dans son petit siège d'enfant. Nos amis l'appelait le «philosophe» et disaient à quel point il paraissait réfléchi, ce que je voyais comme une façon extrêmement délicate de commenter le fait qu'à mesure que les mois passaient, il ne faisait pas grand-chose. Je ne me permis pas le moindrement de penser qu'il y avait un problème jusqu'à ce qu'il eut six mois et que je me retrouvai en train de bouquiner dans une librairie de Berkeley, en Californie. Je feuilletais alors un livre écrit par un grand expert du développement des enfants, et mon cœur s'arrêta de battre quand je remarquai que Matthew ne faisait rien de ce que le livre déclarait comme approprié pour son âge.

Quand je lui parlai de mes craintes, Steve réagit avec une insensibilité inhabituelle, insistant pour dire qu'il n'y avait pas de problème, que les bébés se développaient chacun à son rythme, et que je m'inquiétais inutilement, à la manière de ma mère. Je lui rappelai les complications que j'avais eues pendant ma grossesse et j'insistai pour dire que quelque chose *devait* aller de travers. Nous avons eu alors la première d'une longue série d'énormes disputes qui refirent surface de façon intermittente au cours des six mois suivants, à mesure que Matthew continuait de plus belle et de toute évidence à ne pas faire ce que le livre disait qu'il devait faire.

Nos disputes revinrent avec encore plus de force chaque fois que nous regardions Matthew à côté d'autres bébés sensiblement du même âge. Le cœur lourd, je faisais des comparaisons alors que Steve semblait ne même pas réagir ou remarquer les différences. Son attitude me rappelait mon père, qui s'était toujours coupé totalement de ses émotions, et par conséquent je voulais obliger Steve à s'en faire avec moi, ou tout au moins le convaincre qu'il *devrait* s'inquiéter, pour que je sois sûre de ne pas avoir épousé mon père.

La psychologue qui fit passer des tests à Matthew à l'âge de neuf mois (à ma demande), me dit qu'il était effectivement assez lent sur certains plans, mais qu'il était encore trop tôt pour savoir ce que cela voulait dire. Elle nous suggéra d'attendre un peu et de consulter ensuite un neurologue pour enfants si nous étions encore inquiets. Cette réaction confirma mes inquiétudes, alors que pour Steve c'était exactement le contraire. Chacun de nous poussait l'autre à adopter une attitude plus excessive, sans parler du fait que nous nous disputions devant Matthew, qui était trop jeune pour comprendre le contenu de nos altercations, mais à qui le ton ne pouvait échapper.

❧

Qu'est-ce qui explique la disparité de nos réactions? Certes, Steve et moi avions nos différences de tempérament, et encore aujourd'hui c'est lui le moins angoissé des deux. Mais en général ce sont les mères qui remarquent les problèmes et qui s'inquiètent ouvertement. Tout comme le changement des couches, l'«intuition» a longtemps été l'affaire des femmes, et nous, les mères, avons tendance à bien réussir dans ce domaine. En exprimant de l'inquiétude pour deux, il devenait encore plus difficile pour Steve de reconnaître son anxiété. Quoique cela n'ait pas été du tout mon intention, je contribuais à maintenir Steve dans une attitude froide en exprimant plus que ma part d'émotivité.

J'ai également joué le rôle de «réacteur émotif» parce que c'est moi qui restais à la maison toute la journée. Comme bien des mères, j'avais réduit mon temps de travail au bureau, alors que Steve avait presque immédiatement repris le travail à temps plein. Le parent qui est sur les lieux, qu'il soit homme ou femme, est en général plus lié au bébé, sur le plan affectif, pour le meilleur et pour le pire. Quand c'est le père qui reste à la maison, il se met souvent à réagir exactement selon les stéréotypes sociaux que l'on associe à la mère.

En plus d'être plus souvent à la maison, je me sentais d'une certaine façon responsable du développement ralenti de Matthew, ce qui poussait mon anxiété à son plus haut niveau. Même si je savais que j'avais mieux à faire que de me blâmer, c'était tout de même *mon* placenta qui s'était détaché pendant la grossesse, mon corps qui s'était révélé déloyal. Pour être plus précis, on pourrait dire que les mères s'empressent de se sentir responsables de tout; nous sommes toujours suspectes. Lors d'une conversation, des années plus tard, j'ai appris à mon grand étonnement que ma *propre* mère s'était sentie coupable du développement lent de Matthew et s'était fait des reproches en silence pendant toute cette première année. Comment cela se pouvait-il? Apparemment, je m'étais plainte d'un vol turbulent dans l'avion qui me menait chez elle à Phœnix pendant ma grossesse. Comme c'était elle qui m'avait invitée, elle s'était sentie profondément en cause dès que quelque chose s'était avéré aller mal, en dépit du fait évident qu'une turbulence ne peut pas déloger le placenta et que la décision de prendre l'avion était la mienne.

Mais qui d'entre nous est rationnelle au sujet des mères et de la maternité? Parmi les plus ahurissantes de ces contradictions: une mère se sent parfois totalement impuissante, alors qu'on pense qu'elle a tous les pouvoirs (elle aussi d'ailleurs). «En réalité, des bébés à naître se suicident dans le ventre de leurs mères quand celles-ci ne veulent pas d'eux», déclare un psychiatre en vue. «Une mère peut transmettre ses sentiments à l'enfant dans son ventre – ce qui incite quelquefois le fœtus à déclencher lui-même son avortement et sa mort.» J'avoue que j'ai lu cette passionnante nouvelle dans un journal de deuxième ordre (*National Enquirer*) tout en faisant la queue au comptoir d'une épicerie du coin. Ce n'est pas une source très sérieuse, mais le passage illustre bien les croyances absurdes qui courent sur le pouvoir des femmes et qui se cachent dans l'inconscient des adultes, hommes et femmes. Par conséquent, les mères se font d'une part reprocher les problèmes de leurs enfants et, d'autre part, on exige qu'elles produisent des citoyens en santé, physiquement et moralement, et nous finissons souvent par croire que nous dominons la situation, même quand nous savons très bien qu'il est inutile d'y croire.

Dans *Love, Honor, and Negotiate,* la thérapeute familiale Betty Carter parle du jour où, en 1964, un grand psychiatre pour enfant de New York découvrit que son fils de trois ans était autistique (Carter dit qu'elle avait d'abord entendu «artistique») et lui précisa: «Il est autistique et vous n'êtes pas responsable.» Carter décrit ces mots comme une «bouée de sauvetage dans une mer de propos accusateurs», parce qu'à cette époque, l'autisme était considéré comme un problème psychologique que l'on imputait aux parents, c'est-à-dire aux mères. Carter décrit son fils, à l'époque du diagnostic, comme un «enfant au handicap envahissant, qui ne réagissait pas à son nom, ne laissait personne le toucher à part ses parents, et n'avait aucun échange verbal, quoiqu'il réussissait à répéter comme un perroquet ce que disaient ses parents et à chanter certaines chansons compliquées, comme celle de Gilbert and Sullivan "I Am the Very Model of a Modern Major General"».

Malgré les paroles rassurantes du psychiatre, Carter dit que le seul fait de s'asseoir à la Bibliothèque Publique de New York pour lire les théories qui prévalaient alors sur l'autisme (on parlait de mères «réfrigérateurs» et glaciales, et d'autres choses du même acabit), la heurtait tellement qu'elle n'arrivait même pas à pleurer. Même si elle s'y connaissait, elle était tout de même hantée au milieu de la nuit par cette pensée: «Se pourrait-il que ce soit notre faute?» J'adore la réaction qu'elle avait devant son auto-accusation: «Eh bien, je devrais répondre moi-même (en étant à la fois juge, juré et avocat), que pour qu'il soit dans cet état, je crois qu'il aurait fallu que nous l'enfermions dans la cave, enchaîné pendant un an ou deux, sans jamais lui adresser la parole et sans jamais le toucher.»

Betty et son mari, Sam, unirent leurs efforts pour ne pas céder à cette culpabilité et pour former une équipe de traitement novatrice et imaginative, ce qui permit finalement à leur fils de rester à l'école publique jusqu'en quatrième année. Mais ils étaient exceptionnels dans leur habileté à trouver des solutions créatives, plutôt que de sombrer dans l'anxiété chronique, les disputes et les reproches faits à la mère.

❧

Quand j'étais enceinte de Matthew, j'étais plus anxieuse que Steve, ce qui était assez compréhensible. Cependant, à cette époque, nous n'étions pas opposés l'un à l'autre, de sorte que nous pouvions partager cette anxiété, ce qui nous rapprochait plutôt l'un de l'autre. Après la naissance de Matthew, au moment où nous faisions face au résidu d'émotions liées à la grossesse et à la crise liée au fait d'avoir un nouveau bébé, l'anxiété s'installa entre nous. Nous étions enfermés comme des robots dans des positions rigidement opposées et nous en sommes venus à agir justement comme des mécanismes bien programmés: plus j'exprimais mon inquiétude et mes soucis à propos de la lenteur de Matthew, plus Steve prenait ses distances et minimisait la chose; plus il prenait ses distances et minimisait la chose, plus je m'inquiétais. La séquence s'intensifia ainsi jusqu'à devenir insupportable, et nous en étions venus chacun à reprocher à l'autre d'avoir «tout commencé».

En rétrospective, je me rends compte que Steve et moi aurions pu changer la mécanique plutôt que de tout faire pour la maintenir en marche. Par exemple, j'aurais pu, pendant quelques semaines, garder mes inquiétudes pour mes amies plutôt que d'en faire part à Steve, de sorte qu'il aurait pu se laisser aller à ressentir lui aussi une inquiétude qui devait certes l'habiter. Ou encore, j'aurais pu l'approcher dans un moment calme pour lui demander de m'aider à surmonter mes craintes, plutôt que de parler quand j'étais au sommet de mon anxiété et de laisser sous-entendre ensuite que Steve était coupable de ne pas réagir comme moi. Steve aussi aurait pu faire quelque chose de différent pour changer la mécanique, comme d'aborder le sujet lors d'une conversation où il aurait exprimé de l'inquiétude pour notre fils. Mais malgré toute notre éducation et nos formations, nous étions bloqués.

J'aimerais bien nous imaginer, Steve et moi, revenant à des dispositions plus calmes, partenaires amoureux, peu importe la manière dont le développement de Matthew se déroulait. Ce qui est finalement arrivé, c'est que peu avant le premier anniversaire de Matthew, nous l'avons emmené à Kansas City chez un pédiatre-neurologue qui nous a dit que certains bébés ne faisaient pas grand-chose tant qu'ils n'avaient pas commencé à marcher. Il prédit que tout irait bien pour Matthew, quoiqu'il serait plus faible dans les activités motrices et perceptives que dans son développement verbal. (Cette prédiction ne s'est finalement pas concrétisée.) Matthew marcha à temps, sans avoir d'abord rampé, trottiné et bougé d'une façon ou d'une autre. Ainsi prirent fin ces interminables disputes entre Steve et moi.

Passer de deux à trois

Le fait de me disputer avec Steve à propos de notre fils provoqua une ou deux bonnes choses. D'abord, cela nous aida tous deux à nous inquiéter un petit peu moins, car il est difficile de se disputer et de s'inquiéter en même temps. Nos disputes détournèrent également notre attention de nos autres soucis et des défis auxquels nous faisions face en tant que nouveaux parents. Nous arrivions ainsi à nous faire croire que si Matthew s'était développé normalement, nous aurions réussi facilement.

C'était là un point de vue bien naïf. Quand le premier-né arrive, chaque parent fait face à d'énormes défis. Même dans les meilleures circonstances, le changement est stressant, même celui que nous recherchons activement. Dans ce moment magique où la fille devient mère, le fils devient père et les parents deviennent grands-parents, chaque membre de la famille est appelé à effectuer de profonds ajustements. Il n'y a aucune relation qui échappe au changement, surtout la relation entre les parents. Si Steve et moi ne nous étions pas disputés à propos du retard dans le développement de Matthew, nous aurions sans aucun doute trouvé autre chose pour nous opposer l'un à l'autre.

Certaines mères racontent que le fait d'avoir eu un bébé a contribué à développer l'amitié dans leur union, surtout celles dont le mari s'est montré actif et aimant comme père, généreux et attentif comme conjoint. Toutefois, avoir un bébé risque davantage de ne pas améliorer votre union. Ce serait plutôt le contraire; peu d'événements contribuent à rendre une union plus tendue que l'addition ou la soustraction d'un membre de la famille.

La chose est évidente en ce qui concerne la «soustraction». Nous sommes tous à même de constater à quel point il est difficile pour une famille de surmonter la perte d'un de ses membres, surtout si cette perte est inattendue ou prématurée. En revanche, les additions sont censées constituer des événements heureux, alors il est facile de sous-estimer la crise à laquelle fait face une nouvelle maman après la naissance de son premier enfant, lorsqu'en un moment – soudain et irréversible – une famille de deux se transforme en famille de trois.

Être deux et devenir brusquement trois constitue un événement extrêmement étrange dont on parlerait certainement sur la page couverture des journaux à sensation si ce n'était du fait que cette transformation survient tous les jours dans la vie des mammifères. Si vous ajoutez à cela les tensions d'un sommeil sans cesse interrompu, le bouleversement hormonal qui suit la naissance, les exigences interminables des bébés, la perte prévisible de la libido chez la mère ainsi que tous les sentiments du passé qui se raniment, il est surprenant que tous les mariages ne volent pas en éclats avant le premier anniversaire du bébé. Il ne faut donc pas s'étonner que les relations sexuelles soient en général la première chose à être négligée dans la relation de couple.

❧

Pendant la première année de maternité, vous trouverez amplement de sujets de disputes avec votre conjoint, si vous en avez un. Se chicaner et prendre ses distances font partie des réactions naturelles face à l'anxiété, et il est difficile d'éviter ces mouvements-réflexes quand on se retrouve dans une relation tendue. Voici les sujets de dispute qui risquent le plus de surgir.

1. *L'argent* (il se fait plus rare qu'avant).
2. *Les soins du bébé et l'entretien ménager* (qui va chercher le bébé quand il pleure, qui change les couches, fait le magasinage, trouve les gardiennes et s'occupe des innombrables détails de la vie domestique).
3. *Le travail à l'extérieur* (qui gagne l'argent, qui reste à la maison, qui a le travail le plus important, qui s'absente de son travail quand le bébé est malade).
4. *Les problèmes de parenté* (à quelle fréquence les grands-parents viennent, quelles sont les limites et les frontières à établir).
5. *Reprendre les relations sexuelles dans le couple* (comme dans «Le sexe? Qu'est-ce que c'est que ça?»).
6. *Décider comment passer le peu de temps libre qu'il vous reste.*

Si vous ne vous chicanez pas sur ces sujets en particulier, d'autres viendront – n'importe quel sujet fera l'affaire. Mais soyez assurée que les sujets mentionnés plus haut sont importants et qu'ils ne disparaîtront pas, surtout si votre conjoint est un homme. Voici de quoi pourrait avoir l'air l'avenir, à moins que vous ne fassiez tous les deux un effort conscient pour échapper à la division traditionnelle des tâches entre hommes et femmes.

1. *L'argent* (vous avez perdu vos revenus; il a augmenté les siens).
2. *Le soin des enfants et l'entretien ménager* (vous remarquez ce qu'il y a à faire et vous en faites plus; vous vous sentez plus responsable).
3. *Le travail à l'extérieur* (son travail compte d'abord; il se sent plus responsable).
4. *Les problèmes de parenté* (vous vous occupez plus de sa famille et il s'occupe moins de sa famille).
5. *Le sexe* (la distribution inégale des tâches domestiques vous amène à vous désintéresser de la chose...).
6. *Décider comment passer le peu de temps libre qu'il vous reste* (quand vous sortez, vous vous disputez à propos des points mentionnés plus haut).

Les nouveaux papas

Comment le nouveau papa réagit-il, sur le plan affectif, en plus de voir son anxiété augmenter parce qu'il doit subvenir aux besoins de sa nouvelle famille? L'arrivée d'un bébé crée automatiquement un triangle. Quelquefois, les deux parents deviennent amoureux du bébé et cessent d'être amoureux l'un de l'autre. Quelquefois le père agit comme si tout son univers affectif tournait maintenant autour du bébé. Mais le plus souvent, l'homme se sent étranger dans sa nouvelle famille, surtout quand la mère allaite son bébé.

Il est normal pour le nouveau père d'avoir des réactions négatives, quoique nous n'entendions pas beaucoup parler de cela. Alors qu'un père peut ressentir de la gratification et de la fierté en regardant la mère et l'enfant, il peut également se sentir de trop, pas à la hauteur, envieux et exclus. On considère souvent ce genre de réactions comme drôles, originales ou pathologiques, ce qui laisse l'impression à la femme d'être la seule à avoir un mari qui ne la soutient pas et à l'homme le sentiment d'être coupable et abandonné à ses mauvais sentiments.

Chaque homme fut un jour un bébé au sein de sa mère, ou bien il a reçu dans ses bras son équivalent symbolique, la bouteille. Même le mari le plus aimant peut très bien se sentir interpellé par l'intimité toute particulière qui s'installe souvent entre la mère et l'enfant, une intimité qui réveille profondément ses besoins de fusion, et cela au moment même où sa femme est peut-être le moins disponible pour y répondre, et où elle et son enfant semblent parfois former un tout fermé sur lui-même.

Il n'y a pas beaucoup de pères capables de reconnaître de tels sentiments, étant donné que les hommes ont été si fortement découragés d'identifier ou d'exprimer leur vulnérabilité. Le père peut prendre une attitude silencieuse, digne et fraternelle, ou il peut réagir en s'éloignant ou en n'aidant pas, ou encore il peut décider que le bébé est à «elle» et se tourner vers le monde extérieur pour y travailler sans répit. La nouvelle maman peut également décider que son mari est déjà assez occupé et que le bébé sera d'abord et avant tout son affaire à elle et son principal champ de compétences.

❧

Les pères courent un grand danger s'ils évitent de s'occuper de leur nourrisson sous prétexte qu'ils sont incompétents. Cela augmente encore plus leurs sentiments d'incompétence, ce qui par la suite les éloigne encore plus. Quoique certaines personnes aient le talent «naturel» d'être parent, pour la plupart ce n'est qu'avec le cumul des essais et des erreurs que la compétence s'établit. Personnellement, il m'est arrivé de ressentir beaucoup d'*in*compétence et d'en venir à bout, de sorte que j'ai de la sympathie pour les pères qui se sentent terrorisés devant l'ensemble des soins à donner aux enfants. Mon expérience (ou mon manque d'expérience) dans la conduite automobile m'offre l'occasion d'une belle analogie avec ce que ressentent certains hommes face à leurs bébés.

Jeune, je n'ai pas appris à conduire, car j'habitais New York et j'empruntais les transports en commun, comme la plupart des New-Yorkais. Ensuite, Steve et moi avons déménagé à Berkeley et faisions ensemble le trajet jusqu'à San Francisco pour aller travailler. Conduire sur les autoroutes et faire face à ce genre de trafic quand vous n'avez jamais conduit n'est pas une expérience agréable. Comme Steve et moi travaillions dans le même hôpital psychiatrique, c'est lui qui conduisait toujours et qui devenait de plus en plus habile au volant. Je ne conduisais jamais. D'abord, non seulement je n'ai pas un très bon sens de l'orientation, mais je ne voulais pas risquer ma vie ni mettre en danger celle des autres. Jusque-là, la plupart de nos amis avaient tendance à voir ma difficulté à me véhiculer comme une caractéristique tout à fait charmante de ma personnalité. J'étais l'équivalent féminin de Bill Cosby donnant aux enfants du gâteau au chocolat au petit-déjeuner, ou du père typique des «sitcoms» qui est incapable de s'empêcher de foutre le bordel à la maison quand maman est en dehors de la ville.

C'est la pure nécessité qui a fini par m'obliger à apprendre à conduire, à l'âge de 28 ans, quand j'ai déménagé à Topeka. Or, je parle ici d'une conduite extrêmement simple, sans heures de pointe, sans obligation de se glisser dans de la circulation lourde, et sans aucune nécessité de se garer en double. Bref, je conduis rarement en dehors de Topeka. Steve ou quelqu'un d'autre a toujours pris le volant, et maintenant je suis convaincue que la partie de mon cerveau requise pour conduire, pas très allumée d'avance, s'est totalement atrophiée. Ma sœur, Susan, a commencé avec la même mauvaise attitude et le même manque de confiance (c'est un trait de famille), mais Susan ne s'est pas mariée avant d'avoir 50 ans, et elle a dû se débrouiller dans Boston au milieu du trafic, ce qui n'a de cesse de m'impressionner. Nous apprenons ce qu'il nous faut apprendre, et plus nous attendons, plus l'apprentissage est difficile.

Il en est de même pour la paternité. Vous pouvez aider le papa en vous assurant qu'il passe assez de temps tout seul avec le bébé, sans que vous soyez là pour le surveiller, le critiquer, le diriger ou lui donner des conseils, à moins qu'il ne vous le demande. Vous ne lui rendez pas service en dirigeant tout ou en agissant comme si vous ne pouviez vous absenter une semaine parce qu'il devrait alors se débrouiller seul. Plus vous serez convaincue qu'il ne faut pas le laisser seul avec le bébé sans lui donner une longue liste de recommandations, plus vous risquez de devoir sortir du portrait ou de devenir plus incompétente vous-même, car cela aidera votre mari à devenir plus compétent. Gardez à l'esprit que vous pouvez vous faire tuer par un gros camion demain ou que vous pouvez divorcer dans cinq ans. Si vous créez une polarité entre le père de votre bébé et vous-même, comme celle que Steve et moi avons créée autour de la conduite automobile, cela ne sera d'aucune utilité pour votre enfant.

Comment devrait se sentir une nouvelle maman?

Certaines femmes accueillent la maternité avec un enthousiasme triomphant. Mon amie Jeffrey Ann Goudie, une non-mère convaincue avant de donner naissance à sa fille, Eleonor, avoua plus tard: «Si je vous décrivais tout le plaisir que j'ai tiré de cette expérience, je risquerais de me faire doublement accuser d'être terriblement banale et sentimentale.» Elle embarqua à fond dans le «merveilleux train-train de la vie de famille», comme elle dit, et elle composa même avec son mari, Tom Averill, une version pour enfant de la chanson-thème de l'émission américaine *Howdy Doody Show*.

THE NUR-NUR SONG
And now it's nur-nur time
Where sucking's not a crime
In fact it brings me milk
Like others of my ilk
And when I start to slurp
Why then it's time to burp
And then I go to sleep
From me there's not a peep.

De bons sentiments comme ceux de mon amie Jeff étaient considérés comme la norme il n'y a pas si longtemps, et les mères qui ressentaient autre chose se taisaient. Mais aujourd'hui, les nouvelles mères parlent franchement des bons et des mauvais côtés, et elles abordent même les sujets dont il est gênant de parler. Que ce soit dans mon cabinet de consultation ou en dehors, j'entends les femmes raconter qu'elles ont cessé d'avoir des relations sexuelles avec leur mari après la naissance du bébé, et que leurs seins sont devenus mous et ont ensuite presque totalement disparu après un enfant ou deux. J'entends parler de l'intensité des sentiments qu'un enfant peut provoquer, de la colère la plus noire jusqu'à la torpeur et l'ennui, en passant par l'amour débordant et la tendresse. J'entends des mères me dire qu'elles voudraient jeter leur bébé par la fenêtre quand il pleure et n'arrête pas de crier, et ces mêmes mères m'affirment que si le moindre malheur arrivait à leur bébé, elles ne pourraient s'imaginer continuer à vivre. Je les vois extrêmement protectionnistes: je suis témoin de l'intensité avec laquelle les mères veulent que leurs enfants restent en santé et en sécurité et de l'insoutenable douleur qu'elles ressentent quand elles apprennent qu'elles n'y arrivent pas.

Plusieurs mères se sentent obligées de s'attacher à leur bébé de la «bonne» façon, tout comme une personne peut se sentir obligée d'avoir l'air heureuse le jour de son mariage ou d'écrire sur une carte postale envoyée à la maison à quel point elle passe du bon temps en vacances. Ces mères sont convaincues qu'elles devraient ressentir pour leur nouvel enfant une passion immédiate, grisante, dévorante. Mais il y a 1000 façons pour les mères de réagir à la crise que représente l'arrivée d'un nouveau bébé.

Louise, une de mes patientes fort ambitieuse, fut invitée un jour à présenter une allocution d'ouverture dans un prestigieux congrès quand son fils, Gabriel, avait environ trois mois. Elle avait travaillé beaucoup pour en arriver là dans sa carrière, mais elle fut malheureuse pendant les trois jours où elle dut s'éloigner de son bébé. Elle appelait à la maison toutes les trois minutes pour savoir comment Gabriel se portait et pour dire à son mari à quel point ses seins lui faisaient mal à cause du lait qui montait, comment le fait d'avoir son bébé dans les bras lui manquait et comment la seule chose qui la soutenait, c'était de se rappeler l'odeur et la finesse de la peau de Gabriel. Elle n'avait pas prévu la force extraordinaire du lien qu'elle avait avec son fils, et elle était horrifiée de s'être laissée persuader par une collègue de ne pas emmener Gabriel avec elle au congrès.

La plupart des mères se débattent pour arriver à s'occuper à la fois de leur bébé et de leur travail, un débat face auquel des termes comme *équilibrer* et *jongler* semblent beaucoup trop faciles. Mais toutes les mères ne se débattent pas de la même façon. À l'opposé du désir de Louise de revenir chez elle, voyons la réaction absolument pas sentimentale d'une artiste, au moment où sa fille est née.

Laura est arrivée au pire moment possible. Ma carrière venait juste de commencer à bien aller, j'avais un grand projet à terminer, et tout ce que je voulais, c'était qu'elle dorme ou qu'elle soit avec la gardienne. J'aimais bien m'en occuper la nuit et je me rappelle quelques merveilleux moments, sa bouche contre mon sein, son regard plongé dans le mien. Mais la plupart du temps, je l'aimais surtout quand elle dormait. Mon mari et moi, nous nous faisions sans cesse concurrence pour savoir qui en ferait le moins, alors nous nous la refilions l'un l'autre dès que nous le pouvions. Ce n'est que lorsque je peignais que j'avais l'impression de ne pas désirer être ailleurs.

Peut-être trouvez-vous cette réaction égoïste et manquant dangereusement de chaleur maternelle, mais je peux m'identifier à cette réaction, tout comme je peux m'identifier à une patiente qui dit qu'elle aurait sacrifié une partie d'elle-même pour laisser son travail après la naissance de son bébé. Les histoires des femmes, quand elles sont racontées de façon sincère, sont aussi diversifiées que les femmes elles-mêmes, et il en est de même des enfants que nous élevons. Ainsi, pour toutes sortes de raisons, importantes ou non, certains enfants sont plus «faciles» que d'autres, ou plus attirants.

Voici comment une femme décrivait candidement sa mauvaise réaction devant son nouvel enfant.

Il m'a fallu du temps pour m'attacher à Claire, parce que j'étais tellement rebutée par son apparence. Elle n'avait ni cou ni menton, comme mon mari Robert, mais lui s'était fait pousser une barbe, ce que Claire n'allait jamais pouvoir faire, du moins l'espérions-nous. Elle était maigrichonne et ses yeux étaient trop rapprochés l'un de l'autre. Je me disais, bon d'accord, parmi des millions de spermatozoïdes, parmi une infinité de combinaisons possibles dans la fertilisation, parmi la multitude de gènes qui ont produit tant de belles personnes, cette malchance arrive et cela ne rendra pas la vie de ma fille plus difficile. Pour être honnête, j'étais également gênée parce que personne ne pouvait regarder Claire et s'exclamer honnêtement: «Oh, le beau petit bébé!» Et il était bien difficile de passer des commentaires sur sa belle personnalité ou ses talents à ce stade de son développement. Je me sentais coupable d'être gênée de la sorte à propos de quelque chose d'aussi superficiel que l'apparence. Mais je ne suis pas arrivée à surmonter ma déception tant qu'elle n'a pas commencé à me sourire.

Le fait d'aimer votre bébé passionnément est un cadeau, mais ce n'est pas nécessairement un gage de ce qui va suivre, cela ne dit en rien par exemple quel type de relation vous aurez avec elle quand elle aura 7 ans ou 15 ans. Cette mère s'entend maintenant à merveille avec sa fille, qui vient d'avoir 16 ans, et leur relation est aussi remplie et épanouie que celle de n'importe quelle mère à laquelle je peux songer. Je pense à d'autres mères qui ont été en amour avec leurs bébés et qui aujourd'hui arrivent difficilement à communiquer avec eux maintenant qu'ils sont adolescents, ou à d'autres encore qui ont totalement coupé le contact avec leurs enfants adultes.

Mon amie Nancy, qui enseigne le droit, était incroyablement malheureuse durant la première année de la vie de son fils. Elle regardait des photos de couples en vacances dans les Bahamas et croyait que de tels projets lui étaient désormais interdits, ce qui était d'ailleurs le cas. Ce qu'elle vivait était encore amplifié par le fait qu'autour d'elle on voyait la maternité avec beaucoup de romantisme et qu'elle n'était pas en contact avec d'autres femmes qui auraient pu compatir avec elle, ou lui dire qu'elles ressentaient la même chose. Récemment, je lui ai demandé si quelque chose l'avait aidée au cours de cette période difficile. Elle m'a répondu que oui, et que c'était lorsque Max avait environ huit mois, quand elle put dire à une de ses collègues professeur de droit, Charlene, à quel point elle se sentait mauvaise et à quel point elle se sentait coupable de se sentir aussi mauvaise. «Nancy, tu ne seras pas juste une mère jusqu'à la fin de tes jours», lui répondit chaleureusement Charlene, ce qui permit à Nancy de se sentir beaucoup mieux. C'est inévitable qu'il y ait différentes périodes et époques dans la vie de nos enfants et qu'au mieux, nous arrivions tout juste à ne pas faire trop de dégâts.

Euphorie du bébé?

Certaines mères adorent les nourrissons. Or, tel n'est pas le cas pour bien d'autres qui pensent toutefois qu'elles le devraient. Il est rassurant de se rendre compte que d'autres mères ont également de la difficulté avec cela, et que les femmes n'ont plus à avoir honte et à se cacher quand elles s'aperçoivent qu'elles ne sont pas au septième ciel avec un bébé. Le nouveau livre de Carin Rubenstein, *The Sacrificial*

Mother, fait partie des nombreux livres où l'on reconnaît que les nouvelles mères peuvent se sentir intimidées, terrifiées, frustrées, déprimées et angoissées pendant au moins un an après avoir donné naissance à leur petit et quelquefois longtemps après. Rubenstein cite une étude récente qui prouve que le taux de dépression est deux fois plus élevé chez les mères d'enfants d'un an et de deux ans que chez les autres mères. Sa thèse consiste à dire que les mères se sacrifient plus que les pères et que ces sacrifices impliquent un coût affectif pour la mère et pour l'enfant.

Rubenstein croit que les nouvelles mamans s'embarquent facilement et exagérément dans un processus de sacrifice parce qu'elles ressentent avec ferveur et passion la «joie du bébé», encouragées qu'elles sont au sacrifice par une prédisposition hormonale et biologique. Bien que le message de son livre soit libérateur (ne vous sacrifiez pas trop), sa description de la «vérité essentielle sur la maternité» ressemble légèrement à un texte du XIXe siècle décrivant la mère victorienne dans toute sa gloire, mère que l'on dépeignait comme un monument d'amour angélique, toujours heureuse de se dévouer pour les besoins de ses enfants, le visage inondé de joie.

Rubenstein écrit que «les enfants procurent à leurs mères le bonheur le plus pur qui soit. L'intense exaltation qui accompagne la naissance de l'enfant n'a pas d'égal dans la vie d'une femme. Cela est meilleur que le meilleur échange sexuel, plus touchant que le premier amour, plus satisfaisant que l'attribution d'un prix Nobel ou d'un *Academy Award.*» Elle ajoute: «Les mères sont presque toutes unanimes à dire que le lien qu'elles ont avec leurs enfants est le plus excitant et le plus satisfaisant qui soit dans la vie, que cela est préférable au mariage, au sexe, à l'amitié.» En plus (juste au cas où le lecteur n'aurait pas encore compris): «Quand elles sont à nu, face à la perspective du Jugement dernier, les femmes avouent qu'elles accordent plus de valeur à leurs enfants qu'à toute autre personne et à toute autre chose sur Terre... Les mères ont besoin de leurs enfants plus que d'un homme, d'une meilleure amie, d'une sœur ou même de leur mère.» Au sujet de la dévotion maternelle, elle écrit: «C'est comme si leur cœur déversait de l'amour à la manière de rayons de lumière qui partiraient d'un phare, envoyant des millions de watts d'intensité lumineuse sur le précieux enfant.»

Je dois avouer que je ne me reconnais pas totalement dans tout cela, bien que ce soit le cas de plusieurs femmes. Je n'ai pas non plus trouvé la bonne manière d'évoquer la puissance du lien unissant une mère à son enfant, que l'enfant arrive dans la famille de façon biologique ou par voie d'adoption. Il est toujours dangereux de faire des généralités à propos des sentiments maternels qu'une nouvelle maman est censée ressentir normalement, vraiment et presque «unanimement». Voici ce que raconte la thérapeute de famille Rachel Hare-Mustin à propos d'un enfant qui se plaignait à sa mère: «Tout le monde me déteste!» Ce à quoi sa mère répondit: «Tu n'as pas encore rencontré tout le monde.» De la même façon, nous n'avons pas encore entendu toutes les mères ni même les représentantes de toutes les catégories de mères.

Bien sûr, il est à peu près impossible d'éviter de généraliser sur «ce que les mères ressentent». Comment pourrait-on autrement parler des points communs de l'expérience? Mais en fin de compte, nous devons garder à l'esprit qu'il existe des multitudes d'exceptions à chaque règle. En outre, il y a un nombre incalculable de mères, et un nombre incalculable de catégories de mères qui ne se sont pas encore exprimées et dont les voix n'ont pas été crues, enregistrées ou comptées.

Existe-t-il une vérité que nous pourrions déclarer «universelle» en ce qui concerne le lien unissant la mère et l'enfant? Peut-être est-il plus sage de dire que ce lien est habituellement puissant et intense, même si la mère a été séparée de son enfant par la mort ou à la suite de diverses circonstances. Quant à parler de la manière dont les femmes vivent cette intensité émotive, la gèrent ou s'en défendent, cela est propre à chacune d'elles. Les mères qui deviennent éperdument amoureuses de leurs enfants ne sont pas de «meilleures mères» que celles qui ressentent plus de distance et de détachement. La distance n'est qu'une façon parmi d'autres de gérer des sentiments intenses.

Une question d'anxiété

Il s'agit simplement de compter jusqu'à trois.

1. Le premier bébé provoque d'énormes changements.
2. Les changements sont accompagnés d'anxiété.
3. L'anxiété augmente le niveau de réactivité émotive.

Qu'est-ce que la «réactivité émotive»? C'est une réaction automatique, provoquée par l'anxiété. Quand vous êtes embrayée dans un processus réactif, vous vous sentez rivée à votre bébé; ou bien vous vous sentez isolée, terrorisée ou enragée; ou encore vous ressentez tout cela à la fois. Peut-être vous disputez-vous avec votre mari ou votre conjoint, ou peut-être prenez-vous furieusement vos distances. Je ne dis pas que vous vous sentirez *nécessairement* anxieuses, quoique cela risque fort d'arriver. Plus précisément, l'anxiété ou l'affectivité sous-jacente rend tout plus intense, que cela vous exténue ou que vous arriviez à y faire face.

En d'autres termes, toute l'anxiété accumulée au cours de votre grossesse et au cours de la première année ou des deux premières années de la vie de votre bébé déterminera la note que vous vous donnerez, de 1 à 10, sur l'échelle allant de «simplement très stressée» à «tout à fait sur le bord de la crise de nerfs». Je ne vous insulterai pas en vous proposant cette échelle qui représenterait un système de classement grâce auquel vous pourriez vous catégoriser et ensuite vous préparer à sauter en bas d'un pont. Disons simplement que votre anxiété sera à son point le plus bas si vous vous reconnaissez dans la situation imaginaire décrite ci-dessous.

La situation idéale. Vous fouillez dans vos souvenirs de famille et vous vous apercevez que votre mère a vécu sa grossesse, son accouchement et tout ce qui a suivi dans l'harmonie totale, qu'elle n'a eu aucune difficulté et n'a connu aucune surprise par rapport à son système reproducteur. Votre enfance a été calme et sans faits marquants, tout se passant comme sur des roulettes pour vous et pour vos parents. Quand vous êtes devenue enceinte et que vous avez accouché de votre premier enfant, vous avez suivi sans heurt le même programme. À partir du moment où vous avez décidé de concevoir jusqu'à ce que votre bébé ait deux ans, aucun stress additionnel n'est survenu dans votre vie. Votre mère n'est pas morte, votre maison n'a pas été inondée ni incendiée, votre père n'a pas recommencé à boire et vous n'avez pas perdu votre emploi, votre conjoint, votre santé et ainsi de suite. Si vous êtes célibataire, vous avez reçu tout le soutien financier et affectif dont vous aviez besoin.

Une personne aussi extraordinairement chanceuse n'existe peut-être même pas, ou à tout le moins, je ne l'ai jamais rencontrée, quoique (les paroles de la mère de Rachel Hare-Mustin me reviennent en mémoire) je n'ai pas rencontré tout le monde. D'ailleurs, même une personne aussi chanceuse se trouverait probablement stressée, étant donné que le fait d'avoir un bébé est, même dans les meilleures circonstances, un événement extrêmement stressant en soi, surtout pour les mères, de qui l'on attend tout.

Mais si vous êtes comme la plupart des gens, vous serez moins chanceuse. Selon toute vraisemblance, l'histoire de naissance et de maternité de la génération précédente ne se sera pas passée si bien que cela. Votre enfance aura probablement été tout, sauf parfaite. Lorsque vous avez été enceinte vous-même, vous avez sans doute vécu un traumatisme, comme de perdre votre mère durant cette période cruciale. Peut-être avez-vous connu des difficultés avec votre bébé ou avez-vous fait face à une crise financière ou à un conjoint distant. Ou encore, un certain nombre de petits stress inattendus ont commencé à s'ajouter à votre vie. Je ne soulève pas ces points simplement pour dresser un portrait lugubre de la situation. Mais je veux présenter une contrepartie réaliste à la sentimentalité dont on entoure toujours les images de nouvelles mamans. Il est déjà bien assez difficile d'élever un bébé, même quand l'atmosphère est relativement calme et que les seuls changements auxquels vous faites face consistent à vivre une grossesse normale et à avoir un bébé en santé.

Que vous soyez mariée ou célibataire, il ne manque pas de livres un peu partout pour vous donner de bons conseils sur ce qui se passe au cours de la première année de votre bébé. La documentation et les ressources sont bien meilleures aujourd'hui que ce qu'elles étaient quand j'ai eu Matthew en 1975. J'ai appris à éviter les livres sur la maternité et le développement des enfants parce que, de toutes façons, la plupart d'entre eux me donnaient le cafard. À cette époque, le sujet de la maternité était entouré d'une aura de faux sentimentalisme. Les mères étaient à la fois idéalisées pour les succès et blâmées pour tous les problèmes familiaux, et l'on considérait cela comme un malheur pour les poupons et les bébés quand certaines mères décidaient de soulager leurs tensions nerveuses en sortant de la maison pour retourner sur le marché du travail. J'aurais bien aimé, à l'époque, mettre la main sur un livre comme celui d'Anne Lamott, *Operating Instructions*, le compte rendu le plus honnête et le plus drôle qu'il m'ait été donné de lire sur la première maternité, mais selon toute vraisemblance, personne ne pouvait m'aider à affronter la véritable affaire.

Voici toutefois le meilleur conseil que je puisse vous donner pour votre première année de post-partum: parlez à votre mère si vous le pouvez et à d'autres femmes de votre famille. Découvrez ce qu'a vraiment voulu dire pour elles le fait d'avoir leur premier bébé. Apprenez-en le plus possible sur le climat affectif dans lequel vous êtes née et ce qui se passait entre vos parents et dans la famille en général au moment où vous êtes venue au monde. Paradoxalement, cela vous aidera à éviter de vous confondre avec votre mère et de confondre votre bébé avec vous-même.

Songez à joindre un groupe de mères ou à en fonder un, si vous pouvez trouver le genre de femmes capables de parler franchement et de partager leurs véritables sentiments. Faites confiance à vos pressentiments, surtout s'ils sont mauvais, pour déterminer ce qui est utile et ce qui ne l'est pas. Par-dessus tout, gardez à l'esprit qu'il n'existe pas de manière normale ou correcte de sentir les choses. Comme le dit si bien mon amie Emily Kofron: «Quand tu entres en travail, tu entres dans un état altéré, et tu n'en sors pas avant au moins un an.» («Ou 20 ans», ajoute-t-elle, selon son humeur.) Je suis entièrement d'accord.

Peu importe votre expérience personnelle, un nouveau bébé vous apprendra beaucoup de choses. Moi, j'y ai appris l'humilité. Avant d'avoir un enfant, j'étais souvent horrifiée de voir les comportements stupides de certains parents. Je savais que moi, d'abord, je n'agirais jamais de cette façon navrante, comme de comparer mon bébé avec celui des autres ou de trop m'inquiéter ou de me disputer avec le père devant l'enfant. Bien sûr, je ne savais pas du tout comment je réagirais en réalité. J'ai fait tout cela et bien d'autres choses encore. Nous ne pouvons savoir ce que nos enfants nous feront faire tant que nous n'en avons pas eus.

De la même façon, je n'aurais jamais pensé que mon union si aimante et si mutuellement soutenante allait se transformer temporairement en une union conflictuelle. Je me doutais encore moins que ma relation avec Steve, tellement établie sur un pied d'égalité, commencerait à perdre de cette égalité.

4

À la croisée des chemins: sa nouvelle vie, votre nouvelle vie

Steve et moi sommes tous deux convaincus du bien-fondé du féminisme, de sorte que lorsque Matthew vint au monde, j'étais certaine que nous ne partagerions jamais nos responsabilités selon le mode traditionnel, à moins que cela ne nous convienne vraiment.

Comme je l'avais prévu, Steve était vraiment là pour Matthew, totalement engagé et proche de lui. Il était également le premier à sauter hors du lit dès que Matthew pleurait ou avait besoin d'attention. Steve savait plus spontanément que moi comment prendre soin des enfants dans le quotidien, en partie parce qu'il avait grandi avec deux petits frères et une grande sœur, alors que je n'avais qu'une grande sœur et absolument pas d'expérience avec les petits enfants. De plus, Steve avait toujours aimé les bébés, alors que moi, avant d'avoir le mien, j'avais toujours plus ou moins refusé de me retrouver proche de l'un d'eux.

À cette époque, on attendait peu des pères et tout des mères, de sorte que les gens s'exclamaient sans cesse devant ce que faisait Steve. Je me rendais par exemple à une réunion de travail et un collègue pouvait me demander: «Qui prend soin de Matthew?» (de toute évidence, ce n'était pas moi), et je répondais «son père». Il y avait toujours des gens alors pour s'étonner du fait que Steve «gardait le bébé», et n'était-ce pas extraordinaire et merveilleux qu'il soit si «maternel».

Aujourd'hui, dire d'un homme qu'il est maternel parce qu'il est un bon père équivaut à peu près à dire d'une femme qu'elle est masculine ou qu'elle «pense comme un homme» parce qu'elle est bonne en maths. Je corrigeais toujours les gens: «Non», disais-je, «Steve ne *garde* pas le bébé, c'est son fils» et «Non, il n'est pas maternel, il est *paternel*».

Le féminisme a mis un certain temps à arriver à Topeka, au Kansas. Mon ami Tom Averill me rappelle que lui et un autre professeur de l'université, Ken Cott, avaient fait la manchette en 1982 dans le journal local, le *Topeka Capital-Journal,* quand une photographe d'actualité les avait remarqués tous deux promenant leurs petites filles sur le trottoir dans des poussettes. Elle était sortie en trombe de sa voiture, l'appareil-photo à la main, et s'était exclamé: «Je dois prendre une photo de cela!» La photo avait eu la place d'honneur dans le journal. Deux pères promenant leurs bébés dans des poussettes constituaient alors une nouvelle.

Si j'ai l'air peu généreuse, c'est en partie parce que j'ai essuyé pour ma part des réactions quelque peu différentes. Lorsque j'exprimais mes inquiétudes au sujet du retard dans le développement de Matthew, on me répondait que je devrais peut-être rester plus souvent à la maison pour le stimuler de façon constante et interagir avec lui afin qu'il puisse se rattraper. Jamais Steve ne se faisait passer pareils commentaires, et si tel avait été le cas, ils auraient passé sur lui comme de l'eau sur le dos d'un canard, parce que les pères ne se sont pas fait laver le cerveau pour se sentir responsables des problèmes familiaux, à part les problèmes financiers.

Alors que Steve recevait des félicitations chaque fois qu'il restait à la maison avec Matthew, j'étais bombardée par des messages du genre «la-place-d'une-mère-est-à-la-maison». Je me sentais affreusement mal, non seulement parce que je m'inquiétais du lent développement de Matthew, mais aussi parce qu'on me soupçonnait d'en être la cause. Ironiquement, en dépit des jugements que l'on portait sur moi, je restais effectivement presque toujours à la maison, alors que Steve avait repris son travail à temps plein après une brève interruption.

Comment en étions-nous venus à un tel arrangement? Tous deux faisions partie du personnel de la clinique Menninger après y avoir reçu une formation postdoctorale en psychologie clinique. De nous deux, j'étais la plus ambitieuse et Steve, le plus porté vers les bébés.

C'est pourquoi, avant même que Matthew ne vienne au monde, nous avions prévu nous en occuper à parts égales. Mais lorsque le temps fut venu, il nous sembla impensable à tous les deux que Steve réduise son temps de travail et que moi je ne le fasse pas. Nous aurions pu jurer sur la tête de nos mères, chacun de notre côté, que c'était là notre choix personnel, comme si nous pouvions vraiment faire des choix sans céder aucunement aux pressions qu'exercent les rôles sexuels, ces rôles qui déterminent quelles sont les responsabilités et les droits respectifs des hommes et des femmes.

❧

Au cours de cette première année dans la vie de Matthew, j'avais l'impression de vivre comme une somnambule. Quelquefois, je mettais cela sur le compte du développement anormalement lent de Matthew et de la tendance de Steve à nier le problème, mais ces facteurs ne représentaient qu'une partie de la situation globale. À un niveau inconscient, je me demandais ce qui m'arrivait et où je m'en allais, maintenant que j'étais mère. J'avais l'impression qu'un champ de forces occultes avait ramené Steve à la normalité de son ancienne vie et m'avait poussée, moi, dans la direction opposée. Ce champ de forces était partout: dans la structure et l'organisation de notre système de travail, dans l'attitude tacite des collègues, dans les traditions que notre culture entretient de génération en génération, dans les rôles et les normes des familles d'où nous venions, jusqu'au plus profond de nos schémas mentaux et partout dans l'air que nous respirions.

Ni Steve ni moi n'étions d'accord intellectuellement avec les mythes prédominants de l'époque: qu'une mère constitue *tout* l'environnement de son enfant, que la maternité est une carrière plutôt qu'une relation et une responsabilité, que c'est le travail de l'homme qui compte *vraiment*, qu'un père est et devrait être le pourvoyeur, que les mères devraient faire les sacrifices qu'exigent les enfants, que d'avoir à la fois des enfants et une carrière est normal dans la vie d'un homme, et irréaliste quand il s'agit d'une femme, que c'est là l'idée de quelqu'un qui «veut tout avoir». Nous étions trop brillants pour croire l'une ou l'autre de ces affirmations, mais pourtant pas assez intelligents pour voir à quel point elles nous touchaient quand même.

Comme bien des jeunes couples, nous étions des pionniers, nous débattant pour créer une alliance d'égal à égal. Comme bien d'autres jeunes couples, nous y étions très bien arrivés... jusqu'à la naissance du premier bébé.

Le problème, en réalité, ne tenait pas tant au fait que je travaillais à temps partiel et que Steve travaillait à temps plein. De fait, je n'ai jamais repris le travail à temps plein, parce que je me suis aperçu que je préférais un horaire flexible, enfants ou pas. Le problème était ceci: quand Matthew est né, nous nous sommes retrouvés à la croisée des chemins, l'une des directions indiquant la route de l'homme et l'autre, celle de la femme. Steve et moi avancions spontanément sur ces routes, sans avoir l'intention de jouer les rôles traditionnels (en ayant même, en fait, l'intention de *ne pas* les jouer). Mais chemin faisant, j'avais le sentiment d'être menacée.

Sur la route indiquée «femme», je pouvais facilement me perdre. Qu'adviendrait-il de mes désirs, de mes volontés, de mes ambitions, de mes priorités et de mon enthousiasme? (J'avais déjà perdu mon assurance-vie, mes avantages sociaux et mon statut professionnel en réduisant mon temps de travail.) Se perdre, après tout, c'est ce que les femmes faisaient depuis longtemps en famille. À tout le moins depuis l'époque de la Révolution Industrielle, à laquelle on avait inventé et coulé dans le béton ces catégories incontournables: «l'homme pourvoyeur» et «la femme éducatrice».

En restant à la maison avec Matthew, je me sentais envahie par cette tendance sociale. Certains jours, je m'ennuyais tellement et j'étais si frustrée que j'en arrivais à avoir hâte de le laisser. D'autres jours, je ne pouvais supporter l'idée de vivre sans mon bébé dans les bras. J'ai aimé mon fils avec une redoutable animalité que je n'aurais jamais crue possible. Mais j'avais le sentiment que si je ne prenais pas garde et si je n'étais pas assez solide pour résister à la vague, je me ferais emporter, me retrouvant là où je n'avais pas envie d'être.

❧

En passant, je dois ajouter que même si j'avais voulu reprendre le travail quand Matthew eut trois mois, je n'avais pas prévu à quel point il serait difficile de trouver les bonnes personnes pour s'occuper de lui.

Cela se passait en 1975, quand le monde semblait tout innocence en surface, parce que la presse ne parlait pas des bébés maltraités ou négligés par leurs gardiennes. Cependant, après avoir placé une petite annonce dans le journal local, les appels reçus nous inspirèrent une peur bleue.

Je n'oublierai jamais ce premier appel. C'est Steve qui répondit au téléphone tandis que j'écoutais sur un autre appareil. Voici la conversation qui eut lieu alors, textuellement. Et je ne blague pas.

Steve: Allô!
La femme: Vous cherchez quelqu'un pour rester avec votre bébé?
Steve: Oui.
La femme: Je ne fume pas. Je ne fume jamais.
Steve: C'est très bien.
La femme: Alors je ne mettrai jamais de cendres chaudes dans les yeux de votre bébé. Vous pouvez compter là-dessus. Pas de cendres chaudes dans les yeux.
Steve: En fait, la place est déjà prise. Merci d'avoir appelé.

En entendant ce bijou de conversation, j'eus immédiatement l'idée de laisser mon travail pendant les 18 années suivantes. Nous eûmes une quantité d'appels de différentes personnes, plusieurs d'entre elles semblant complètement gelées ou déprimées, immatures, surexcitées, dominatrices ou encore simplement pas *là,* sur le plan affectif. Je m'étais demandé avec inquiétude comment nous allions évaluer les postulants pour l'emploi, mais il était incroyablement facile d'éliminer les gens après seulement 10 secondes de conversation téléphonique. Nous avons même relu attentivement notre petite annonce pour nous assurer qu'il n'y avait pas eu une erreur d'impression, et que l'on n'y lisait pas, malencontreusement: «Psycho-bizarre demandée pour traîner chez nous et sniffer de la cocaïne. Références inutiles.»

La première personne que nous avons engagée était bien, mais pas extraordinaire. Je ne m'étais pas du tout rendu compte à quel point il pouvait être déchirant de ne pas être sûre à 100 p. 100 de la personne à qui je laissais mon bébé. Étant donné que c'était moi qui, concrètement, déposais Matthew dans les bras de cette personne, j'ai ressenti plus souvent qu'autrement l'angoisse de la gardienne. Même quand les deux parents travaillent à temps plein, c'est en général les mères qui s'occupent plus particulièrement de la personne chargée de prendre soin du bébé – parce qu'on s'attend à cela, parce que les mères ont tendance à se sentir plus coupables de laisser leurs bébés et, enfin, parce qu'elles ont peut-être moins confiance dans l'instinct de leur mari que dans le leur pour évaluer les gens.

Steve et moi avons fini par trouver deux merveilleuses femmes, Nancy Wilson et Lela Schmidtberger, toutes deux ayant gardé contact avec nos fils pendant des années par la suite. En ce qui concerne les soins à donner aux enfants, les décisions sont si importantes qu'une personne aimant le moindrement son enfant ne peut se permettre de ne pas y voir de près. Alors qu'il est normal de douter de votre savoir-faire en tant que mère, c'est un cauchemar que de douter du savoir-faire de la personne que vous embauchez, étant donné que vous n'êtes pas là pour voir ce qui se passe et que votre bébé ne peut vous en parler. Un jour, Steve et moi, de retour d'un film du samedi soir, nous trouvâmes notre gardienne d'enfant, une adolescente, criant après Matthew dans son berceau parce qu'elle n'arrivait pas à l'arrêter de pleurer. Et cela de la part d'une fille de professionnels qui nous avait été chaleureusement recommandée.

Si vous cherchez une gardienne d'enfant pour le jour, vous comprendrez l'avertissement d'Anne Lamott qui dit que le souci que l'on peut se faire pour un enfant peut facilement devenir une torture, au-delà de tout ce que l'on peut imaginer. Il y a de bons côtés à cela: cela prouve que vous aimez désespérément votre enfant. «Mais il y a également de mauvais côtés», écrit Lamott. «C'est que vous aurez désormais tant à perdre que vous aurez envie de vous asseoir dans une berceuse, à la porte de chez vous, avec un fusil installé sur vos genoux, telle Granny Clampett*, pour défendre votre bébé. Et vous n'y arriverez pas, car la vie continue de rôder autour comme une meute de loups, et cela risque de vous rendre folle.»

❧

La première année, je n'étais pas aussi heureuse que je ne le laissais croire. Je pense bien que je n'étais pas vraiment présente, ni au travail

---

* Personnage célèbre de la série télévisée américaine *Beverley Hillbillies.* (NDT)

ni à la maison. En tant que jeune psychologue, j'étudiais les théories concernant les «bonnes façons d'être mère», théories qui relevaient en général de la science-fiction, sans recevoir le moindre soutien émotif ou intellectuel étant donné que Topeka dans les années soixante-dix était loin d'être un haut lieu du féminisme.

Personne ne vint nous prendre par l'épaule, Steve et moi, pour nous aider à comprendre pourquoi Steve ne réduisait pas ses heures de travail et pourquoi de mon côté j'étais tellement dans le brouillard par rapport au mien. Au lieu de cela, nous étions baignés dans un climat de présomptions, les nôtres y comprises, sur ce qui distinguait la mère du père. Je commençai à me demander, inquiète, si je n'échangerais pas mon avenir contre celui de mon enfant. En fait, n'importe quelle femme qui ne s'en fait pas pour *son* avenir quand elle devient mère est somnambule, à moins qu'elle ne soit dans le coma.

Des années plus tard, avant le premier anniversaire de mon deuxième fils, Ben, j'eus le bonheur de signer mon premier contrat de livre. Je me revois, à peu près à la même époque, dans une fête où l'un de mes collègues me posa une question dont je suis sûre qu'il s'agissait pour lui d'une question de pure forme: «Ne te sens-tu pas coupable de travailler sur un livre avec toutes les responsabilités que tu as comme mère?» Il me regardait droit dans les yeux. «Oui», ai-je alors marmonné spontanément, bien que je ne me sois pas sentie le moins du monde coupable. Je ne me sentais même pas coupable de ne *pas* me sentir coupable. Ma réponse contrite m'était simplement sortie de la bouche et je n'avais pas eu le courage de la retirer.

La culpabilité est au cœur de la vie d'une maman. Voici ce qu'en dit la thérapeute de famille Rachel Hare-Mustin: «Montrez-moi une femme qui ne se sent pas coupable et je vous montrerai un homme.» Toutefois, la culpabilité n'était pas mon plus gros problème à cette époque. Je savais qu'il me fallait reprendre ma carrière et je n'avais jamais endossé l'idée que les bébés ont constamment besoin de l'attention de leur mère pour se développer. Cependant, j'étais secouée de constater à quel point les anciens rôles sexuels influençaient la perception que Steve et moi avions de nos droits et de nos devoirs.

Quand j'y repense, je regrette certaines choses que nous aurions pu faire différemment, Steve et moi, au cours de ces premières années de la vie de nos enfants. Pourquoi ne restions-nous pas chacun notre tour à la maison, disons, deux jours par semaine, ce qui aurait laissé une seule journée pour la gardienne? Nous aurions pu insister auprès de notre employeur pour instaurer un tel arrangement, mais nous agissions comme si cela ne constituait pas un choix possible.

Je regrette également de ne pas m'être autorisée à expérimenter plus avant les liens que j'avais avec Matthew et Ben quand je restais avec eux à la maison au cours de ces premières années. J'avais l'impression que le fait de rester distante constituait pour moi l'unique façon de ne pas jouer le rôle de mère tel qu'il était prescrit, un rôle que je trouvais trop artificiel et trop lourd pour moi. Toutefois, j'ai résisté avec tant de vigueur à la pression de ceux et celles qui voulaient que je me fonde dans mon rôle de mère – et je me sentais si seule à résister – que j'ai probablement exagéré un petit peu dans le sens inverse.

Certaines femmes ne désirent rien tant que de rester à la maison avec leurs bébés, alors que d'autres ruent dans les brancards, tellement elles ont hâte de retourner travailler à l'extérieur. Il est absurde de présumer que toutes les mères peuvent être heureuses de la même manière. Mais les «vrais choix» nous échappent souvent, car nous réagissons par automatisme aux forces occultes de notre passé et de notre présent. Peu de choses nous soutiennent dans notre marche vers la société égalitaire et orientée vers la famille que nous prétendons vouloir créer.

Gloria

Prenons mon amie Gloria, qui était la principale rédactrice dans un magazine de Chicago quand elle devint enceinte pour la première fois. Comme bien des femmes, elle parlait de son travail comme de ce qui comptait le plus pour elle. Elle avait de bons revenus et avait toujours prévu continuer à travailler après l'arrivée du bébé.

Toutefois, à mesure qu'avançait sa grossesse, Gloria découvrait de la résistance en elle et autour d'elle. Son mari souffrait de déboires professionnels sérieux et imprévus qui minèrent sa confiance en lui. Il devint soudain important pour lui d'assurer les «revenus familiaux» pour que Gloria puisse rester à la maison quand le bébé arriverait. La mère de Gloria, une musicienne douée qui n'avait pas eu la possibilité de développer ses grands talents, faisait également des pressions pour que Gloria laisse son travail. Gloria, pour sa part, se mit à douter incroyablement de ce qu'elle-même voulait, ou croyait qui était le mieux.

Elle changeait constamment d'idée. Ensuite, pendant le septième mois de sa grossesse, son patron expliqua que Gloria devrait probablement continuer à travailler à temps plein si elle voulait garder son poste. Au lieu de discuter plus avant de la question avec lui, Gloria agit sous le coup de l'impulsion. Un peu plus tard, le jour même, elle annonça au personnel qu'elle allait probablement rester à la maison après l'arrivée du bébé.

Personnellement, je soupçonne Gloria d'avoir voulu, inconsciemment, vérifier quelle sorte de réaction elle obtiendrait, espérant que ses collègues bondissent de leurs chaises en criant pour protester: «Oh non, tu ne peux pas nous laisser! Nous t'aimons et tout le bureau va s'effondrer si tu t'en vas!» En réalité, une seule personne du bureau prit la peine de poser une question sur son départ, alors que les autres passaient des commentaires du genre: «Oh! Que c'est extraordinaire de rester à la maison pour jouer ton rôle de mère. J'ai toujours su que tu serais une bonne maman!» ou (plus tard, lors d'une réunion de bureau) «Gloria nous laisse sans doute pour faire le travail le plus important qui soit. Elle va être *mère!*»

Soit dit entre nous, je dois avouer que de tels commentaires m'ont toujours donné envie de blaguer. Il est certain que d'élever des enfants est une tâche importante et sacrée, beaucoup plus attirante que, disons, de faire partie du conseil d'administration de General Motors, mais je constate que plus la maternité est abordée avec des propos fleuris, moins elle est valorisée. Quand l'éducation des enfants sera vraiment valorisée, les mères qui travaillent à la maison seront protégées financièrement et les hommes voudront nous rejoindre en tant que partenaires égaux dans le métier de parent. Comme cela se passe actuellement, les hommes qui deviennent sentimentaux face à la maternité se précipitent rarement pour essayer de prendre des ententes à leur travail afin d'être plus souvent à la maison avec leurs jeunes enfants. Ce qui n'est pas pour blâmer les hommes, parce que rien dans leur éducation, dans leur milieu de travail ou dans la définition de l'«homme» en vigueur dans notre héritage culturel, rien, en somme, n'encourage, ne soutient et même n'autorise les hommes à cela.

En fin de compte, Gloria décida de laisser son travail et de s'occuper de sa maisonnée. Elle était en thérapie à l'époque et son thérapeute lui posa apparemment plusieurs questions l'invitant à réfléchir sur cette décision de sacrifier son travail et ses revenus. Gloria me raconta qu'elle trouvait ses questions ennuyeuses, et je suis sûre qu'il avait ses préjugés, puisque tous les thérapeutes en ont. Mais si c'est le cas, ses préjugés tranchaient drôlement avec ceux des thérapeutes habituels qui normalement auraient acquiescé chaleureusement pour encourager Gloria dans sa décision et ils n'auraient posé aucune question, satisfaits de voir que les hormones maternelles de leur patiente la guidaient dans la bonne direction, celle de la maison.

Après la naissance de sa fille, Gloria devint dépressive. À l'occasion, elle prenait des contrats comme pigiste mais peu à peu elle s'habituait à adopter un mode de vie dans lequel son travail était plus un passe-temps qu'une carrière. Trois ans et un autre enfant plus tard, sa dépression empira quand sa famille déménagea dans une autre ville. Son mari avait eu, à son travail, une promotion accompagnée d'une augmentation de salaire. Avec le déménagement, Gloria perdait son milieu social et ne voyait aucune possibilité de reprendre le collier sur le plan professionnel. Au fil du temps, après avoir suivi la spirale descendante de son mariage, je pourrais dire qu'il n'y avait rien d'inhabituel dans son histoire et aucun coupable parmi les personnes en cause.

Il s'agit simplement de cette bonne vieille croisée des chemins. Si Gloria avait traité son travail comme quelque chose d'important, malgré le peu de revenus que cela aurait comporté, et si elle s'était sentie autorisée à partager la moitié des décisions importantes dans la famille, elle ne se serait pas laissée ainsi emportée par le courant. Finalement, Gloria ne s'est pas vraiment informée de ce qui l'attendait dans la nouvelle localité où elle allait demeurer, et elle ne se demanda pas non plus tout ce qu'elle allait perdre ou gagner en déménageant. Si elle et son mari avaient pu restaurer la relation de partenaires égaux qu'ils avaient avant que leurs enfants ne viennent au monde, ils auraient peut-être sauvé leur mariage et l'esprit de Gloria en plus – sans compter son apport financier. Mais ils n'envisagèrent jamais la possibilité de renégocier un arrangement plus équitable, et rien dans leur famille ou dans le contexte de leur travail ne les encourageait à le faire. Comme la plupart des couples, ils se reprochaient mutuellement les chicanes de pouvoir et les inégalités, ce qui finit par les mener au divorce.

Une égalité trop acharnée

À la différence de Gloria, Marie était farouchement déterminée à ce que les choses restent «absolument égales» dans son mariage après la naissance de son fils, Thomas. Elle tenait à ne jamais déroger du juste partage dans le travail domestique et l'éducation de l'enfant. Elle épousa un homme avec de bons antécédents féministes et me choisit comme thérapeute pour les mêmes raisons.

Quand Marie, une avocate, vint me demander de l'aide au début, elle était vague dans ses plaintes, à part le fait qu'elle se sentait débordée et qu'en général elle était tendue. Elle était fâchée en permanence contre sa mère, Brigitte, qui apparemment lui lançait des pointes sur son style de vie «tellement occupé», qui l'empêchait d'«être une mère». Marie décrivait Brigitte comme une femme qui n'avait eu rien ni personne vers qui se tourner quand Marie avait laissé la maison pour l'université, même pas elle-même.

Brigitte, une infirmière d'urgences, avait arrêté de travailler quand Marie était née. Tout au long de l'enfance de Marie, sa mère avait critiqué les mères qui travaillaient à l'extérieur. «Je n'accepterais jamais un travail qui m'éloignerait de toi», disait Brigitte à Marie. «Les enfants d'abord.» Elle était toujours là quand Marie revenait de l'école. Pour Marie, de son côté, cette constante disponibilité de sa mère lui pesait autant qu'elle lui faisait plaisir.

Dans une de nos premières rencontres, Marie me raconta cette histoire: «Une fois, j'étais en cinquième année et ma mère avait de la difficulté à obtenir un rendez-vous chez le médecin. J'étais assise dans la cuisine et le téléphone sonna. Apparemment, le médecin avait eu une annulation et offrait à ma mère un rendez-vous pour le lendemain. J'entends encore ma mère dire: “Cette heure ne me convient pas. C'est justement l'heure où ma fille arrive de l'école.” Pour une raison ou une autre, je ressentis un bouffée de colère envers elle. J'étais furieuse qu'elle abandonne son rendez-vous pour moi. J'étais furieuse qu'elle ait abandonné son métier d'infirmière pour moi. J'étais furieuse qu'elle ait abandonné sa vie pour moi. Je ne lui avais rien demandé de tout ça.»

Brigitte disait à Marie qu'elle était restée à la maison par choix, qu'elle voulait cela ainsi et pas autrement. Or, Marie, une enfant unique, voyait sa mère comme une personne frustrée et irritable. Ses parents étaient devenus de plus en plus distants l'un de l'autre avec les années, et Marie se sentait obligée de combler le sentiment de vide de sa mère et se fâchait ensuite de voir les sacrifices que sa mère avait fait pour arriver là et que personne n'avait exigés d'elle. Le père de Marie, un dermatologue, adorait sa fille. Il l'emmenait à son bureau dès qu'il le pouvait et l'engageait à temps partiel au cours des étés où elle était au secondaire. Il s'intéressait à son travail à l'école et l'encourageait à réussir. Marie trouvait confuse l'attitude de son père. Pourquoi encourageait-il si vivement sa fille à «devenir quelqu'un» alors qu'il n'avait eu aucune aspiration semblable pour son épouse?

Marie était décidée à être aussi différente que possible de sa mère. Pendant sa grossesse, elle avait fait des plans pour reprendre le travail à temps plein deux semaines après la naissance du bébé. «Quand Thomas est né», me dit-elle, «je me suis blindée. Je ne voulais pas être l'une de ces mères qui n'arrivent pas à laisser leur bébé. Je craignais qu'en me rapprochant de lui, il me serait plus difficile de m'en séparer.» Marie sevra Thomas à trois mois parce qu'«il rejetait Charles et je ne voulais pas qu'il me préfère à son père». Rien ne comptait plus pour Marie que de préserver une division du travail équitable dans son mariage.

La première fois que j'ai vu Marie, Thomas était en troisième année. Quand je lui demandai de me parler des soins du bébé et de «qui faisait quoi» chez elle, elle m'informa qu'une étudiante d'université restait avec Thomas après l'école jusqu'à ce qu'elle et Charles reviennent du travail, vers 6 heures du soir. L'entente conjugale était celle-ci: les lundis, mercredis et samedis, Marie s'occupait de Thomas tandis que Charles s'occupait du souper et du ménage. Les mardis, jeudis et dimanches, ils échangeaient leurs tâches. Vendredi était un «jour partagé».

Le couple respectait cette entente de façon très rigoureuse. Si Thomas approchait Marie un mardi et lui demandait d'aiguiser un crayon ou de le conduire chez un ami, Marie lui répondait: «C'est mardi aujourd'hui. C'est papa qui s'en occupe.» Ils placardèrent un tableau en couleurs sur la porte du réfrigérateur pour que Thomas sache auquel de ses deux parents il devait s'adresser chaque jour.

Marie me raconta un incident qui lui ouvrit les yeux sur les conséquences d'un tel arrangement. C'était un mardi soir, ce qui veut dire que c'était au tour de Charles de s'occuper de Thomas. Thomas devait se faire reconduire à une leçon de piano et Charles demanda à Marie d'y aller. L'interaction entre les deux ressembla à ceci:

Marie: Je ne m'en occupe pas. C'est ton soir.

Charles: Je le sais bien. Mais tu n'as pas eu Thomas samedi dernier parce qu'il était parti en voyage avec l'école. J'ai passé presque quatre heures avec lui dimanche, alors amène-le donc à son cours.

Marie: Ce n'est pas là notre entente. J'ai préparé le souper ce soir et je n'y vais pas. En plus, hier soir, j'ai passé presque toute la soirée au centre commercial pour lui trouver des souliers. J'ai passé beaucoup plus de temps avec lui cette semaine que toi!

La conversation s'envenima de la sorte et le ton grimpa jusqu'à ce que Marie s'aperçoive que Thomas était dans la cuisine et les regardait. Ce n'était pas la première fois qu'il se faisait rabâcher les oreilles avec de pareilles disputes, mais pour une raison ou pour une autre, cette fois-là Marie se laissa aller à être plus ouverte et vulnérable. Elle me dit en thérapie: «Peut-être que je m'étais endurci le cœur. Ce soir-là je n'étais pas aussi blindée que d'habitude. J'ai regardé Thomas et cela m'a brisé le cœur. Je me suis dit, "C'est de la démence. Il nous regarde nous chicaner pour savoir qui ne l'aura pas."»

J'invitai Charles à venir à la session suivante et il s'avéra qu'il ne s'était jamais demandé si leur arrangement était «dément» ou non. Comme bien des hommes, il avait laissé à sa femme le soin de prendre les décisions en ce qui concerne l'éducation et il avait omis de cerner ses valeurs et ses convictions en ce qui concernait le bien de leur enfant. Il craignait également les conflits, de sorte qu'il n'avait plus les idées très claires à force d'éviter de s'opposer à Marie, qui avait une volonté de fer et un caractère vif. Mais voilà ce qu'il me dit lorsque je le poussai à me dire ce qu'il considérait comme étant le mieux pour Thomas: «Je ne pense pas que l'alternance des journées soit bonne pour quiconque à la maison. Simplement, je n'ai pas d'autre solution.»

Il n'a pas fallu attendre longtemps pour que Marie et Charles reconnaissent à quel point tous deux se sentaient écrasés par le poids et les exigences du travail à temps plein et des responsabilités familiales, et à quel point leur intimité avait été sacrifiée sur l'autel de l'«égalité». Chacun de son côté, avec beaucoup de craintes et un peu de soulagement, ils arrivèrent à se négocier une semaine de travail moins longue, avec baisse de salaire, option qu'ils n'avaient même jamais envisagée, parce qu'il n'y avait aucun précédent à cet effet dans leurs milieux de travail respectifs. Ils décidèrent également d'être moins légalistes au sujet de la division «moitié-moitié» et de partager leurs rôles de parents en improvisant un peu plus, plutôt qu'en suivant des règles coulées dans le béton.

Marie se sentit relativement à l'aise pour négocier avec son patron, puisque les gens s'attendent à ce que les mères s'occupent des problèmes d'éducation de leurs enfants. Mais dans une profession dominée par les hommes, comme c'est le cas dans le domaine du droit, Marie était convaincue qu'en travaillant moins d'heures, elle se couperait la possibilité de devenir un jour associée dans le bureau, qu'elle resterait toujours en dehors du milieu et serait la première à prendre la porte. Toutes ses prédictions se réalisèrent. Moins de deux ans plus tard, elle laissa ce bureau privé et trouva du travail dans un organisme public de services sociaux.

Charles, qui était ingénieur, craignait de parler à son patron de travail à temps partiel parce qu'il avait peur de ne pas recevoir son approbation et, du coup, de perdre toute chance d'avancement. Quand Charles se décida à entamer la conversation avec lui, il apprit que l'entreprise traversait une période difficile sur le plan financier et qu'il fallait absolument couper dans les dépenses; son patron fut donc plus que content de négocier un nouvel arrangement.

Marie et Charles risquaient tous deux beaucoup. En précisant leurs valeurs, ils avaient décidé de compromettre ce que la société valorise le plus: le statut social, le pouvoir, l'argent, les promotions et tous les autres pièges du succès. Mais ce n'est pas tout le monde, et certainement pas la plupart des hommes, qui choisissent de travailler moins et d'être plus souvent à la maison, même quand ils peuvent négocier pareille entente. Comme le fait remarquer la sociologue Arlie Russell Hochschild, bien des gens disent qu'ils veulent passer plus de temps avec leur famille, alors qu'en vérité, ils préfèrent être au bureau, là où ils se sentent souvent plus en sécurité, compétents et détendus. D'après sa recherche, les femmes seraient en train de découvrir un secret bien gardé des hommes: que «rien ne vaut le travail» pour échapper aux pressions familiales et que souvent les deux parents préfèrent «fuir un monde de querelles non résolues et de linge sale pas lavé pour retrouver l'atmosphère ordonnée, harmonieuse et organisée qui prévaut au travail.» En réservant à leur famille plus de temps que ce que nous suggèrent nos cultures valorisant le travail, Marie et Charles étaient de véritables pionniers.

Nos mères et nous

Au début de la thérapie, Marie était tellement allergique à l'idée d'être comme sa mère – et elle tentait tellement d'être différente –, qu'elle ne se donnait pas l'occasion de se demander quelle sorte de mère elle voulait être. C'était comme si tout dans son mariage devait absolument être partagé de façon égale, sinon Marie se sentait menacée de répéter l'histoire de sa mère. Marie ne voulait pas vraiment arrêter d'allaiter Thomas après trois mois. Même à cette époque, elle s'était aperçu que sa décision était dictée par l'angoisse plutôt que par le cœur, par un choix éclairé.

Dans mon travail avec Marie, je l'encourageai à parler à sa mère et à en venir à aborder le «sujet chaud» des différents choix que sa mère avait faits dans sa vie. Marie ne connaissait pas très bien sa mère puisque les deux femmes avaient adopté des positions opposées, que leurs échanges étaient superficiels et qu'elles étaient prisonnières de cette dynamique. Dès qu'il était question du rôle d'une mère, Brigitte reprenait son discours de «reine du foyer» et lançait des pointes à Marie (tu fais bien de ne pas avoir un deuxième enfant puisque tu n'as pas assez de temps pour un seul), et en retour, Marie prenait ses distances, se mettait en colère et sur la défensive. Quand Marie apprit à changer de rôle dans ce scénario, elle commença à avoir des conversations plus authentiques et profondes avec Brigitte au sujet du travail et du rôle d'une mère.

À mesure que Brigitte approfondissait et raffinait ce qu'elle disait à Marie, certains renseignements intéressants émergeaient. Brigitte n'avait pas laissé son travail juste «pour remplir son devoir de mère», quoique cela ait été vrai en grande partie. Mais elle avait également laissé son travail parce qu'elle était fâchée de voir la manière non professionnelle et condescendante avec laquelle les infirmières étaient traitées dans les hôpitaux où elle avait travaillé. «J'aurais aimé devenir médecin», confia-t-elle à Marie lors d'une conversation. «Et crois-moi, je n'aurais jamais traité les infirmières comme je l'ai moi-même été.»

Chaque conversation poussait Marie à poser d'autres questions et en retour, Brigitte était portée à être de plus en plus précise dans les histoires qu'elle racontait. À la fin, ces conversations permirent à Marie d'avoir une idée beaucoup plus complète et équilibrée des forces et des faiblesses de sa mère. Le fait de devenir mère nous offre l'occasion de revoir le passé sous un nouveau jour et de trouver des manières créatives de redécouvrir nos mères avec plus d'authenticité, pour comprendre ce que fut *vraiment* leur vie. Le fait de connaître nos mères comme de vraies personnes nous aide à nous connaître mieux. Ainsi, nous risquons moins de suivre les traces de notre famille ou de nous rebeller contre elles sans même comprendre ce qui s'y passait.

Six étapes pas faciles

Si vous êtes une nouvelle maman, je ne m'attends pas à ce que vous sautiez en bas de votre chaise en criant «Eurêka!», comme si vous pouviez trouver demain matin une solution au dilemme travail-famille, simplement en proposant à votre mari que chacun de vous travaille à temps partiel, en équilibrant vos vies et en partageant vos devoirs de parents. Il est bien évident que rien n'est aussi simple et qu'il n'existe pas de solution-miracle qui convienne à tous.

Ces jours-ci, je recommande aux nouvelles mères de lire *Love, Honor and Negotiate,* de la thérapeute de famille Betty Carter. Elle explique comment les couples reviennent aux rôles traditionnels (lui comme principal pourvoyeur, elle comme principale éducatrice) quand les enfants arrivent et elle met l'accent sur le fait que le monde d'aujourd'hui incite *autant* les hommes que les femmes à gagner leur vie, et *autant* les hommes que les femmes à travailler moins d'heures et à faire des sacrifices dans leurs carrières pour élever les enfants. Je ne saurais mieux dire.

Une femme comme Gloria peut sembler excessive quand on voit à quel point elle s'est adaptée à un scénario désuet, pour en ressentir ensuite de l'amertume et de la rancœur. Cependant, bien des nouveaux parents adoptent l'ancienne division des rôles sexuels et n'en ressentent les contrecoups que des années plus tard. Peut-être a-t-elle laissé tomber un grand rêve, peut-être n'a-t-elle pas développé des habiletés qui auraient eu de la valeur sur le marché du travail, et sans doute n'a-t-elle pas vraiment vérifié sa valeur sur ce marché. Ou encore elle a essayé de faire tout cela, mais s'est sentie épuisée et amère de voir que son mari ne faisait aucun effort dans la maison ni même ne remarquait ce qu'il y avait à faire. Lui se retrouve perdant en ne participant pas à l'expérience pratique et quotidienne de l'éducation des enfants, quoiqu'il puisse ne pas s'en rendre compte, car on accorde tellement plus d'importance aux hommes qui s'occupent des déchets industriels qu'aux femmes qui s'occupent des selles de bébé. Les tensions accumulées et le ressentiment qui surviennent devant l'inégalité rendent le divorce plus fréquent, et dans les années qui suivent le divorce, le poids de cette ancienne division des rôles sexuels devient tout à fait évident: les mères ont tendance à devenir pauvres et les pères, à perdre contact avec leurs enfants, et les enfants à souffrir beaucoup de tout cela.

Qui fait la lessive?

L'organisation du travail ménager, ce vieux problème féministe, refait souvent surface au sein de couples où l'égalité régnait avant l'arrivée d'un bébé. Ce sont les mères qui sont le plus touchées par l'inégalité, mais l'intimité dans la relation de couple en souffre également, au bout du compte. En tant que thérapeute de famille, Marianne Ault-Riché fait remarquer qu'il risque d'y avoir des problèmes au lit quand les hommes ne remarquent pas ou n'exécutent pas les tâches innombrables et tous les menus travaux qui doivent être faits après l'arrivée d'un premier enfant. Non seulement la femme sera trop fatiguée pour faire l'amour, mais elle ressentira également l'injustice de la situation, même si elle nie ce ressentiment, parce que, après tout, les femmes sont censées s'arranger pour que la maison roule bien. Lors d'un congrès de femmes que je dirigeais en 1989 avec Marianne, elle-même féministe de la cinquième génération, celle-ci prononça une allocution extraordinairement drôle sur le fait qu'elle avait éveillé la «conscience buandière» de son mari, allocution qu'elle développa par la suite et qui devint un article célèbre dans les cercles de thérapie familiale sous le titre «Sexe, Argent et Lavage».

Dans son discours, Marianne soulignait ses incessants efforts, aussi énergiques qu'imaginatifs, pour éveiller cette conscience chez son mari, «pour l'inciter non seulement à sortir les poubelles, mais aussi à *voir* qu'il y avait des poubelles à sortir; ou non seulement à mettre le lavage dans la sécheuse parce que je le lui avais demandé, mais à *penser* à faire la lessive, à se *demander* lui-même, comme je le faisais, s'il y avait des vêtements mouillés qui traînaient dans la laveuse, en train de moisir ou s'il restait des chemises dans la sécheuse avant qu'elle ne s'arrête, devenant de plus en plus fripées.» Marianne n'essayait pas, selon ses termes, «de transformer un vieux phallocrate en homme rose». Au contraire, le mari de Marianne est un homme brillant, équitable, en santé, aux idées politiquement correctes. Pourtant, après la venue de leur bébé, elle découvrait constamment qu'elle avait plus que sa part de responsabilités à assumer et qu'il lui fallait une ténacité énorme pour arriver à un arrangement égalitaire.

Il semble prouvé, d'après certaines recherches, que les hommes qui font des tâches ménagères vivent plus longtemps. Cependant, Marianne disait avec humour que c'est probablement parce que ces hommes s'offrent du bon temps au lit. Elle raconte cette blague au sujet d'un homme, avide d'exciter son épouse, qui lui demande de lui faire part de son fantasme le plus érotique en ce qui concerne les préliminaires amoureux. Après avoir réfléchi un instant, la femme lui répond: «D'abord et avant tout, j'aimerais faire l'amour dans une pièce où tous les jouets ont été rangés et la lessive pliée.» «Très bien», lui répond son mari, «allons frapper à la porte à côté, chez la voisine.» Il est conseillé de garder votre sens de l'humour si vous décidez de relever le défi des inégalités domestiques, parce que le sujet est douloureux et sérieux, et quand il n'est pas résolu, il peut miner toutes les relations familiales.

Le personnel est politique

Aujourd'hui, beaucoup plus d'hommes partagent les travaux domestiques et prennent soin des enfants que dans les années soixante-dix, lorsque mes fils sont venus au monde. Cependant, les femmes continuent de me dire qu'il est utopique de croire à un partage égal entre les revenus et l'éducation des enfants. «Mes revenus couvrent à peine les coûts liés aux soins des enfants, et je préfère être avec eux», disent-elles souvent. «En plus, il n'est pas question que Robert diminue son temps de travail sans remettre en cause toute sa carrière.» Ou encore elles me disent qu'elles rêvent d'être plus souvent à la maison avec leurs enfants, mais qu'elles ne le peuvent pas, soit qu'elles ont besoin d'argent, soit que leurs horaires de travail sont trop rigides, ce qui les oblige à choisir entre travail et famille. Quand les pères veulent diminuer leur temps de travail, ils se heurtent à la même rigidité du système, en plus de se buter à une réaction peu compatissante à leur égard parce qu'ils remettent en cause le rôle de l'«homme-pourvoyeur».

Betty Carter insiste pour dire que le cœur du dilemme travail-famille constitue un problème de société vécu dans l'intimité de la vie familiale. Ce sont les mères et les enfants qui continueront le plus à souffrir de cette situation, si nous n'y faisons pas face et si nous n'allons pas au-delà des hypothèses que Carter présente comme suit:

1. Nous faisons comme si le fait d'être parent et de tenir la maison était naturellement plus engageant pour les femmes et leur demandait plus de temps qu'aux pères, de sorte que naturellement elles en feront plus.
2. Nous faisons comme si les carrières des hommes étaient intouchables, comme si la carrière des maris ne devait jamais être perturbée.
3. Nous faisons comme si c'était aux femmes à voir aux soins des enfants.
4. Nous faisons comme si le marché du travail ne pouvait être réinventé, ni même transformé de façon significative, pour aider *les deux* parents à passer du temps à la maison quand leurs enfants sont petits.
5. Nous faisons comme si nos anciennes définitions de la masculinité n'étaient plus adéquates. En fait, elles dominent toujours la vie des hommes. Beaucoup d'entre eux continuent à se sentir diminués s'ils modifient leur plan de carrière pour participer pleinement à l'éducation de leurs enfants – bien qu'ils aient eux-mêmes souffert et qu'ils se soient languis d'avoir eu des pères distants et débordés de travail.
6. Nous faisons comme si les femmes voulaient réellement être libérées des anciens rôles sexuels. En vérité, nous voulons être libérées de l'injustice liée à l'excès du fardeau domestique. De plus, bien des femmes croient toujours que leurs maris doivent les faire vivre, que ce soit parce qu'elles veulent rester à la maison avec le bébé ou arrêter totalement de travailler à l'extérieur, de la même façon que l'homme s'attend à ce que sa femme soit la «vraie» responsable de la maison, qu'elle travaille ou non.

7. Nous faisons comme si nous ne pouvions nous attendre à ce que les entreprises s'adaptent à la réalité des mères célibataires ou encore des couples où les deux travaillent. Les femmes craignent de faire des pressions dans leur milieu de travail pour instaurer les changements nécessaires (par exemple des garderies sur place, des horaires flexibles, pas de temps supplémentaire obligatoire, un bon programme de congés familiaux) de peur d'être vues comme «irréalistes» ou «incapables de s'ajuster à un monde d'hommes».

Carter ne dit pas qu'il est facile de franchir ces obstacles. Elle note que les patrons, quand ils sont des hommes, ne voient pas le problème du dilemme travail-famille, ou encore ils le voient, mais ils pensent qu'il est trop difficile à résoudre, trop coûteux ou que c'est aux mères d'y voir. Elle nous rappelle également que nous avons créé des lois pour établir la journée de huit heures et des standards de sécurité au travail au cours de la première moitié du XXe siècle et que nous pouvons aussi transformer nos milieux de travail pour qu'ils reflètent nos véritables valeurs familiales, ce qui ferait en sorte que toutes les familles compteraient, y compris celles qui sont constituées différemment, comme c'est le cas de nos jours.

Aujourd'hui, j'entends la plupart du temps les femmes me dire qu'elles veulent rester à la maison, mais qu'elles ne le peuvent pas. De plus, je continue à entendre parler du stress qu'elles subissent à jongler avec le travail et la famille, ou à équilibrer le tout, comme si cela était un problème personnel que chaque femme devait résoudre pour elle-même, en acquérant une meilleure attitude et en développant son talent pour l'organisation. C'est encore les femmes qui se sentent déchirées entre les besoins de la famille et leurs ambitions personnelles, entre, d'une part, l'amour et le souci qu'elles se font pour leurs enfants, et d'autre part, le besoin de gagner de l'argent et d'avoir accès à toute la gamme des possibilités de l'expérience humaine. Or, les femmes ne peuvent résoudre toutes seules le dilemme travail-famille et nous ne devrions jamais accepter l'idée que nous le pouvons.

Que doit donc faire une nouvelle maman?

Ne laissez personne vous dire quoi faire. Voilà la clé. Le défi consiste à suivre votre cœur et votre tête quand tout le monde autour de vous y va de ses opinions et de ses conseils. Il est utile d'être ouverte à ce que les autres pensent, pour recueillir leur opinion, mais ensuite vous devez vous demander ce qui vous convient, à vous et à votre situation.

Suivre votre cœur n'est pas une mince tâche. Il n'est pas facile de faire la différence entre le fait de vraiment suivre votre cœur et d'être sur le pilote automatique. Quand vous êtes sur le pilote automatique, vous empruntez le chemin du moindre effort. Vous faites des choix en réaction à votre douleur et à vos habitudes. De retour à la croisée des chemins, vous rejouez spontanément vos anciens rôles, c'est-à-dire que le père conçoit *automatiquement* le fait d'avoir des enfants comme une obligation de remplir sa mission de pourvoyeur, et de votre côté, vous vous relevez *automatiquement* les manches pour faire le travail pratico-pratique requis pour vous occuper des bébés et de l'entretien de la maison. Ou, comme Marie, vous exagérez dans l'autre sens et vous finissez par retourner au travail beaucoup plus tôt que vous ne l'auriez vraiment voulu ou vous vous privez d'une partie de l'expérience de la maternité.

Pour éteindre le pilote automatique, vous devez voir clairement les forces qui vous font agir, dans votre famille et dans votre société. Cela vous permettra de réfléchir à ces forces et de commencer à vous définir en tant que mère et être humain capable d'évoluer à partir d'un centre véritable. Suivre votre cœur ne veut pas dire faire ce que vous avez envie de faire au fur et à mesure. Ce qui est plus facile à court terme peut ne pas vous placer en situation favorable à long terme. À court terme, il peut sembler très difficile de parler à votre patron d'horaires flexibles ou de demander à votre mari de s'occuper du bébé ou de noter ce qu'il y a à faire à la maison. Mais à long terme, cela vaut la peine de suivre la voie la plus ardue.

Je crois pour ma part que la plupart des femmes et des hommes, lorsqu'ils ont vraiment le choix, ont envie — et ont *besoin* — d'un travail significatif, de revenus financiers, de temps pour prendre soin de leurs enfants et de temps pour rester liés à leur famille, à leurs amis et à leur entourage. Mais de dire cela ne vous donne aucune solution pour ce qui se passe aujourd'hui chez vous, dans le contexte précis dans lequel vous vivez, et ne vous dit pas quelles dispositions correspondent le mieux à votre famille, à un moment donné dans le temps. Quand on en arrive aux cas particuliers, personne n'est mieux placé que vous pour trouver des solutions.

Il est particulièrement difficile pour les mères d'avancer contre la vague. Ce qui constitue la vague dépend du groupe ou de la tribu à laquelle vous appartenez à une époque donnée et dans un lieu donné au cours de l'histoire. Il est difficile d'allaiter quand tout le monde utilise le biberon. Il est difficile de valoriser l'éducation quand la société valorise la production. Il est difficile de mettre votre énergie dans le travail si la société dit: «Mère, reste à la maison!» Heureusement, chaque jour dans votre vie de mère, vous pouvez réviser vos révisions de la veille et repenser vos pensées.

Voilà le point central: peu importe où vous en êtes par rapport aux poupons et aux bébés, il y aura d'autres croisées des chemins. À chaque âge et à chaque étape de votre vie de famille, vous aurez l'occasion de négocier un changement avec un époux ou un conjoint autour de la question cruciale de qui fait quoi et vous pourrez redéfinir vos priorités, vos valeurs et votre plan de vie ainsi que les besoins de votre enfant et de votre famille. Ce qui fonctionne pour votre meilleure amie peut ne pas fonctionner pour vous. Ce qui vous convient le mieux cette année peut ne pas vous convenir l'an prochain.

L'expérience (qu'Oscar Wilde avait définie comme le «nom que nous donnons à nos erreurs») sera votre professeur. Si vous êtes assez chanceuse pour pouvoir faire des choix, vous vous rendrez probablement compte que vous avez d'abord été trop loin dans une direction (vous êtes à la maison presque tout le temps avec le bébé et vous vous sentez claustrophobe), ensuite trop loin dans l'autre (vous retournez au travail et découvrez que vous aimeriez être plus souvent à la maison), mais vous finirez par trouver votre voie.

Les bébés ne viennent pas avec un manuel d'instructions, comme nous le rappelle Anne Lamott. Et même si c'était le cas, ces instructions seraient rapidement désuètes. La maternité non plus ne vient pas avec un manuel d'instructions. Vous apprendrez sur le tas et vous découvrirez que cette aventure n'est pas de tout repos.

Deuxième partie

Jouer avec le feu

5

Assez de culpabilité pour aujourd'hui, merci

Voici l'une des choses que vous apprendrez sur le tas: la culpabilité. Peut-être vous sentirez-vous coupable de laisser vos enfants pour le travail et coupable de laisser votre travail pour vos enfants. Sans aucun doute vous sentirez-vous également coupable de vous sentir coupable. Cependant, essayez de vous rappeler que notre société encourage les mères à cultiver la culpabilité comme un jardin de petites fleurs, parce que rien n'éteint la conscience et ne fait taire l'expression d'une colère légitime avec autant d'efficacité que cette émotion dévorante.

Si vous vous sentez coupable de ne pas être une assez bonne mère, vous risquez de ne pas remettre en question la définition même d'une «bonne mère» ni ceux et celles qui ont inventé cette définition. Si vous vous sentez coupable d'être trop épuisée pour donner toute l'attention voulue à vos enfants, vous risquez de ne pas remettre en cause les éléments de votre ménage ou de votre travail qui vous rendent le travail à la maison si difficile. Quand elles se sentent coupables, les mères restent rivées à la question «Qu'est-ce qui ne va pas avec moi?» et cela les empêche de devenir des agents efficaces de changement personnel et social.

Bien sûr, la culpabilité n'a pas que des mauvais côtés. Nous connaissons tous des parents que nous aimerions voir se sentir plus coupables. La culpabilité est une émotion humaine essentielle qui peut nous pousser à clarifier nos valeurs les plus profondes et à faire en sorte que notre comportement soit conforme à ces valeurs. Mais certaines mères se sentent continuellement oppressées par la culpabilité, car elles n'arrivent pas à être vraiment et constamment disponibles, attentives, en harmonie avec elles-mêmes et à leur meilleur; elles sont épuisées et irritables, et se sentent en plus obligées d'être compétitives. Or, il nous arrive parfois à nous, les mères, de croire que nous pouvons atteindre ce modèle utopique.

❧

La culpabilité enracinée chez les mères est habituellement d'une variété non productive. Voyons plutôt l'exemple suivant.

Une femme m'écrivait de son lit d'hôpital après avoir accouché de son premier bébé, une fille qu'elle appela Rosalie. Cette nouvelle maman ne voulait pas allaiter, mais son pédiatre insistait en affirmant que cela était essentiel pour la santé mentale et physique de son bébé.

«Il dit que les bébés nourris à la bouteille sont déficients», m'écrit-elle, «et que toutes les mères aiment allaiter.» La lettre continue: «Toutes les cellules de mon corps se rebellent à l'idée de l'allaitement, mais je suis rongée par la culpabilité. L'allaitement est-il nécessaire et est-ce que toutes les mères normales veulent allaiter leurs bébés?»

Je répliquai qu'il n'y avait rien que *toutes* les mères voulaient faire, pas plus en ce qui concerne l'allaitement que les autres aspects du rôle de parent. Je l'assurai que Rosalie ne souffrirait pas d'être nourrie à la bouteille, mais qu'en revanche, elle bénéficierait d'avoir une mère qui se respecte et qui tient compte de ses sentiments. Je lui exprimai clairement les avantages réels qu'il y a à nourrir au sein plutôt qu'à la bouteille, étant donné que le lait humain est sans équivoque le meilleur qui soit pour les bébés humains. Trop souvent les mères ne reçoivent pas assez d'encouragements, de renseignements et de soutien pour allaiter aussi longtemps qu'elles le voudraient. Mais je lui dis de façon tout aussi claire que peu importe les épreuves que Rosalie aurait à vivre au cours de sa vie, le manque de lait maternel n'en serait pas la cause. En fait, la culpabilité et l'insécurité que certains spécialistes inculquent aux mères font beaucoup plus de tort aux bébés que les carences nutritives réelles des formules de lait maternisé.

Je lui suggérai également de songer à changer de pédiatre si le sien ne respectait pas ses choix et ne la soutenait pas en cours de route. Le médecin avait le devoir de lui parler de tous les faits à considérer et de lui faire une recommandation. Mais il n'avait pas à la juger en tant que mère. Je l'assurai que le regard qu'elle portait sur elle-même et sa force de caractère étaient deux beaux cadeaux qu'elle pouvait faire à sa fille.

Quand ma réponse fut publiée dans ma rubrique de conseillère, elle provoqua différentes réactions négatives de la part de collègues qui avaient l'impression que j'opposais le *désir* d'une mère aux *besoins* d'un bébé. Les mères se font toujours dire qu'elles ont des «désirs», à la différence des bébés et des enfants, qui ont des «besoins». Qu'une mère puisse aussi avoir des besoins semble être une idée choquante.

En tant que mères, nous sommes particulièrement susceptibles d'ignorer notre puissante voix intérieure quand elle entre en conflit avec la voix de l'autorité. D'abord et avant tout, il nous arrive de prendre la voix de l'autorité trop au sérieux. Cela était surtout vrai pour la génération de ma mère, avant que le féminisme moderne ait encouragé les femmes à accorder plus foi à leurs expériences personnelles qu'à ce que les spécialistes leur disaient ou disaient d'elles (spécialistes qui n'étaient en général ni des femmes ni des mères). À cette époque, les conseils de ces spécialistes semblaient descendre tout droit du ciel, de sorte qu'il était difficile pour les femmes de se faire confiance, de prendre ce qui leur convenait et de laisser tomber le reste. Encore aujourd'hui, la plupart des mères se sentent déjà assez coupables pour ne pas avoir en plus à confier leur sort à un spécialiste qui les fait se sentir encore plus coupable.

Sauvée par Spock

Ma mère, Rose, raconte une histoire au sujet de ma sœur, Susan, qu'elle amena un jour voir un psychiatre très en vue à Brooklyn, à l'époque où nous étions enfants. Susan, qui avait sept ans à l'époque, était dans un état de trouble affectif que le psychiatre avait diagnostiqué comme le résultat du régime alimentaire sévère qu'elle supportait depuis plusieurs années. Ma mère eut l'impression qu'on lui reprochait d'avoir fait du tort à Susan, même si elle avait tout simplement fait de son mieux. Susan souffrait d'un «problème cœliaque», et ma mère avait suivi, avec beaucoup de soins, de précision et de difficultés, une diète qu'un spécialiste lui avait fortement recommandée.

Le psychiatre avait tout à fait raison de remettre en question cette diète, puisque Susan s'épanouit dès que ma mère eût laissé tomber les restrictions alimentaires. Pourtant, le fait de se sentir blâmée bouleversa ma mère qui, encore aujourd'hui, me dit qu'elle n'avait fait que suivre les recommandations du médecin. Pour empirer les choses, ce même psychiatre continua en disant que Susan avait «fait mourir sa mère et sa petite sœur» (moi) lors de jeux de thérapie et que c'était certainement là une bonne chose. Il déclara tout cela comme si de rien n'était, mais ma mère (qui n'était pas au courant de la théorie freudienne de l'Œdipe) trouva le commentaire énigmatique et le prit à la lettre et à cœur. Lorsqu'elle téléphona au psychiatre, plus tard, pour obtenir quelques éclaircissements, celui-ci ne voulut pas lui parler, refusant complètement de communiquer avec elle durant toute la durée de la thérapie de Susan.

Ma mère n'en voulut pas au psychiatre et ne songea aucunement à trouver un autre thérapeute pour Susan. Elle fut surtout tourmentée par la culpabilité et ensuite assaillie par le doute sur ses qualités de mère. Plus tard cette année-là, quand elle nous amena Susan et moi voir le pédiatre pour des examens de routine, elle demanda de rester un instant seule avec lui et lui exprima ses craintes.

Maintenant, voici la partie de l'histoire que ma mère aime le plus raconter. Il se trouvait que notre pédiatre n'était nul autre que le docteur Benjamin Spock. Devant l'angoisse évidente de ma mère, il déclara qu'il passerait son heure de dîner avec Susan et moi, et qu'il ferait ensuite sa propre évaluation.

Le docteur Spock nous rencontra le jour même et fit part ensuite de son diagnostic. Il informa ma mère que Susan et moi étions de charmants enfants, qu'elle faisait vraiment bien son travail d'éducatrice et qu'elle avait de quoi être très fière d'elle-même et de ses deux filles. Il refusa de prendre quelque argent que ce soit pour cette évaluation non officielle, ce qui était une bonne chose étant donné que ma mère était sans le sou. En fait, la seule et unique raison pour laquelle Susan et moi étions en thérapie, c'est que ma mère avait obtenu une police d'assurance-santé toute particulière qui nous donnait droit, à ma sœur et à moi, à une session de thérapie par semaine pour un dollar chacune. À la différence des autres parents de l'époque, qui voyaient la thérapie comme un traitement à imposer en désespoir de cause aux malades mentaux, ma mère – juive et avant-gardiste – voyait la thérapie comme une «occasion d'apprendre» pour ses filles. Je blague souvent en disant qu'elle m'aurait certainement envoyée en thérapie si j'étais arrivée à la maison avec la moindre note inférieure à B +, ce qui est une exagération, mais à peine.

Ma mère, aujourd'hui âgée de 88 ans, parle encore de la gentillesse et de la générosité du docteur Spock qui nous avait consacré son heure de lunch et qui avait refusé de la lui charger. Jusqu'à ce que je devienne moi-même une mère, je ne pouvais comprendre pourquoi ma mère avait pris ces commentaires tellement au sérieux: d'un côté le commentaire accusateur du psychiatre et, de l'autre, le commentaire rassurant du pédiatre. Ce que je retiens de cette histoire n'est pas tant qu'un psychiatre donné puisse s'être mal conduit (cela peut arriver à tout le monde), mais plutôt qu'une mère – en l'occurrence la mienne – puisse réagir en se sentant si dévalorisée.

Elle n'est pourtant pas du genre victime. Ma mère était la plus vieille de quatre enfants nés de parents immigrants juifs de Russie. Sa mère, dont la santé s'était affaiblie après la naissance de son dernier-né, mourut de la tuberculose et dans la pauvreté, à 44 ans. Rose, en aînée responsable et compétente, éleva sa jeune sœur et fit simplement ce qu'il y avait à faire. Même si, dans les faits bruts de sa vie, il y a de la souffrance et des privations, jamais ma mère ne se présente comme une martyre ni ne s'attendrit sur elle-même quand elle raconte les histoires de son passé. Au lieu de cela, elle parle de sa famille avec tellement d'amour et de chaleur qu'il est impossible en l'écoutant de ne pas se sentir fiers d'appartenir à ce clan remarquable et étroitement uni.

Il y a donc ma mère, une femme d'intelligence, de dignité tranquille, de courage et de grande force de caractère – solide rocher telle une véritable mère et pas du tout du genre à plier devant la critique. Pourtant, elle était incapable de prendre les bons conseils du psychiatre et de ne pas s'occuper de ses jugements. Pas plus qu'elle ne remit en question l'opinion des spécialistes de l'époque sur la manière dont une mère devait se sentir et se conduire.

La culture de la culpabilité était beaucoup plus ancrée à cette époque où ma mère nous élevait, Susan et moi, dans les années quarante et cinquante, quand une «bonne mère» suivait les règles, s'oubliant pour se donner entièrement à ses enfants, seule coupable de tout ce qui allait mal dans la vie familiale, y compris son chagrin. Quelques dizaines d'années plus tard, parmi mes contemporaines, les messages incitant les femmes à la culpabilité refont surface depuis que les médias opposent la «femme de carrière» et la «mère à la maison», une polarité trompeuse et déchirante que l'on a reprochée au féminisme.

À l'époque où Matthew est venu au monde, toutes les mères avaient de quoi se sentir effrayées et coupables, chacune à sa manière. Les «mères au travail» se faisaient dire que leurs enfants, privés d'une attention maternelle constante, ne se développeraient pas bien, alors que les femmes à la maison étaient dépeintes dans les médias comme des idiotes souriant devant leurs parquets fraîchement cirés et se faisaient dire qu'elles ne travaillaient pas. Étant mises ainsi sur la défensive, les femmes étaient portées à croire qu'elles devaient critiquer les choix des autres quand ils étaient différents des leurs, comme si les différences personnelles étaient répréhensibles ou condamnables.

Même avec les changements profonds que le féminisme et le nouveau type d'économie ont instaurés, bien des mères continuent à se sentir exagérément coupables et à se faire des reproches. Les mères prennent sur leurs épaules les problèmes et les chagrins de leurs enfants, même quand elles sont elles-mêmes complètement débordées de travail et ne reçoivent aucune aide de la part de leur famille, qu'elles manquent de contacts avec leur entourage ou du soutien dont elles auraient besoin de la part des services sociaux.

Le comportement de vos enfants est-il votre bulletin de notes?

Le sociologue Philip Slater note que dans une société orientée vers la production, il est naturel qu'une mère veuille créer un produit parfait pour se prouver, à elle-même, à sa mère et au monde entier, qu'elle a bien fait son travail. Nous, les mères, sommes jugées non seulement pour notre comportement, mais également pour le comportement de nos *enfants,* que nous pouvons certes influencer mais non pas maîtriser. D'un côté, nous nous faisons dire que nos enfants ne devraient pas être considérés comme des extensions de nous-mêmes – qu'ils sont eux-mêmes des petites personnes séparées de nous et que nous ne devrions jamais nous attendre à ce qu'ils *soient* conformes à un certain modèle, ou qu'ils aient *l'air* de se conformer à un certain modèle, ou qu'ils *accomplissent* certaines choses dans *notre* intérêt. D'un autre côté, nous sommes encore jugées selon le comportement de nos enfants, comme s'ils étaient les miroirs réfléchissant le bon ou le mauvais travail que nous avons fait.

Les mères savent que leur travail de mère est jugé et il est compréhensible que nous devenions paranoïaque à ce sujet. Quand un enfant devient le point central de l'attention négative, une mère ressent souvent un mélange complexe de sentiments inextricables: de la culpabilité à cause des défauts réels d'un parent (nous en avons tous), de la honte et de la gêne à cause de la manière dont les agissements de la mère sont perçus, de la colère envers l'enfant qui «oblige» la mère à paraître si mal, du ressentiment envers les autres qui se posent en juges et de l'inquiétude causée par les problèmes de l'enfant. Cet enchevêtrement d'émotions confuses empêche la mère d'aller chercher les ressources qu'il lui faut et de faire face au problème calmement, afin de trouver des solutions.

L'expérience d'Anne illustre bien cela. Anne est une amie thérapeute qui pratique sur la côte Est et qui s'est taillé une excellente réputation pour son travail avec les enfants et les familles. Il y a plusieurs années, elle recevait un appel d'urgence qui l'obligea à sortir d'une réunion de travail. Sa fille, Fanny, étudiante en deuxième année à l'université, venait de prendre une surdose de médicaments dans le but de se suicider. Anne s'était fait dire que sa fille allait probablement s'en sortir, ce qui arriva effectivement. Voici ce que me raconta mon amie plus tard.

J'étais en état de choc. Ma première réaction fut de penser que ma réputation était ruinée, car j'étais là, moi, la spécialiste de la famille, et je ne savais même pas que ma fille était dépressive et suicidaire. Je ne pouvais m'empêcher de penser à ce que diraient mes collègues dans mon dos, du genre: «Oui, peut-être est-ce à cause du divorce» ou «Peut-être qu'Anne s'est trop absentée quand ses enfants étaient petits» ou «Elle a certainement dû trop pousser Fanny pour qu'elle réussisse». Ensuite, je me suis sentie terriblement coupable de m'apercevoir qu'au moment même où Fanny venait de faire une tentative de suicide, je m'en faisais avec ce que les gens allaient dire de moi et je m'inquiétais de savoir si je pourrais garder la tête haute avec mes collègues. Je ne me croyais pas capable d'une réponse aussi narcissique. En dessous de tout cela, j'étais terrorisée, simplement terrorisée. Et personne n'aurait pu me juger aussi sévèrement que je ne le faisais moi-même. Je repensais à tout ce que j'avais fait ou pas fait depuis sa naissance, essayant de comprendre ce qui, dans mon attitude, aurait pu provoquer ou prévenir cette tragédie. Je continue d'ailleurs à explorer mon passé pour voir où j'ai fauté.

Quand quelque chose ne va pas avec un enfant, il est normal que les membres de la famille et de l'entourage cherchent quelqu'un à blâmer. Quelquefois, les parents se font des reproches à haute voix — «je suis convaincue que ce problème vient d'un gêne de *ta* famille» — et quelquefois c'est dans l'air, même si les parents n'en disent rien. Il est normal de s'en vouloir à soi-même ou de faire des reproches au père de l'enfant, comme le fit Anne au début, mais il est important de dépasser ce stade. Anne, comme tous les parents, avait fait des erreurs en élevant ses enfants, mais elle avait beau se sentir coupable à ce propos, elle n'était pas pour autant responsable de la tentative de suicide de sa fille. Pas plus qu'elle n'aurait pu garder sa fille en vie si celle-ci avait été déterminée à mourir.

❧

Anne franchit un très grand pas quand elle cessa de se faire des reproches pour adopter une perspective plus réfléchie sur sa famille et quand elle entreprit d'essayer de déblayer le terrain pour améliorer la communication avec Fanny et le père de Fanny. Au cours d'une thérapie, Anne apprit également à faire face à sa mère, qui l'avait toujours critiquée et qui avait continué de plus belle après la tentative de suicide de Fanny. La mère d'Anne pouvait dire des choses comme: «Voilà, tu étais peut-être bien contente de divorcer, mais tu dois maintenant reconnaître que le divorce est une tragédie pour les enfants.» Auparavant, Anne se serait mise sur la défensive en se taisant ou en adoptant une attitude sarcastique. Elle fit un grand pas en avant quand elle réussit à approcher sa mère de façon mûre, d'adulte à adulte, arrivant à s'exprimer avec calme et autorité.

Anne commença par écrire à sa mère une lettre qui comprenait le message suivant.

> *Maman, je sais que la tentative de suicide de Fanny a été difficile pour chacun d'entre nous. Je sais aussi que lorsque quelque chose ne va pas dans une famille, il est naturel de chercher à jeter le blâme sur quelqu'un. C'est ce que j'ai fait en blâmant son père. C'est également ce que j'ai fait en me blâmant moi-même. Mais il est temps que j'arrête cela. Je dois maintenant abandonner l'idée que quelqu'un a «provoqué cela» parce que je ne crois pas que ce soit utile ni vrai.*
>
> *J'ai certainement fait ma part d'erreurs en tant que parent. Je sais que je n'ai pas toujours bien agi. Mais j'ai fini par comprendre que je n'étais pas responsable de la tentative de suicide de Fanny. Et que je ne peux pas régler ses problèmes. Tout ce que je peux, c'est lui faire savoir que je l'aime. Je peux également travailler à cesser d'entretenir ma colère envers le père de Fanny, autant pour son bien que pour le mien. Mais je ne peux pas garder Fanny en vie ni résoudre ses problèmes. Je peux seulement être là pour elle et faire de mon mieux.*
>
> *Quelquefois, je suis terrorisée à l'idée que Fanny veuille s'enlever la vie à nouveau. Quand j'ai peur ou que je me sens vulnérable, j'ai surtout besoin de ton amour et de ton soutien. Je trouve cela très douloureux de sentir que tu me juges en tant que mère, ou que tu insinues que c'est le divorce qui a poussé Fanny à tenter de se suicider. Je ne pouvais pas rester dans un mariage amer et malheureux. Je ne crois pas que si je l'avais fait, cela aurait «sauvé» Fanny.*
>
> *Je ne veux pas te dire quoi penser ni quoi sentir. Toi et moi voyons le divorce d'un œil différent. Je veux simplement que tu saches à quel point j'ai besoin de ton amour et de ton soutien dans la période difficile que je traverse.*

En devenant nous-mêmes mères, nous avons une belle occasion de nous redéfinir face à notre mère et aux autres membres de notre famille. Le fait de relever ce défi provoque un effet multiplicateur sur l'ensemble de nos relations familiales. Quand nous trouvons notre place d'adulte (autrement dit quand nous arrivons à penser sans vouloir changer nos parents, ni les corriger, ni les convaincre, ni les blâmer), notre personne et nos liens les plus importants finissent par se renforcer, y compris ceux avec nos enfants.

Vous avez moins de pouvoir que vous ne le croyez

Une mère peut se conduire mal, et même, de façon parfaitement odieuse, mais elle ne peut unilatéralement *pousser* son enfant à devenir suicidaire, schizophrène, asocial ou malade d'une quelconque façon. Pas plus en fin de compte qu'elle ne peut obliger son enfant à devenir voleur à l'étalage, à avoir une migraine, à frapper quelqu'un sur le nez ou à toujours avoir des A dans son bulletin. Alors que nous pouvons tenter de maîtriser et de changer nos comportements, nous ne pouvons jamais déterminer la réaction de nos enfants face à notre comportement. Pas plus que nous ne pouvons gérer l'environnement immédiat de nos enfants ou l'univers dans lequel ils vivent.

Il est également vrai que certains enfants sont particulièrement vulnérables et sensibles dès leur naissance. Le psychologue Ron Taffel, l'auteur de *Parenting by Heart,* est un spécialiste des «enfants difficiles». Il parle d'enfants qui n'embrassent pas, ne caressent pas, ne communiquent pas et ne «rendent pas» l'amour qu'ils reçoivent; qui ont des problèmes d'autorégulation et ne peuvent s'empêcher de crier, d'être méfiants ou de perdre le contrôle; qui n'arrivent pas à faire de transitions parce que leur attention est tellement concentrée que les adultes ne peuvent les détacher de ce qui les absorbe pour les aider à avancer; qui ne peuvent décoder le langage avec précision et qui apprennent donc plus par images et par signaux visuels; qui n'ont pas de «défenses sensorielles», ce qui veut dire qu'ils n'arrivent pas à contrôler les puissants stimuli qui les assaillent. Il existe une multitude de problèmes d'attention et d'apprentissage, de désordres dans l'intégration sensorielle et de fâcheux retards de développement. Il est impossible d'enseigner à de tels enfants dans un contexte de classe normale ou de les atteindre, s'ils sont chez eux, sans aller chercher de l'aide nous-mêmes pour savoir comment ils peuvent apprendre.

Comme le fait remarquer Taffel, les enfants sont tous différents. Vous sentir coupable et responsable de leurs problèmes a à peu près autant de sens que de vous sentir coupable parce que votre fille est la seule enfant de sa classe qui ne peut pas voir le tableau sans lunettes. Bien sûr, vous pouvez vous sentir coupable de toutes façons; une grande partie de la psychologie actuelle rappelle encore les affiches de certains films policiers où l'on voit un doigt pointé en direction de... la mère. Les mères sont en général plus présentes, plus engagées, plus épuisées, plus inquiètes, plus souvent parent célibataire (ou faisant double emploi quand elles sont mariées), et plus souvent condamnées, par elles-mêmes et par les autres.

❧

Voici quelques pensées qui vous aideront à réfléchir si vous avez des crises de culpabilité.

1. Ça vous vient tout seul, ça vient avec le fait d'être mère et vous êtes en bonne compagnie.
2. La culpabilité n'est pas une maladie incurable: vous ne risquez pas d'en mourir.
3. Pensez à vous répéter, tel un mantra: «Je suis responsable de *mon* comportement; je ne suis pas responsable du comportement de mon enfant.» Autrement dit, faites votre possible et oubliez l'idée de toute-puissance selon laquelle vous pourriez déterminer ce que sera la vie de votre enfant ou comment il ou elle pensera, sentira ou se conduira.
4. Comprenez que quelquefois la culpabilité peut servir à quelque chose en vous poussant à changer de comportement de façon constructive, par exemple en vous incitant à offrir des excuses sincères à votre enfant. La capacité de nous excuser est un don que nous nous faisons à nous, autant qu'à nos enfants. Désolée de ne pas t'avoir mieux écouté. Désolée de voir que tu ne t'es pas sentie assez en sécurité pour me dire la vérité. Désolée pour hier, j'étais tendue et je me suis défoulée sur toi. Mais de toute évidence, une succession interminable de «Désolée...» perd de sons sens et peut même témoigner d'une difficulté à avoir prise sur notre comportement. Par ailleurs, l'incapacité à s'excuser quand c'est le temps crée une barrière qui empêche les bonnes relations,

car les enfants ont un grand sens de la justice. Une authentique et franche excuse fait beaucoup pour encourager l'indulgence. Les mères en général ont plus de facilité à s'excuser que les pères, parce que les femmes, normalement, sont plus à l'aise que les pères pour montrer leur vulnérabilité et admettre leurs erreurs. Mais il arrive, paradoxalement, étant donné la tendance des mères à se sentir trop facilement responsables et coupables, qu'elles aient beaucoup de difficulté à être vraiment présentes à la douleur d'un enfant ou à dire quelque chose d'aussi apparemment simple que: «Je suis désolée que cela soit arrivé dans notre famille.» Ou même, tout simplement, à reconnaître que «cela» est survenu (quel que soit l'événement malheureux ou douloureux en cause).

5. Dites-vous que les autres ne peuvent vous faire sentir coupable par rapport à votre rôle de mère. Ils ne peuvent qu'essayer d'y arriver. Écoutez les commentaires qui sont utiles et oubliez les jugements négatifs. Quand les autres portent des jugements sur votre manière d'élever vos enfants, il y a peut-être plus de problème de leur côté que du vôtre.
6. Évitez de vous faire des reproches. Évidemment, nous devons nous observer et changer en nous ce qui contribue à alimenter les problèmes ou les habitudes affectant nos enfants. Cependant, le processus de réflexion, d'auto-évaluation et de transformation est une tâche exigeant essentiellement de l'amour envers soi-même et cela ne se développe pas dans une atmosphère d'auto-flagellation et de blâme.
7. Évitez le perfectionnisme comme la peste. J'ai trouvé, dans la rubrique électronique d'Anne Lamott, un conseil non sollicité pour une vedette rock enceinte: «N'oubliez pas que la plupart du temps, ce que vous pouvez espérer faire de mieux comme parent consiste simplement à essayer de ne pas trop mal vous débrouiller.» C'est une citation qui en vaut bien d'autres et vous pouvez l'afficher sur votre réfrigérateur, parce que le perfectionnisme est partout l'ennemi par excellence des mères.

6

Votre enfant deviendra-t-il tueur en série?

L'inquiétude est la sœur de la culpabilité, du moins pour certaines mères. Parfois, nous nous sentons coupables d'avoir «provoqué» ce problème qui nous inquiète. Parfois nous sommes inquiètes de nous sentir coupables, parce que nous savons que la culpabilité n'est pas bonne pour les enfants. Et parfois nous nous sentons coupables de nous inquiéter, pour la même raison.

Or, la culpabilité et l'inquiétude ne viennent pas nécessairement ensemble. Je sais par expérience qu'il est possible d'échapper aux morsures de la culpabilité tout en continuant à atteindre des sommets d'inquiétude. Les enfants sont de grands maîtres en la matière, et l'une des choses qu'ils nous enseignent à coup sûr, c'est à nous inquiéter.

Ma mère s'inquiétait beaucoup de moi quand j'étais jeune. Tout comme mon père d'ailleurs. Lui s'en sortait en se retirant en silence à écouter de la musique classique, mais ma mère était ce qu'on pourrait appeler une inquiète active.

La tendance de ma mère à s'inquiéter pour moi n'était pas simplement une manifestation de sa névrose personnelle et unique. Je lui donnais un coup de main, surtout quand j'ai eu 12 ans et qu'on lui découvrit une maladie qui risquait d'être mortelle. Environ à la même époque, je me mis à adopter toutes sortes de comportements rebelles et extravagants, y compris une brève incursion dans le monde du vol à l'étalage. Monsieur Datloff, le titulaire de ma classe en septième année à Brooklyn, dit à mes parents que je ne serais jamais capable de me rendre à l'université, insistant sur le mot *jamais* tout en faisant son intransigeante déclaration.

Personne n'est tout mauvais. Pourtant, parmi les gens qui m'ont connue entre 12 et 14 ans, rares sont ceux qui auraient misé sur le fait que je deviendrais une citoyenne responsable et respectueuse des lois. La morale de cette histoire, c'est que vous ne pouvez pas prédire l'avenir de vos enfants. Aussi terribles (ou extraordinaires) paraissent-ils dans leurs comportements, vous n'avez aucune idée de l'avenir qu'ils se réservent à long terme.

Ce n'est pas tant que les enfants se transforment du tout au tout comme, disons, une croustade de pommes ou une cuisine rénovée. Nos enfants évoluent au fil des jours. Leur vie, comme la nôtre, prendra toutes sortes de tournants soudains et inattendus. Par conséquent, voici mon premier conseil: *Ne vous en faites pas.* Ne vous demandez pas si votre fils sera irresponsable quand il sera grand ou s'il arrivera à garder un emploi parce c'est un flemmard qui n'arrive pas à se rappeler qu'il faut mettre sa bicyclette n'importe où, mais pas sur le trottoir devant chez vous. Ou si votre fille arrivera jamais à quelque chose parce qu'elle est timide, qu'elle manque de leadership et qu'elle a une personnalité ennuyeuse. Ne vous inquiétez pas de ce qu'ils deviendront en grandissant, parce que vous ne pouvez le savoir d'avance ni le décider.

❧

Bien sûr, il est vraiment ridicule de dire à un parent de ne pas s'inquiéter. L'inquiétude fait partie de l'aventure. Pas question d'arrêter cela en appuyant sur un bouton, pas plus que nous ne pouvons nous obliger nous-mêmes à être spontanées ou à *ne pas* penser aux anges.

J'avoue que je m'inquiète beaucoup moi-même. Chaque mère a une façon bien à elle de s'inquiéter et quand mes fils étaient petits, j'avais tendance à m'accrocher à de petits détails sans importance, l'un d'entre eux étant qu'ils seraient emportés par une tornade ou évincés de la route par un chauffard. Mes enfants m'ont toujours dit d'en revenir («Pourquoi est-ce que *moi* j'aurais une heure pour rentrer parce que *tu* es angoissée?», soutenait Ben), mais ils sont tout de même assez gentils pour appeler quand ils s'aperçoivent qu'ils seront en retard, car ils savent que cela me calme les nerfs et ils ne tiennent pas à ce que leur mère soit devenue folle quand ils vont rentrer. Ils sont pénalisés d'être aussi responsables, car je m'inquiète encore plus quand ils oublient d'appeler, à l'occasion.

Ma directrice et chère amie, Jo-Lynne, me dit souvent: «Harriet, arrête de t'inquiéter. Cela ne donne rien.» Elle dit cela sur un ton parfaitement aimable et léger, mais je ne sais pas pourquoi elle prend la peine de me le dire. «Bien sûr que ça ne donne rien!», lui rétorquai-je brusquement. «Penses-tu que je ne le sais pas? T'imagines-tu que je peux arrêter ça comme on éteint une lampe?»

En vérité, je suis en général trop occupée pour m'inquiéter des désastres qui s'en viennent, mais quand cela arrive, j'essaie de me reprendre. Je me calme et je tente de comprendre les véritables sources de mon inquiétude, ce qui a habituellement peu à voir avec mes fils et tout à voir avec mon niveau de stress au moment où cela arrive. Pourtant, dans mes pires journées, mon inquiétude atteint parfois de tels sommets que j'en arrive simplement à la conclusion que je ne suis absolument pas faite pour être parent. Alors j'appelle une bonne amie, qui me dit qu'elle non plus n'est pas du tout faite pour être parent, comme nous tous d'ailleurs. Le fait de m'en souvenir m'aide à mieux me sentir.

Voici l'exemple d'un épisode récent. Matthew, 21 ans au moment où j'écris ceci, est en Espagne, où il voyage avec deux de ses amies qu'il a connues dans un cours d'espagnol à Salamanca. Il appelle à la maison. Il passe un merveilleux été et je suis ravie d'avoir de ses nouvelles. Steve est au bureau, alors Matthew dit qu'il va rappeler dans quatre jours pour lui parler. «Rappelle avant», lui dis-je, et Matthew dit d'accord, ou à tout le moins c'est ainsi que je me rappelle la conversation.

Environ une semaine plus tard, je me rends compte brusquement que Matthew n'a pas rappelé. La peur m'envahit comme une bouffée d'adrénaline et j'appelle Steve au bureau. Il me rassure chaleureusement tout en demeurant terre-à-terre au long de la conversation, qui ressemble à ceci.

Moi: Ce n'est pas du genre de Matt de ne pas appeler. Il sait à quel point je m'inquiète. Ce n'est vraiment pas son genre.

Steve:	Ne t'en fais pas. Je suis sûr que tout va bien.
Moi:	T'es vraiment pas inquiet?
Steve:	Pas du tout.
Moi:	Mais ce n'est pas son genre de ne pas appeler.
Steve:	Si quelque chose était arrivé, on l'aurait su.
Moi:	Peut-être qu'on l'aurait su s'il était dans un hôpital ou quelque chose du genre, mais on n'en saurait rien si c'était quelque chose de *vraiment* grave.
Steve:	Par exemple s'il avait été kidnappé? [Steve pense que c'est très drôle.]
Moi:	Oui, ou noyé ou perdu ou assassiné. Il peut arriver un tas de choses dont on n'entendrait pas parler.
Steve:	Je suis sûr que tout va bien, il se déplace, tout simplement, et il n'a pas accès au téléphone.
Moi:	Mais il sait à quel point je m'inquiète. Et il est tellement responsable. En plus, il est bien conscient qu'il ne t'a pas reparlé depuis qu'il a quitté Salamanca.
Steve:	Bon, je pourrais bien commencer à m'en faire moi aussi, mais ça ne servirait à rien.

Je raccroche le téléphone un petit peu rassurée. Je n'apprécie pas beaucoup quand Steve refuse de remarquer ou de réagir à de véritables problèmes, mais je compte également sur sa maturité et son bon jugement quand les miens me font défaut. Il nous arrive rarement aujourd'hui de prendre des positions aussi opposées que ce qui était le cas au cours de la première année de Matthew. Et vraiment, je ne tiens pas du tout à ce que Steve se mette à pousser quelques grognements de sympathie à l'autre bout du fil et qu'il dise ces choses très sensibles que les hommes apprennent de certaines publicités, comme: «Oh, Harriet, tu as très peur, n'est-ce pas? Cela doit être si difficile pour toi.» Au cours de ces moments d'angoisse débridée, je suis bien contente qu'il ne me dorlote pas trop et surtout qu'il me préserve de mon anxiété galopante parce qu'après tout, quel bien cela nous ferait-il de nous accrocher l'un à l'autre comme deux systèmes nerveux primaires, nous renvoyant mutuellement notre angoisse?

J'arrive donc à me sentir beaucoup mieux durant un bon cinq minutes, mais à la sixième minute, mon cerveau s'accroche au dernier commentaire de Steve: «Bon, je pourrais bien commencer à m'en faire moi aussi, mais ça ne servirait à rien.» Tandis que je soupèse les nuances de notre conversation, la peur me reprend comme un petit incendie de forêt qui se répandrait jusque dans les moindres recoins de mon imagination. Mais que veut-il dire au juste, qu'il *pourrait* s'en faire mais que cela ne servirait à rien? De toute évidence, Steve pense que *peut-être,* il est simplement *possible* qu'il y ait de quoi s'inquiéter, mais il ne s'autorise pas à y penser parce que ce serait inutile.

Je le rappelle et lui en parle. «Non, dit-il, je ne vois aucune raison valable de m'inquiéter en ce moment.»

«Que veux-tu dire par «*en ce moment*»?», lui dis-je. «Pourquoi dis-tu *cela,* si tu es si convaincu que tout va très bien?»

Pour toute réponse, Steve se met à rigoler et à me faire rire de moi-même, l'un de ses traits de caractère que j'aime le mieux. Mais quand je raccroche, je suis toujours angoissée, alors j'appelle mes amies Emily et Jeff, et Jo-Lynne, et en plus j'envoie un fax à ma sœur Susan, à Cambridge, tout cela pour mobiliser mon réseau d'urgence au cas où l'on tenterait de me joindre. Au contraire de ces gens de style nouvel âge qui croient que de visualiser des événements négatifs ne sert qu'à les attirer sur nous, je crois secrètement que si j'exprime tout haut mes pires craintes, si je les anticipe et les examine sous toutes les coutures et 57 fois dans ma tête, elles risquent moins de se concrétiser.

Le lendemain, quand Matthew appelle, je suis trop soulagée pour être fâchée et lui, tout comme son père, rigole beaucoup avec ce qu'il dit être un problème de communication empiré par mon inaptitude à bien compter les journées depuis la dernière fois qu'il a appelé.

La douleur de l'inquiétude

Récemment, j'ai eu l'occasion de me rappeler à quel point il peut être douloureux de s'inquiéter d'un enfant lorsqu'une de mes patientes en thérapie, une femme qui s'inquiète beaucoup et de façon chronique, apprit que sa fille, une adolescente, avait été impliquée dans un grave accident d'auto. Il s'avéra que sa fille ne faisait pas partie des blessés mortels, mais durant presque une heure, ma patiente avait eu le temps de croire sa fille morte. Sa première réaction, me dit-elle, fut de se dire avec soulagement qu'elle n'aurait plus jamais à s'inquiéter de sa fille ou à se demander ce qu'elle avait en tête. Elle savait que ce sentiment de soulagement n'était qu'une infime partie des émotions qu'elle allait ressentir, mais néanmoins ce soulagement était réel. Cela peut sembler sans cœur comme réaction, mais ma patiente était loin d'être sans cœur. Simplement, elle était toujours en train de s'imaginer qu'il arrivait quelque chose de terrible à sa fille. Ses fabulations, sa colère et son sens exagéré des responsabilités et de la culpabilité, tout cela l'avait minée. J'ai entendu bien des mères exprimer de tels sentiments.

❧

Quand nous avons des enfants, nous nous inquiétons non seulement pour leur survie, mais également pour la nôtre. Dans son livre magnifique sur la maternité et le maternage, *Fruitful,* Anne Roiphe écrit ce qui suit.

> La peur de la mort est toujours présente. Quand mes enfants étaient assez jeunes, j'y pensais presque constamment. Je ne pouvais supporter la perspective de les savoir en deuil de moi. Je ne pouvais supporter la perspective de leur manquer un jour. J'avais peur de prendre l'avion. Du décollage jusqu'à l'atterrissage, je pensais à eux orphelins, ayant besoin de moi, et j'imaginais leur épreuve en détail... À cette époque, tout était prétexte à m'inquiéter: accidents d'autos, cellules en mutation, thromboses, maladies nerveuses débilitantes, tout cela parce que je ne pouvais tolérer l'idée que mes enfants souffrent comme ils souffriraient si je mourais.

Je connais d'innombrables femmes qui développent la peur de l'avion après avoir eu des enfants, y compris moi-même. Je me souviens d'une année très difficile: mes fils étaient petits et je voyageais assez souvent à cause de mon travail. Pendant des jours et des jours avant mon départ, des vagues d'anxiété me submergeaient quand j'imaginais mon avion englouti par les flammes, piquant du nez vers le sol. J'ai tellement pris l'avion que ma peur de voler (ou, plus précisément, ma peur de m'écraser) a fini par disparaître.

Mais encore aujourd'hui, je crains que l'avion ne s'écrase si je le prends avec mon mari, ce qui laisserait nos enfants orphelins. J'ai donc tout fait, au cours des 22 dernières années, pour que Steve et moi ne prenions jamais l'avion ensemble. Cette pratique, en plus d'être terriblement malcommode, n'est absolument pas rationnelle. On en trouve une démonstration dans la manière dont un de nos récents voyages s'est produit: Steve et moi nous envolons pour New York, là où Steve doit faire les 100 pas dans l'aéroport pendant quelques heures en attendant que mon avion arrive. Ensuite nous prenons un taxi pour nous rendre à l'hôtel. Le chauffeur est drogué ou encore il a des tendances au suicide ou au meurtre. Les ceintures de sécurité ne fonctionnent pas, et si nous avions le moindre accident, l'épaisse vitre qui nous sépare du chauffeur de taxi nous infligerait probablement de grosses blessures à la tête. Si j'étais le moindrement rationnelle, je prendrais l'avion avec Steve et j'insisterais pour que nous nous déplacions au sol chacun de notre côté. Après tout, l'avion n'est-il pas plus sûr que l'automobile dans presque toutes les circonstances. Mais qui donc est rationnel? Quelquefois, nous, les mères, devons vivre avec nos inquiétudes même si nous n'arrivons pas à les justifier.

Bien sûr, notre peur de la mort n'est pas toujours irrationnelle – qu'il s'agisse de nous ou de nos enfants. Dans la vie d'une mère, il y aura toujours plusieurs moments d'angoisse, où le cœur s'arrête, quelquefois sans que la fin soit nécessairement heureuse. La vie de chacun comprend des épreuves et des souffrances, sinon tout de suite, alors plus tard. Et bien sûr, je ne me place pas sur un piédestal quand, dans mon travail, j'aide les mères à se calmer. Nous devons nous calmer – non pas pour jouer à l'autruche, mais au contraire pour arriver à bien réfléchir. Notre plus grand défi de mère consiste à maîtriser notre anxiété – ou toute autre forme d'émotion exagérée – pour arriver à utiliser la partie pensante de notre cerveau afin de faire face aux vrais problèmes et de leur trouver des solutions. Les émotions sont importantes, mais si on ne les comprend pas, il est inutile de s'y noyer et même d'y surnager.

Que réserve l'avenir à votre enfant?

Mon amie Linda, qui vit en Californie, a une fille de sept ans qui souffre d'un handicap physique grave. Sa fille est une enfant joyeuse et ses camarades de classe l'adorent. Mais de temps en temps, Linda ne peut s'empêcher d'imaginer ce que l'avenir lui réserve, alors elle m'appelle pour me faire part des idées sombres qui l'assaillent en pensant à l'adolescence de sa fille. Elle me parle de la poussée de ses hormones et de la cruauté des adolescents, des événements athlétiques auxquels sa fille ne pourra jamais participer et du fait qu'elle aura sans doute des complexes face à sa grande sœur qui a déjà fait sa marque au soccer et en danse. Dans de tels moments, Linda sent son cœur se briser.

Je compatis avec elle, mais Linda est comme tout le monde, elle n'a aucune idée de ce que réserve l'avenir à sa fille dans les décennies futures, ni quelles qualités de cœur, d'esprit et d'âme cette enfant développera en réaction aux défis qui seront les siens. Bien sûr, je ne tente pas de la rassurer à tout prix. Personnellement, même si je vois le handicap de son enfant comme le résultat d'un coup de dés et non de quelque grand plan cosmique, je sais que l'univers oblige parfois un enfant à affronter l'adversité et que cela peut la pousser à vivre quelque chose de créatif, de beau ou de miraculeux, qui bénéficiera à tout le monde.

Je veux insister sur le fait que nous ignorons bien des aspects du développement humain. Certains enfants souffrant de terribles pertes, de privations et de traumatismes deviennent pourtant solides et bien centrés sur eux-mêmes, ce que ma mère appelle le «sel de la terre». D'autres enfants proviennent de familles où il y a de l'amour et ils n'arrivent quand même pas à trouver leur chemin en ce monde. La famille est une influence importante, mais elle ne constitue qu'une influence parmi d'autres. Alors en regardant votre enfant de 3 ans ou de 23 ans, si vous vous imaginez savoir ce qu'il sera dans une décennie ou deux, repensez-y. Et ne croyez aucun spécialiste, peu importe sa grande réputation, s'il vous prédit avec certitude, ou simplement avec beaucoup d'assurance, ce que sera l'avenir de votre enfant sur le plan affectif.

❧

Bien sûr, nous devrions tous et toutes nous en faire à propos du monde dans lequel notre enfant vivra, surtout si notre couleur, notre culture, notre orientation sexuelle ou notre classe sociale nous place dans une catégorie d'humains qui ne sont pas pleinement valorisés et bien accueillis par la société. Une remarquable psychologue afro-américaine, le docteur Nancy Boyd-Franklin, parle d'elle-même en train de regarder son adolescent de fils qui, un jour, jouait avec un revolver en plastique appartenant à son petit frère, en compagnie d'un groupe d'amis, dans sa cuisine. Il s'agissait de grands gaillards et au moment où ils s'apprêtaient à sortir, un samedi soir, elle remarqua le revolver en plastique sortant de la poche de son fils. Cette mère, en général maîtresse d'elle-même et sachant tout du racisme, se sentit prise de panique et perdit son calme. «*Qu'est-ce que tu fais là?*», lui cria-t-elle. «*Ça va pas, non? Tu sais donc pas que t'es Noir? Tu ignores peut-être que tu peux pas sortir avec ce machin qui sort de ta poche?*» Même si un enfant ne nous donne pas nécessairement de raisons de nous inquiéter, le monde entier le fera, surtout si notre enfant n'a pas le privilège qui échoit aux Blancs et aux gens de classe moyenne.

Les enfants privilégiés ne sont pas exemptés non plus, comme par magie, des effets de l'injustice sociale. Personne n'y échappe. J'ai entendu Alice Walker dire, au cours d'une entrevue à la radio, que le racisme, entre autres conséquences, incitait parfois les mères à s'imaginer que les choses iraient bien pour leurs enfants simplement parce qu'elles arrivaient à les faire bien vivre et à leur donner une bonne éducation, alors que de l'autre côté de la voie ferrée les enfants des autres n'ont accès ni à l'un ni à l'autre. C'est un mythe, nous rappelle Walker, de penser que ces deux groupes d'enfants peuvent rester très longtemps dans des mondes séparés. Les enfants qui n'ont rien, ou si peu, voudront toujours ce que les autres ont. Les enfants privilégiés tenteront toujours de protéger leurs acquis et de justifier de telles inégalités.

Alice Walker nous rappelle qu'une société se mesure à la manière dont elle traite ses enfants et que nous ne pouvons plus nous permettre d'ignorer la détresse d'un enfant, même d'un seul d'entre eux. Si vous avez du cœur, vous ne pouvez vous empêcher de vous inquiéter de ce que les enfants endurent dans ce pays à cause de la pauvreté et du racisme. En lisant le journal le matin ou en écoutant les nouvelles le soir, il arrive à n'importe quelle mère de se demander comment elle a osé mettre un enfant au monde. Pourtant, il est vrai aussi que plusieurs des inquiétudes qui obsèdent les parents sont des constructions mentales et que rien n'arrivera. Mais par-dessus tout, il ne faut pas oublier que l'intensité de l'inquiétude est inversement proportionnelle à la capacité de résoudre les problèmes avec imagination. En d'autres termes, plus les mères s'inquiètent de façon persistante et violente, moins elles arrivent à bien résoudre les problèmes qui suscitent justement leur inquiétude. Il vaut toujours mieux se calmer.

Que réserve l'avenir à votre enfant? «L'avenir n'est plus ce qu'il était», dit l'une de mes chanteuses folk favorites, Lee Hayes. «Et en plus, il ne l'a jamais été.» Observez-vous dès que vous commencez à entretenir des idées noires au sujet de l'avenir de votre enfant ou encore quand vous vous mettez à être trop sûre de vous à ce sujet. Personne n'a de boule de cristal. Le fait d'ignorer totalement ce qui attend votre enfant justifie amplement de rester optimiste et de garder espoir.

Je ne veux pas dire qu'il faille minimiser les vrais problèmes et je ne veux encourager personne à les nier. Je me rappelle une jeune mère qui s'était fait dire que sa fille souffrait de retard mental, d'abord par l'institutrice de la maternelle et ensuite par plusieurs spécialistes. Cette mère, après avoir cherché une sixième et ensuite une septième opinion, continuait à dire aux médecins que sa petite fille était bien trop belle pour que ce diagnostic soit juste. Pendant longtemps, elle fut tout simplement incapable d'accepter cette réalité.

Même à une petite échelle, il est rarement utile d'ignorer les vrais problèmes. Si nous ne regardons pas en face le problème que vit un enfant, nous ne prendrons pas les mesures nécessaires pour le régler. Mais encore une fois, le fait de s'inquiéter (même si cela est parfaitement normal) est une réaction d'angoisse qui empêche d'avoir les idées claires. Nous inquiéter ne nous aide en rien à utiliser la partie rationnelle de notre cerveau.

Prenons le cas de Micheline, qui me consulta au sujet d'un certain nombre de difficultés familiales, entre autres parce que sa fille de 16 ans avait des problèmes à l'école. Micheline soupçonnait sa fille de prendre de la drogue et elle était folle d'inquiétude. Quand elle ne fut plus capable d'endurer son angoisse, elle viola l'intimité de sa fille en allant dans sa chambre, fouillant dans ses poubelles, lisant son journal intime et écoutant ses conversations téléphoniques, tout cela dans une tentative désespérée de se faire confirmer ses pires craintes. Mais lorsque j'invitai toute la famille à me rencontrer en thérapie, cette même mère regarda sa fille dans les yeux et lui dit: «Si tu prends de la drogue, ne m'en parle pas. Je ne pourrais le supporter.»

Peut-être une telle situation vous paraît-elle exagérée, mais chacune d'entre nous peut devenir démesurément indiscrète ou faire le contraire. Nous évitons parfois de regarder les choses en face quand elles sont douloureuses, surtout si nous sentons que nous n'avons pas les compétences pour les régler ou si nous doutons que le fait d'apprendre des choses pénibles nous enrichira ultimement plutôt que de nous briser. Quand l'inquiétude a prise sur nous, nous ne pouvons comprendre les faits avec discernement, ni prendre des décisions éclairées, ni faire quoi que ce soit d'intelligent. Au lieu de cela, nous forçons la note ou nous minimisons les choses ou, comme Micheline, nous jouons au yo-yo en passant sans arrêt de l'un à l'autre. Cela n'aide en rien et ces deux attitudes peuvent même empirer la situation.

Qu'est-ce qui anime votre «énergie d'inquiétude»?

Chaque mère possède une certaine «énergie d'inquiétude», qu'elle sème à tout vent, et un enfant en constitue presque inévitablement un excellent déclencheur. L'aspect positif, c'est qu'en concentrant votre inquiétude sur votre enfant, vous arriverez à moins vous préoccuper du reste, comme de la santé défaillante de votre mère ou de ce qui manque à votre mariage (quoique bien des gens, comme moi-même, aient une grande capacité de s'inquiéter de plusieurs sujets à la fois). L'aspect négatif, c'est la douleur qui survient quand on s'inquiète pour un enfant. De plus, l'inquiétude en soi ne donne absolument rien. Si vous tenez à vous inquiéter (et la plupart d'entre nous y tenons), variez l'objet de vos soucis en jetant votre dévolu tour à tour sur chacun des membres de votre famille, plutôt que de laisser tout le poids de votre inquiétude peser sur un de vos enfants et l'envelopper tel un brouillard.

Toutes, nous confondons nos enfants avec d'autres membres de notre famille et avec des aspects cachés de nous-mêmes, ce qui nous incite à nous inquiéter encore plus, du moins tant que nous n'avons pas tiré tout cela au clair. Quelques-unes d'entre nous avons commencé très tôt à nous inquiéter, durant le premier trimestre de notre grossesse ou quelques minutes seulement après la naissance de notre enfant. Si votre fils est né avec les oreilles de l'oncle Charles, celui qui maltraitait les enfants, vous aurez peut-être tendance à lui trouver un caractère asocial avant même qu'il ait un an.

Prenons Johanne, qui restait éveillée la nuit à se demander si sa fille de sept ans, Anne-Marie, était une enfant heureuse. Johanne était hypervigilante face à tout signe de tristesse qu'elle percevait chez Anne-Marie; à la moindre manifestation de mauvaise humeur, Johanne s'agitait, harcelant Anne-Marie pour savoir ce qui n'allait pas, tentant d'arranger les choses ou faisant des tentatives désespérées pour lui remonter le moral et la mettre de bonne humeur. Johanne avait énormément de difficulté à s'en tenir à elle-même et à se contenter *d'être* avec sa fille sans se sentir obligée de *faire* quelque chose. Quand Anne-Marie éternuait, Johanne avait le rhume. Anne-Marie était excédée d'être ainsi l'objet de toute l'attention de sa mère, et elle avait tendance à s'enfermer dans sa chambre et à refuser totalement de parler à Johanne dès qu'elle était de mauvaise humeur. Quand Anne-Marie prenait ainsi ses distances, l'anxiété de Johanne atteignait des sommets, de sorte qu'elle insistait encore plus pour que Anne-Marie s'ouvre à elle. Un cycle vicié et sans fin.

Au bout du compte, il s'avéra que la «dépression» était pour Johanne un thème chargé d'émotions. Parmi les nombreux sujets qu'il était interdit d'aborder dans sa famille irlandaise, il y avait le suicide présumé d'une tante ainsi que ce que l'on croyait être la maniaco-dépression de deux autres membres de la parenté. Dans la famille de Johanne, il était tabou de poser des questions directes sur tout sujet délicat et, depuis longtemps, il était de rigueur de minimiser et de nier les problèmes familiaux. Johanne avait grandi en fantasmant sur la «surdose accidentelle» de sa tante et sur les brefs séjours en institution psychiatrique de son cousin et d'une autre tante. Cependant, Johanne ne connaissait aucun fait précis et elle avait commencé par n'entrevoir aucune possibilité d'en parler ouvertement et de partager ses sentiments. Johanne avait toujours essayé de cacher sa tristesse et sa vulnérabilité, même à ses propres yeux, de sorte qu'en devenant mère, elle appréhendait d'avoir transmis le «gêne de la dépression» à Anne-Marie.

Tous, nous intégrons en nous les problèmes non résolus de nos familles, problèmes transmis de génération en génération, et nous les reproduisons avec nos enfants. Face à de nouveaux faits, et quand des faits importants restent dans l'ombre, notre imagination et notre angoisse se manifestent et nous incitent souvent à nous inquiéter pour un enfant. Johanne comprit mieux ce qui se passait avec Anne-Marie quand elle reprit contact avec ses parents et avec d'autres membres de sa famille, et qu'elle se mit à dire l'indicible. Pour entamer avec eux des conversations au sujet du suicide de la tante et d'autres problèmes délicats sur le plan affectif, il fallut à Johanne une bonne dose de courage. Ses deux parents commencèrent par réagir en changeant de sujet de conversation ou en s'emmurant dans un lourd silence, mais Johanne persista dans ses efforts pour rester en contact avec eux et pour parler des choses qui comptaient pour elle.

À mesure que Johanne commençait à se faire, peu à peu, une idée plus juste d'elle-même et de sa famille, elle commença également à voir Anne-Marie de façon plus objective, comme la personne autonome qu'elle était. En se donnant comme projet d'arriver à en savoir plus sur la dépression, elle cessa de voir cela comme une force mystérieuse et dangereuse. Elle se mit à avoir moins peur des hauts et des bas qu'elle ressentait dans sa vie affective et à être plus confiante que Anne-Marie arriverait à affronter les difficultés que la vie mettrait sur son chemin.

L'inquiétude est une réaction guidée par l'angoisse et qui a tendance à se manifester plus fortement autour des dates anniversaires: ce sont les moments où l'inconscient se souvient des événements du passé et y réagit, par exemple quand nous – ou nos enfants – atteignons un âge particulièrement important. Ainsi, quand la fille d'Éléonore eut 16 ans, sa mère se mit à lui serrer la vis comme un sergent d'armée. Sa fille, en retour, furieuse devant le manque de confiance d'Éléonore et son comportement contrôlant, se fâchait et refusait d'obéir à sa mère. Au milieu de ce cycle infernal, je rencontrai Éléonore en thérapie et j'appris qu'elle-même était tombée enceinte à 16 ans et qu'elle avait mis en adoption le fils qui en était né.

Éléonore n'avait jamais parlé de cela à sa fille parce que sa douleur et sa honte étaient toujours aussi vives et parce qu'elle se demandait si le fait de révéler son passé à sa fille ne conduirait pas celle-ci à répéter les mêmes erreurs. Or, c'est bien plus le secret, avec tout ce qu'il contenait d'émotions, qui risquait d'encourager la répétition des modèles du passé. Quand Éléonore prit la courageuse décision de raconter sa pénible histoire, mère et fille parvinrent toutes deux à voir la situation d'un point de vue plus juste, et avec plus de sympathie pour l'autre et pour soi. À partir du moment où Éléonore fit ouvertement son deuil, elle mit moins de pression sur sa fille, tout en renforçant calmement et raisonnablement les nouvelles règles qu'elle instaura. De son côté, sa fille assuma sa liberté retrouvée de façon plus responsable et se rapprocha de sa mère, qu'elle voyait à présent comme une vraie personne.

Voir l'inquiétude avec un grand-angle

Tout ce qui est en suspens et tendu dans votre passé et dans votre vie courante vous poussera à vous inquiéter encore plus pour votre enfant. Certains parents, comme Éléonore, sont trop sur le dos de leur enfant. D'autres arrivent à gérer leurs émotions en s'éloignant et, par conséquent, ils minimisent les problèmes ou refusent même de voir qu'il y a un problème, aussi important soit-il. Vous arriverez à mieux vous en sortir si vous vous occupez de l'ensemble de la situation et si vous évitez d'exagérer dans un sens ou dans l'autre.

Disons par exemple que Maxime, votre fils, qui par ailleurs se comporte très bien, va à des partys et revient saoul deux samedis de suite. Vous interpréterez l'incident d'une certaine manière si, pour vous, le fait de boire indique que Maxime est un «vrai gars», et d'une autre manière si vous voyez l'alcool comme le symbole du mal qui a systématiquement détruit votre famille, votre culture ou votre tribu. Vous aurez une certaine interprétation si Maxime vous rappelle votre grand frère que vous aimiez tant et qui aimait bien prendre un coup quand il était lui-même adolescent, et une autre si Maxime vous rappelle son père, dont vous avez divorcé justement parce qu'il était irresponsable et qu'il ne pouvait se contrôler quand il buvait.

De la même manière, il faut savoir si vos années d'adolescence ont été particulièrement difficiles pour vous. Il faut savoir si vos parents ont été durs, d'une discipline inflexible, ou le contraire. Il faut savoir si la petite beuverie de Maxime est survenue la semaine même où votre père a été opéré et où votre patron vous a maltraitée, ou si cela est arrivé dans une période où tout allait bien dans votre vie. Il faut savoir si, oui ou non, vous avez tendance à adopter des comportements de dépendance pour absorber votre stress.

Votre réaction face au comportement de Maxime sera également affectée par le type de relations que vous entretenez avec vos proches. Si votre mère ou le directeur de l'école réagissent calmement au fait que Maxime boit, les choses ne se passeront pas de la même manière que si l'un d'entre eux vous appelle pour vous dire que Maxime est en passe de devenir un alcoolique chronique et vous suggère de laisser votre travail et de passer plus de temps avec lui pour éviter cela. Les choses se passeront différemment si vous et votre ex-mari êtes capables de discuter calmement de vos préoccupations de parents ou si vous êtes incapables de rester dans la même pièce pendant plus de trois minutes sans vous prendre aux cheveux et vous disputer.

Le fait d'être en réaction amène plus de réactions, de sorte qu'il est important de voir si vous arrivez à rester calme dans une atmosphère tendue. Si vous arrivez à rester relativement calme, vous risquez plus d'être capable de parler à votre fils de ses beuveries et de réagir de façon appropriée en faisant appel à votre imagination.

Dès que vous vous apercevez que vous vous inquiétez au sujet de votre enfant, tentez de penser à d'autres sujets qui vous affectent et à d'autres personnes qui vous touchent, autant aujourd'hui que par le passé; cela peut aussi bien éveiller votre angoisse et il vaut la peine que vous vous y attardiez. Bien sûr, c'est là un grand défi et vous n'avez probablement même pas le temps de faire votre lessive. Cependant, en pensant moins à la source première de vos tensions et en vous concentrant un peu plus sur vous-même, sur vos relations d'adultes et sur votre projet de vie, vous vous sentirez peut-être mieux, et cela évitera à votre enfant d'absorber toute votre angoisse.

Du moins (ou en plus), faites de la méditation, courez, centrez-vous sur vous-même, faites tout ce qu'il faut pour atteindre ne serait-ce qu'un petit peu plus de calme et de paix. Quand notre esprit est pris dans le tourbillon de l'angoisse ou de la peur, nous perdons le plaisir du moment présent. Et il devient pratiquement impossible de nous relever les manches et d'établir un bon plan d'attaque si nous sommes ballottés par des tempêtes d'émotions. Il est déjà assez difficile, dans les meilleures circonstances, de rester souples et de résoudre les problèmes avec clarté.

Et par-dessus tout, comprenez que lorsque vous aurez dit et fait tout ce que vous aviez à dire et à faire, vous continuerez à vous inquiéter de toutes façons.

7

La boucle d'oreille de Ben et autres jeux de pouvoir

Si vous avez des enfants, vous devez avoir les idées claires pour arriver à passer à travers. Vous ne bénéficiez d'aucune description de tâches et d'aucune liste de responsabilités pour vous guider dans l'éducation de vos enfants; vous ne recevez pas non plus, automatiquement, le talent et la formation nécessaires pour bien jouer votre rôle; il n'y a pas de superviseur pour vous aider à régler vos problèmes; et il n'est pas question que vous donniez votre démission. Les emplois rémunérés ne comportent pas toujours ces avantages non plus, bien sûr, mais la tâche de mère ne les comporte jamais.

J'ai grandi avec l'idée que le métier de mère n'était pas une occupation rationnelle et que pour y réussir, les émotions ou les instincts suffisaient. Ce n'est pas vrai. Plus d'une fois, vous vous retrouverez dans des situations que vous ne saurez absolument pas comment régler, et vous ne trouverez nulle part un mode d'emploi ou un livre d'instructions. Une multitude de points de vue circulent sur l'éducation des enfants. En fin de compte, vous devrez vous dire que ce que vous pensez est ce qu'il y a de mieux. Ensuite vous devrez tenter de renforcer votre position, ce qui est une autre histoire.

Tous les jours, vous aurez à vous convaincre que ce que vous pensez est ce qu'il y a de mieux — et à vous demander ce que vous ferez par la suite, quand votre enfant aura quelque chose d'autre en tête. Est-ce que le fait de dire *non* signifie que vous êtes un parent responsable et intelligent, ou un monstre névrosé, surprotecteur, angoissé et contrôlant?

Si vous êtes capable de rester assez calme et centrée sur vous-même pour vous servir de ce que vous avez de meilleur, vos sentiments et votre intuition peuvent vous servir de guide, et vous serez également capable d'avoir les idées plus claires et de mieux résoudre les problèmes. Anne Lamott raconte un incident survenu lors d'un congrès d'écrivains ayant lieu dans une majestueuse vallée du Midwest. Un matin, un parapente descendit du ciel et le pilote offrit d'amener Sam, le fils d'Anne, en tournée de promotion, dans un harnais en tandem, le surlendemain, c'est-à-dire le jour du septième anniversaire de Sam. L'homme était instructeur de parapente et spécialiste de la technique du tandem. Sam était fou de joie à l'idée d'y aller.

Lamott écrit qu'elle se mit à se sentir comme un balle de ping-pong, se disant oui Sam peut y aller et ensuite, non il ne peut pas. Comme elle n'avait aucune idée de ce qu'une «personne normale» ferait, en admettant même qu'une telle personne existe, elle alla demander conseil à un «auteur brillant et aventureux et à son incroyable épouse» qui, en entendant parler de l'offre du pilote de parapente, répondit ce qui suit.

L'épouse: «C'est une très mauvaise idée. Tu ne dois pas le laisser faire. Il est trop petit. Il aura bien le temps de vivre de telles aventures.»

Le mari: «Quand je t'entends parler ainsi, j'ai plus que jamais l'impression qu'Annie doit accepter et laisser partir Sam. Il faut donner de la liberté aux enfants, même si cela nous serre le cœur.»

L'épouse: «Non, continue l'épouse, c'est une mauvaise idée. Il est trop petit. Ne fais pas ça.»

Anne Lamott est une personne profondément religieuse. Elle nous raconte ce qu'elle finit par faire.

> Alors sous un ciel étoilé, dans la nuit sombre des montagnes mêmes où mon fils devait sauter le lendemain matin, je

me recueillis pour prier. Je réfléchis au sentiment que j'aurais si je laissais Sam sauter: j'étais terrorisée. Ensuite je réfléchis à ce que je ressentirais si j'appelais le pilote de parapente pour annuler la randonnée. Je me sentais euphorique, comme Zorba le Grec. J'aurais pu réveiller tout le monde pour danser la mazurka tout en frappant nos verres remplis de boisson pétillante. Cinq minutes plus tard, j'appelais le pilote et j'annulais.

Finalement, Sam eut une superbe journée d'anniversaire en descendant une petite rivière toute calme, assis sur une chambre à air. Bien sûr, le problème des parapentes ne survient pas très souvent dans la vie d'une mère, mais il y aura toujours des appels téléphoniques exigeant de vous une décision – par exemple votre petit de huit ans peut-il aller seul à bicyclette au dépanneur? – vous confrontant quotidiennement, sans que vous ne sachiez comment réagir. Il est extrêmement utile d'entendre d'autres mères – y compris la vôtre – raconter comment elles ont réglé des situations semblables. Mais vous devez également trouver des moyens de vous calmer, de refroidir vos ardeurs, de vous centrer sur vous-même, de déterminer où se situe votre seuil de bien-être et d'utiliser les ressources de votre imagination. Le but ultime consiste à être la sorte de mère que *vous* voulez vraiment être et non pas la sorte de mère que les autres sont, ou que les autres veulent que vous soyez.

La partie la plus ardue du travail consiste à *renforcer* vos décisions, vos règles et les limites que vous instaurez ou à les réévaluer à la lumière de nouveaux faits. Cela ne constituait pas un problème pour Anne Lamott parce que Sam était beaucoup trop jeune pour filer de son côté faire du parapente. Il ne fit même pas d'histoires quand sa mère lui opposa un *non* catégorique. C'est une tout autre histoire quand il y a un jeu de pouvoir ou quand les caractères s'affrontent. C'est là qu'entre en ligne de compte la capacité de réfléchir plutôt que de simplement réagir avec émotion.

Comme nous le verrons, c'est là que réside le mythe de la mère «responsable». Quand les choses s'enveniment entre vous et votre enfant, vous pouvez ou bien vous calmer pour mieux réfléchir ou bien perdre tout à fait le contrôle. Les jugements que la société pose sur les mères «bonnes» ou «mauvaises» reposent sur le fait que la plupart d'entre nous, observées sur un assez long laps de temps, sommes tout autant très bonnes que très mauvaises. Pour illustrer ce point, j'aimerais vous raconter deux épisodes de ma vie où je me suis trouvée en conflit avec mon plus jeune fils, Ben, deux épisodes s'étendant sur une assez longue période. Le premier, au cours duquel je suis restée calme et sereine, est assez drôle. Au cours du second, j'ai atteint le fond du baril et mon cœur se serre encore aujourd'hui quand j'y pense.

La boucle d'oreille de Ben

Quand Ben eut 10 ans, il m'annonça qu'il voulait se faire percer une oreille. J'étais certaine que cette idée que je juge de mauvais goût ne durerait pas plus d'une semaine ou deux. Parmi ses amis et ses camarades de classe, seules les filles avaient les oreilles percées. Steve et moi avons refusé catégoriquement.

Ben était un enfant qui voulait toujours connaître la logique justifiant les règles établies. Parmi ses premières lectures, ses préférées étaient les histoires de Sherlock Holmes, non parce qu'il aimait le mystère mais parce qu'il aimait la logique. Alors quand Steve et moi lui avons dit: «Non, pas avant que tu aies 16 ans», il exigea de connaître nos raisons. Qu'y avait-il donc de si magique lorsqu'on atteignait 16 ans?

Bien sûr, nous ne pouvions rien lui répondre de sérieux. Alors Ben entreprit une série de pourparlers sur le thème des oreilles percées, qui s'échelonna sur environ deux ans. Il nous approchait toujours séparément sur les sujets de controverse, parce que cela lui permettait non seulement de percer à jour les défauts de nos logiques respectives, mais également de détecter toute incohérence entre nous. En plus, comme la plupart des enfants, il espérait gagner l'un de nous deux à sa cause pour ensuite courir vers l'autre lui dire que tout était arrangé.

Je commençai par opposer à Ben le fait qu'aucun de ses amis ou camarades de classe n'avait une oreille percée. Cela ne se faisait tout simplement pas. «Peux-tu me donner un seul nom?», lui demandai-je, le mettant au défi. C'était là mon approche «quand on est à Rome...». Ben me fit remarquer que la nature de mon raisonnement n'avait aucun crédit. Le nombre de personnes qui font quelque chose (comme fumer), ou ne font pas quelque chose (comme jouer aux échecs ou avoir une oreille percée), ne disait en rien si l'action en cause avait ou non du mérite. Il avait assez raison, donc je changeai un peu mon angle de tir.

«Tes professeurs ont sans doute des préjugés», lui dis-je, «même s'ils ne se l'avouent pas.» Je lui expliquai que nous étions à Topeka, et non à San Francisco, et que la vie était déjà bien assez difficile pour un jeune de 10 ans, sans qu'il ait à faire quoi que ce soit pour risquer de provoquer des effets négatifs chez les élèves plus âgés que lui, comme certains garçons assez méchants du deuxième cycle du secondaire, ou les professeurs qui lui enseignaient. J'insinuai que le fait de porter une boucle d'oreille pourrait l'empêcher plus tard d'être accepté à l'université de son choix.

Ben me signala que ma logique violait mes propres valeurs. Est-ce que je voudrais qu'il cache le fait qu'il était Juif simplement parce qu'il était le seul enfant juif de sa classe et que les gens pouvaient l'exclure à cause de cela? Ne croyais-je pas en son droit d'être lui-même et en son habileté à résister aux préjugés? Et si lui ne s'en faisait pas avec les réactions des autres, pourquoi le ferais-je?

«Regarde, Ben», lui dis-je un matin, après des mois et des mois de pressions de sa part (bien qu'il y ait eu quelques périodes de répit au cours de sa campagne, Dieu merci), «je *n'aime* pas les oreilles percées, pas pour les garçons. C'est *ça* la vraie raison qui fait que tu ne peux pas te faire percer l'oreille.» Je me félicitai en secret de parler ainsi à la première personne et d'exprimer mon opinion sans entrer dans des questions de bien ou de mal, de mieux ou de pire. Ben, pour toute réponse, me fit remarquer qu'il y avait un tas de choses que je portais et qu'il n'aimait pas, mais qu'il était important de respecter les goûts différents de chacun.

Environ à la même époque, Ben décida de se trouver des alliés. Dès qu'un membre de la parenté appelait, de la côte Est ou de la côte Ouest, il débattait de son cas. Il se disait que les membres de la famille demeurant dans des villes modernes comme Berkeley ou Cambridge l'appuieraient certainement. Malheureusement pour Ben, même si ces conversations étaient fort amusantes, nous refusions de nous laisser influencer par des adultes séduits par la facilité d'expression du petit Ben. Notre réponse continuait à être *non.*

Ensuite Ben fit tout pour défendre sa cause sous l'angle du féminisme. Son argument principal consistait à dire que je manquais d'intégrité puisque, en public, je me battais contre la rigidité des rôles sexuels alors qu'en privé, je les entretenais. Ma résistance, conclut Ben, se réduisait à des stéréotypes sexuels. S'il avait été une fille, j'aurais sans aucun doute accepté de combler son désir. Au lieu de cela, je m'inclinais devant le patriarcat. C'était là la pire des hypocrisies de ma part. Comment pourrait-il ensuite me respecter? Comment pouvais-je moi-même me respecter?

Ce changement d'orientation dans sa cause me permit de respirer. Dans l'éventualité où j'aurais eu une fille, lui aurais-je accordé la permission de se faire percer les oreilles si cela avait tellement compté pour elle? Étais-je obnubilée par ces mêmes rôles sexuels que je travaillais à dénoncer? Probablement.

«Tu as raison», lui dis-je au bout du compte. «Tout cela est hypocrite. Je n'ai aucune raison logique à te donner.» Le reste de la conversation ressembla à ceci.

— Alors, je vais me faire percer l'oreille.
— Non, tu ne le feras pas.
— Pourquoi pas?
— Parce que je suis ta mère et j'ai dit non.
— Tu n'as aucun argument logique à me donner. Papa non plus d'ailleurs.
— Tu as raison. Mais nous sommes tes parents, nous sommes responsables de toi, tu attends d'avoir seize ans et c'est tout.
— Je n'ai aucun respect pour des règles aussi arbitraires.
— Je te comprends.

❧

Quand Ben eut 16 ans — et qu'il se fit percer l'oreille — il devint champion d'État en débats publics et champion national en art oratoire, recevant des médailles et des trophées à ne plus savoir qu'en faire. Son intelligence aiguë et son grand talent pour la rhétorique, qui m'avaient donné tant de maux de tête comme mère, avaient très bien servi Ben dans ses occupations extérieures. Un jour, je le surpris en train de dire à sa tante Marcia qu'il était content d'être reconnu pour les talents mêmes qui lui rendaient la vie si difficile à la maison.

Son oreille percée ne lui fit aucun tort non plus, comme je le craignais. Quand il eut l'âge convenu, Ben se fit percer l'oreille lors d'une visite chez Matthew à l'université Brown, et il le fit faire à une hauteur si étrange que sa boucle d'oreille était souvent prise pour un appareil auditif quand il participait à des compétitions d'art oratoire. Je suis à peu près sûre que cette confusion jouait en sa faveur ou, à tout le moins, que cela n'irritait pas les juges vraiment conservateurs, en tout cas pas plus qu'ils ne l'étaient déjà, car ils étaient sans doute suffisamment déboussolés par la queue de cheval de Ben et par sa tête partiellement rasée.

Si je raconte cette histoire, ce n'est pas juste pour dire que les arguments et l'entêtement d'un enfant peuvent finir par le servir ou qu'en autorisant les arguments et les disputes à la maison, on permet à son enfant de développer des aptitudes verbales. Quelquefois, les bons et les mauvais côtés d'un règlement comptent moins que l'assurance et la clairvoyance avec lesquelles les parents le mettent en place. Ce que j'aime le plus dans cette histoire, c'est de voir à quel point j'ai réussi à garder mon calme au cours de cette bataille et à quel point Steve et moi avons travaillé de concert, en partenaires. J'aimerais bien pouvoir en dire autant de tout ce qui se passe chez moi, mais ce n'est vrai qu'à l'occasion.

Pourquoi une mère n'arrive-t-elle pas à prendre le contrôle, tout simplement?

Avant de décrire l'autre lutte de pouvoir, plus sérieuse, qui nous confronta, Ben et moi, j'aimerais discuter brièvement du mythe de la «bonne maman». En principe, non seulement la bonne maman sait ce qui est bon et ce qu'il y a de mieux pour ses enfants, mais elle les «contrôle» et les dirige en tout temps. Il existe deux catégories de gens qui pensent que cela est un objectif sain, simple et facile à atteindre.

Dans la première catégorie, on trouve les mères qui ont des enfants «faciles». Ces enfants gardent leur chambre à l'ordre sans qu'on ait à leur demander. Ils offrent même de mettre la table. Certains enfants sont nés ainsi, c'est-à-dire qu'ils ont une prédisposition naturelle à acquiescer et à être responsables. Méfiez-vous de ce type de mères, surtout si elles s'arrogent tout le crédit du comportement agréable de leurs enfants. Une telle mère croit sincèrement qu'il vous serait facile de tenir «sous le joug» votre progéniture ardente, rebelle, décidément provocante et pittoresque, si seulement vous saviez comment prendre le contrôle.

La seconde catégorie comprend ceux et celles qui n'ont pas d'enfants et sont toutefois convaincus que s'ils en *avaient,* ils les tiendraient «sous le joug» et ne les laisseraient pas être désagréables ou turbulents dans les centres commerciaux, les salles de théâtre, les restaurants et chez les gens. Jusqu'ici, on n'a pas encore découvert de traitements pour soigner cette affection orgueilleuse et illusoire, à part le fait d'avoir soi-même des enfants, de préférence plusieurs enfants agités et presque du même âge, en y ajoutant plus tard, en prime, quelques beaux-fils et belles-filles adolescents.

❧

Je faisais partie de la seconde catégorie avant que Matthew ne vienne au monde. Je me revois, par exemple, dans la voiture d'une voisine, avec sa fille de quatre ans, Jennifer, assise à côté d'elle sur le siège avant. Jennifer se mit à insister pour avoir un hamburger et des frites, et sa mère répondit *non,* il n'en est pas question, c'est presque l'heure du dîner, il y a à manger à la maison, nous serons chez nous dans 10 minutes, et ainsi de suite. Jennifer n'acceptait aucune de ces raisons et commença à faire une scène. Sa mère lui demanda deux fois de se calmer faute de quoi elle la punirait, mais Jennifer ne faisait que crier plus fort tout en insistant pour avoir ce qu'elle voulait. Sa mère, complètement exaspérée, s'engagea dans l'entrée d'un McDonald et commanda au guichet extérieur le hamburger et les frites.

J'avais envie de secouer cette mère. Ou encore de lui taper sur l'épaule et de lui dire quelque chose d'aussi délicat que: «Te rends-tu compte que tu ruines la vie de ta fille?» J'avais assez fréquenté ces deux-là pour savoir que ce qui venait d'arriver n'avait rien d'inhabituel, et que c'était plutôt un «modèle dysfonctionnel», selon la terminologie qui allait devenir à la mode. Même une mère idiote, dis-je à Steve ce soir-là en rentrant, sait que les enfants ont besoin de frontières et de limites claires qu'ils peuvent mettre à l'épreuve et repousser, confiants que les adultes ne céderont pas. Et bien sûr, on ne devrait pas dire aux enfants que l'on va les punir de leurs comportements impolis et inacceptables, si on s'empresse de les en récompenser tout de suite après. Tout cela était tellement simple et absolument évident. Pourquoi ma voisine ne faisait-elle pas tout simplement ce qu'il y avait à faire, ce qui faciliterait tellement la vie de tout le monde à long terme, et surtout la sienne? Pourquoi tous les parents ne faisaient-ils pas ce qu'il y avait à faire, de sorte qu'il n'y aurait plus d'enfants turbulents sur cette planète?

Je ne me trompais pas en disant que cette mère avait un comportement problématique ou qu'elle avait besoin d'aide pour savoir comment s'y prendre, mais j'étais arrogante. Ce que je ne pouvais prévoir à cette époque, c'étaient les scènes analogues qui surviendraient quand je deviendrais moi-même mère. Par exemple, mes fils se chamaillaient à table et je leur disais plusieurs fois d'arrêter. Ils m'ignoraient et soudain je ne savais plus quoi faire, comme si un épais brouillard avait enrobé mon cerveau et dissous le centre de ma pensée. Je m'assoyais là, me sentant paralysée ou perdue, attendant que Steve arrive pour prendre la relève, ce qu'il faisait, mais sans toujours réussir. Ce «phénomène de brouillard» contrastait nettement avec la clarté d'esprit que je ressentais quand je me trouvais en conflit avec les adultes que je connaissais. Je sentais que quelque chose m'arrivait *à* moi, en d'autres termes je ne me sentais pas en position de pouvoir, quoique de l'extérieur j'avais l'air de quelqu'un de paresseux, cherchant à ce que Steve fasse tout le travail.

En plusieurs circonstances, par exemple face au désir de Ben de se faire percer l'oreille, je connaissais ma position. Quand Ben tomba de sa planche à roulettes et subit une commotion cérébrale qui l'amena au service de soins intensifs d'un hôpital du coin, je ne lui permis plus jamais de faire de planche à roulettes sans casque. De plus, les deux garçons durent porter des casques quand ils allaient à vélo, ne serait-ce que pour faire le tour de notre pâté de maisons. À cette époque, les enfants ne portaient pas de casques, du moins pas dans notre voisinage, de sorte que quand les deux garçons soutenaient que ça n'avait pas de bon sens, qu'ils auraient l'air ridicule face à leurs amis, ils avaient probablement raison. Mais comme je me sentais tellement centrée et solide dans ma résolution de leur retirer leurs vélos ou leurs planches à roulettes s'ils ne m'écoutaient pas, je ne me retrouvai jamais dans des batailles inutiles et dramatiques. Il s'agissait d'une règle absolue, et ça finissait là.

Mais en d'autres circonstances, comme quand mes enfants commençaient à se provoquer et à se chamailler l'un l'autre à table ou dans l'auto, le brouillard redescendait. J'avais tout de même un avantage sur ma voisine paumée (la mère de Jennifer). De son côté, elle était convaincue que non seulement Jennifer *avait* un problème, mais aussi qu'elle *était* un problème. Pour ma part, aussi bien les fois où j'étais dans le brouillard que celles où je perdais le contrôle, j'ai toujours su que je constituais au moins 50 p. 100 du «problème». Les adultes jouissent de plus de pouvoirs et de responsabilités que leurs enfants pour influencer les relations et je ne perds jamais de vue ce fait, même quand je n'arrive pas à traduire en faits concrets et créatifs cette brillante conclusion. Si jamais j'oubliais que je ne me conduis pas toujours bien, mon fils Ben me le rappellerait dans le feu de la discussion. «Comment peux-tu écrire des livres sur les relations humaines?», me reproche-t-il. «Regarde comment tu te conduis! Regarde-toi!»

Toucher le fond du baril

«Je ne pense pas que vous puissiez comprendre ce que je vis», me dit une patiente en thérapie. Elle est découragée parce que son fils a échoué en mathématiques pour la deuxième fois et tous les soirs, c'est la guerre pour lui faire faire ses devoirs. «Vous, de toute évidence, vous avez une famille parfaite.» «Une famille parfaite?», rétorquai-je, «Je vous ai vus tous les quatre au restaurant hier soir», continue-t-elle. «Vous riiez comme des fous et vous aviez tellement l'air de vous payer du bon temps ensemble. Vos fils se conduisent si bien. Je sais que l'aîné est dans une des plus grandes universités du pays. Et je n'arrête pas de lire dans le journal les hauts faits de Ben. Si jamais j'entendais parler de mon fils dans le journal, ce serait pour une affaire de drogues. Je ne peux pas m'imaginer ce que c'est que de vivre dans une famille où tout le monde est en vedette, et où tout va toujours pour le mieux.»

«Moi non plus», lui dis-je doucement. Si ma cliente nous avait vus le matin même, ou à bien d'autres moments, elle serait entrée dans mon bureau en disant plutôt quelque chose du genre: «Je ne crois pas que vous puissiez m'aider avec mon fils. Vous êtes une mère incompétente et vous avez une famille extrêmement dysfonctionnelle.» Toutes les mères ont des niveaux variables de fonctionnement, même au sein d'une seule journée, et toutes les familles sont dysfonctionnelles, quelques-unes plus que d'autres.

Voici dans ma vie la pire illustration de ma dysfonction: je me trouvai enfermée dans une lutte avec Ben, incapable de trouver une solution inventive ni les ressources nécessaires pour modifier mon rôle. Mon inaptitude à observer mes pas dans la danse familiale ou à les changer fut particulièrement remarquable, surtout si l'on tient compte du fait que j'avais précisément passé la plus grande partie de ma vie professionnelle à enseigner aux *autres* à le faire.

❧

Nous sommes à l'automne 1995, Ben est au début du secondaire. Depuis que Matthew est parti pour le collège, je suis sur le dos de Ben pour qu'il ramasse ses affaires et sur le dos de Steve pour qu'il m'aide à atteindre ce but. Au cours de certaines bonnes journées, qui ne sont même pas si bonnes que cela, la conversation avec Ben ressemble à ce qui suit.

Moi: Ben, quand tu auras fini d'écouter ton émission, apporte la vaisselle dans la cuisine et sors tes vêtements de cette pièce.
Ben: Oui, oui.
Moi: M'entends-tu? M'écoutes-tu?
Ben: Oui, oui, O.K.
Moi: Alors tu vas sortir toutes tes affaires de la pièce quand l'émission va finir?
Ben: Oui, oui, ça va.
Moi: N'oublie pas, ne laisse pas cette pièce sens dessus dessous. J'y tiens.
Ben: Oui, O.K.

Les yeux de Ben n'ont pas lâché l'écran de télévision un seul instant. Il n'a pas entendu un mot de ce que je lui ai dit. Il ne s'est rien passé. Ce qui est étrange de ma part, c'est que je continue à me répéter, même en sachant que je n'ai pas une once de son attention. Je recommence.

Moi: Ben! Regarde-moi une minute. [Pour lui faciliter la tâche, je me place entre lui et l'appareil de télévision.]
Ben: Maman, va-t'en. Je regarde l'émission!
Moi: D'accord, je vais éteindre la télé si tu ne m'écoutes pas. Qu'est-ce que je t'ai dit?
Ben: Je ne sais pas.
Moi: Tu ne sais pas! [Je lui lance un regard furieux, mais à ce moment-là ses yeux sont vitreux.] Tu n'as rien entendu de ce que je t'ai dit? Pourquoi ne m'écoutes-tu pas?
Ben: Tu m'as dit de ranger le salon quand j'aurais fini de regarder la télé. Maintenant, va-t'en, je regarde l'émission.
Moi: Alors, tu m'as entendue?
Ben: Pas vraiment. Mais tu dis toujours la même chose.

Cette conversation courante avec un adolescent peut survenir dans n'importe quelle famille, un jour ou l'autre. Mais chez moi elle se produit plus souvent qu'à son tour, et je n'arrive pas à rassembler assez de clairvoyance et d'inventivité pour changer le modèle. Au lieu de cela, je grimpe dans les rideaux. Ben arrive de l'école et avant même de lui dire bonjour, je lui parle de la salle de bain qui est un vrai bordel, de la vaisselle qu'il n'a pas rincée, de son blouson et de son chandail qui traînent sur le plancher de la cuisine, de la mayonnaise ou du jus de pomme qu'il n'a pas remis dans le frigo, et du papier collant qu'il a sorti de mon bureau. «Je n'en peux plus!», lui dis-je. «Fais-le *maintenant!*» Il me répond qu'il va commencer par faire un téléphone et qu'il va s'en occuper ensuite. Mais après son téléphone, il part pour la bibliothèque et j'ai toujours son fouillis sous les yeux. Je me sens plus enragée que mon corps ne peut le supporter.

À compter de ce moment-là et pendant tous les mois qui suivent, c'est la descente aux enfers. «Comment peux-tu me faire ça?», l'implorai-je plus tard, comme si j'étais une victime sans ressources face à son manque d'égards. «Si tu *m'aimes,* si tu me *respectes,* si tu te *préoccupes* le moindrement de moi, pourquoi ne fais-tu pas ce que tu dois faire?!» Je suis pathétique, même à mes yeux.

«Je déteste ça quand tu parles comme ça», me répond Ben. «Ça n'a rien à voir avec l'amour et le respect. Pourquoi réduis-tu notre relation au ménage? Te rends-tu compte à quel point c'est fou? Bientôt, je vais partir pour l'université et toute notre relation se résumera au bordel dans le salon. Est-ce que c'est ça que tu veux?»

«Si tu ne veux pas que le bordel soit au centre de notre relation, alors ramasse-toi! Pourquoi ne fais-tu pas ce que tu dis que tu vas faire? Si tu sais qu'une chose me rend tellement malheureuse, pourquoi n'y vois-tu pas? Cela ferait tellement de différence pour moi et pour papa.»

«Papa s'en fiche du ménage. C'est *ton* idée, et papa ne fait que te suivre là-dedans. Tu le sais très bien.»

Le drame matrimonial

Ben a raison. J'ai l'impression que Steve m'a abandonnée sur ce sujet qui, inexplicablement, prend vraiment trop de place dans ma vie affective. Je me sens désespérément seule dans mes vains efforts pour aider Ben à devenir une personne accomplie dans le monde, et c'est en partie pour cette raison que je tiens à ce qu'il rince sa vaisselle, éteigne les lumières et ramasse ses chaussettes. Mes batailles avec Steve font écho à mes batailles avec Ben et deviennent quelquefois tout aussi violentes: «Si tu *m'aimes,* si tu me *respectes,* si tu te *préoccupes* le moindrement de moi, pourquoi ne m'aides-tu pas là-dedans? Pourquoi restes-tu là à ne rien faire? Pourquoi as-tu laissé Ben sortir ce soir alors que sa vaisselle sale traîne dans le salon? Est-ce que nous n'avions pas pris une entente à ce propos? Pourquoi est-ce que tu ne respectes pas notre entente?»

Steve se plaint en disant que je le critique tout le temps au lieu de l'approcher de manière respectueuse et de l'inviter à se joindre à moi, comme partenaire, pour résoudre ce problème. Selon moi, il me semble l'avoir approché de toutes les façons possibles. «Pourquoi ne prends-tu *jamais* l'initiative à ce sujet?» Je reviens à la charge: «Pourquoi n'as-tu jamais une seule fois pris l'initiative d'exprimer ton opinion? Penses-tu que tu es un bon père simplement parce que tu donnes, tu donnes et tu donnes, sans jamais rien attendre de la part de Ben?»

À ma demande, Steve et moi commençons à faire de petites réunions le dimanche matin. Il me dit que j'ai tendance à être critique lors de ces conversations, autrement dit, que je suis vraiment déplaisante, ce que j'attribue au fait que c'est toujours à mon initiative que nous parlons de Ben. Steve sent que je lui demande de se retourner bout pour bout à propos de quelque chose de bien plus vaste que le problème dont il est question ici et qu'il est intolérable que je le définisse comme la «source du problème». Encore une fois, nous commençons à formuler des règles pour Ben, avec tout ce qui en découle, mais ce n'est qu'une question de temps avant que Steve n'abandonne et qu'une fois de plus, je me sente fâchée et impuissante.

❧

Les règles que nous établissons pour Ben sont ridiculement longues et compliquées. Aucun enfant normal ne les suivrait. En général, elles consistent en deux pages tapées à la machine à simple interligne, que nous accrochons sur la porte d'au moins deux pièces et que nous révisons régulièrement dès que Ben y trouve des lacunes et des illogismes. Nos documents comprennent une liste détaillée de toutes les choses auxquelles il devrait prêter attention dans chaque pièce de la maison, en plus d'une série d'addenda et de post-scriptum qui disent des choses comme ce qui suit (et je cite textuellement).

> *Tout ce qui précède doit être fait D'ABORD, avant de faire quoi que ce soit d'autre. Le mot D'ABORD est important ici et veut dire que tu dois faire ces choses avant de prendre le téléphone, de faire tes devoirs, d'écouter la télé, de sortir, etc., et si nous te signalons que tu as omis de faire quelque chose ou que tu as laissé un endroit en désordre, tu t'en occupes tout de suite, et non pas plus tard. Si cela t'est vraiment impossible pour des raisons légitimes, alors nous nous attendons à ce que tu...*

Si je voyais un parent en thérapie et qu'il me montrait une tentative aussi folle pour établir des règles, je lui dirais: «Essayons une chose à la fois. Par exemple, "On ne mange pas devant la télé."» Mais je me sens incapable de penser clairement quand il s'agit de moi-même. Je sais intellectuellement que Ben est pris dans un triangle, que Steve et moi ne pouvons unir nos efforts dans ce cas particulier. Dans mes moments plus lucides, je sais que ce problème a peu ou rien à voir avec Ben. Pourtant, ma colère atteint des niveaux proches de la fièvre. Je m'imagine Ben incapable, jamais, de se conduire proprement quand il sera invité chez les autres. Mon fils, une superstar à l'école, laissera derrière lui une traînée de chaussettes, de capuchons de stylo et de trombones tordus dès qu'il partira; il ôtera les coussins du divan de ses hôtes et ne pensera pas à les remettre à leur place; il n'apprendra jamais à remplir un lave-vaisselle ou à éteindre les lumières; il ne trouvera jamais son chemin dans ce monde. Steve, dont l'attitude tranche avec la mienne sur ce plan, agit comme si cela n'avait aucune importance que Ben emprunte sa plus belle cravate et qu'il la laisse traîner en boule par terre dans l'auto. Mais à l'occasion, en réaction à la tension qui règne dans notre couple, il passe un savon à Ben, l'envoie dans sa chambre et s'excuse ensuite d'avoir réagi trop violemment.

❧

Steve et moi sommes divisés à peu près comme nous l'avons été durant la première année de Matthew, chacun se sentant maltraité et mal compris par l'autre. Il est difficile de se faire une idée globale et objective de notre famille, ou même d'une autre famille, en fait. Je peux m'imaginer une conversation entre trois observateurs hypothétiques qui seraient témoins de notre drame familial.

«C'est vraiment la faute de la mère», conclut le premier observateur. «Elle s'acharne tellement sur le problème que cela l'exacerbe, ce qui est particulièrement pénible pour le père comme pour le fils, qui n'arrivent pas à faire valoir leurs bons coups. Regardez comme elle les assaille avec ses critiques. Ne vous demandez pas pourquoi son fils est rebelle et son mari distant face à ses criailleries continuelles. Pauvres hommes.»

«Non», dit le second consultant, *«vous n'avez pas du tout raison.* Son mari a refusé de l'aider *d'abord*, et elle s'est mise sur son dos *ensuite*. Il est évident qu'il est de connivence avec son fils pour la mettre dans une position où elle n'a aucun pouvoir, aucune crédibilité. Regardez seulement comme il agit, à la fois passif et actif, disant qu'il veut être considéré comme un partenaire mais ne donnant jamais de suite. C'est lui la véritable cause du problème.»

«Vous n'avez raison ni l'un ni l'autre», dit le troisième observateur. «Nous avons ici affaire à un enfant qui cherche à provoquer et qui rendrait fou n'importe quel parent. Il ne fait attention à rien. On ne sait pas trop s'il manque de bonne volonté ou s'il est incapable de mieux y arriver, mais en tout cas, c'est sa mère qui travaille à la maison et qui est continuellement confrontée à ce désordre. Bien sûr, elle réagit peut-être un peu fort. Mais ce garçon façonne les interactions familiales tout autant qu'il est façonné par elles.»

Pour chacun d'entre nous, notre territoire suit les frontières que nous voulons bien lui tracer. Il est difficile de reconnaître les chemins ciselés, complexes et circulaires qui déterminent la nature de nos relations. C'est là une façon polie de dire que Steve et moi étions devenus deux rivaux cherchant à atteindre la position de celui qui «n'en peut plus» dans la danse familiale, aucun de nous n'acceptant de changer son pas bien longtemps, tandis que Ben se trouvait au centre d'une bataille dont les enjeux dépassaient largement le désordre qu'il laissait derrière lui.

Quand il semble évident que les choses ne peuvent empirer, elles le font. Nous sommes le 11 janvier 1996, Steve et moi dirigeons ensemble un atelier en Ohio pour des professionnels de la santé mentale (dans les familles, bien sûr), et je me sens particulièrement tendue. Ben est seul à la maison et Matthew, qui est allé faire de la planche à neige au Colorado, conduit pour revenir au Kansas ce soir. Les chemins de montagne qu'il traverse sont passables, mais tout de même assez dangereux, et Matthew n'est pas habitué à ce type de conduite. J'ai peur qu'il ne dérape sur la montagne, ou peut-être que son auto ne reste prise dans la neige et qu'il ne meure d'hypothermie. Après l'atelier, Steve prévoit prendre l'avion avec Matthew pour le Mexique (si Dieu le veut) et je suis très inquiète à l'idée d'être séparée. Ma famille est dispersée aux quatre coins du monde au moment même où j'aimerais que nous soyons tous réunis sous un seul toit.

Au cours de cette nuit remplie de tensions venues de toutes parts, Steve et moi avons une des pires chicanes de notre longue histoire commune. Nous discutons encore de la même sempiternelle chose, mais nous atteignons cette fois de nouveaux sommets de rancune et de reproches. Nous unissons nos efforts au cours de l'atelier, mais nous sommes tous deux profondément secoués de voir à quel point nous y arrivons mal entre nous.

Le brasier de la transformation

Maintenant que Steve et Matthew sont au Mexique, je perds vraiment le contrôle avec Ben, dès mon retour de l'atelier. En revenant de l'épicerie, j'entre dans la maison et je trébuche une fois de plus sur son sac, mais d'une façon vraiment affreuse, ce qui m'amène à penser qu'il gâche ma vie en refusant de faire le moindre effort pour jeter un coup d'œil à une pièce et voir ce qui doit être ramassé. «Pourquoi me fais-tu cela!», lui dis-je d'un ton accusateur. Je suis tellement fâchée que la vapeur me sort par les oreilles.

Aussi surprenant que cela puisse paraître, les yeux de Ben se remplissent alors de larmes. Il est visiblement bouleversé. «Les autres enfants prennent de la drogue ou boivent ou manquent l'école», me dit-il, «et ça, ce sont des choses qui mériteraient que tu te fâches. Mais je ne fais rien de tout ça. Tu ne sais pas ce que je fais à l'école ni ce qui se passe dans ma vie parce que tout ce qui t'intéresse, c'est de savoir si je fais le ménage.» Quand je vois Ben se mettre à pleurer, j'ai le cœur qui chavire. Je ne l'ai jamais vu pleurer depuis qu'il est tout petit, et maintenant c'est un grand gaillard, qui me dépasse d'une bonne tête. Quand il sort de la cuisine, arrêtant toute conversation, je comprends, peut-être pour la première fois, que je le blesse réellement, que si quelqu'un a besoin de vieillir et de devenir responsable, c'est bien moi. Mais je n'y suis pas encore arrivée.

Quelques minutes plus tard, Steve appelle du Mexique pour me dire combien il passe du bon temps avec Matthew et à quel point ils progressent en espagnol. Je suis jalouse, je me sens totalement incompétente et j'éclate en sanglots comme si j'avais deux ans. Je lui dis que je viens tout juste de faire pleurer Ben et que je ne supporterai plus que Steve ne m'appuie pas, qu'il abandonne toutes les règles et les exigences que nous tentons d'imposer à Ben; que je le déteste parce qu'il ne s'occupe pas de moi; et que Ben continuera de souffrir si Steve ne fait pas quelque chose. Steve ne m'a jamais entendu parler de façon aussi immature et perdre le contrôle à ce point.

Ensuite, après avoir frôlé la catastrophe deux fois de suite en quelques minutes, je prends un tournant. Quelque chose me frappe, juste là, dans ma cuisine, et je sais, de façon sûre, que je ne me battrai plus jamais avec Ben sur cette question de ménage. Et effectivement, je ne le fais plus. À compter de ce jour, j'ai tenu ma promesse de ne pas faire de scènes quand Ben n'a pas fait le ménage ou ramassé ses affaires. Au lieu de réagir comme avant, je surveille mes émotions et je me reprends soit avec l'humour, soit en attendant le bon moment ou en faisant appel à mon imagination pour montrer à Ben qu'il doit laisser l'«espace public» dans l'état dans lequel il l'a trouvé. Le fait d'essayer d'être légère, plutôt que d'agir comme si Ben *constituait* le problème, fait toute la différence du monde.

❧

Juste au cas où je donnerais l'impression d'être une sorte de maniaque du ménage ou une fanatique du contrôle qui passerait son temps à ranger, à épousseter et à pratiquer des rituels obsessionnels et compulsifs de lavage à la main, je voudrais remettre les pendules à l'heure. C'est plutôt le contraire. Quand je vois Ben inconscient du désordre qui règne autour de lui, éparpillant ses vêtements sur le plancher, ne s'occupant de rien d'autre que de ses amis et de son travail, c'est moi que je vois. En fait, au cours de cette même période, Steve et moi réglons d'importants problèmes personnels concernant notre organisation et nos aptitudes dans la vie.

Pour ce qui est de mon mariage, je reconnais que je dois me détacher quelque peu de Steve sur le plan affectif, pour que nous puissions mieux vivre ensemble. J'ai agi comme si, pour agir en tant que parent, je dépendais de lui, comme si j'étais incapable de réussir avec Ben si je n'arrivais pas d'abord à convaincre Steve de voir les graves erreurs qu'il commettait. Pour ce qui est de notre rôle de parents, Steve et moi agissons souvent comme si chacun de nous était le cadet de l'autre ou comme si nous étions de jeunes frères et sœurs pris dans ce que Betty Carter appelle une lutte pour le «droit de jeunesse» (par opposition à deux enfants plus vieux qui se battraient pour le «droit d'aînesse»). Tous deux, nous voulons que l'autre prenne le contrôle, et aucun de nous n'agit comme s'il pouvait assumer sa part. Comme le dit Carter, nous sommes comme deux personnes au milieu d'un lac en train de se noyer; nous nous accrochons l'un à l'autre, à la gorge, quoique tous deux serions sans doute capables de nager jusqu'à la plage, grâce à quelques mots d'encouragement et à un peu de soutien de la part de l'autre.

Quand Steve revient du Mexique, il comprend immédiatement que quelque chose s'est produit et que je suis passée par le brasier de la transformation, car le climat n'est plus du tout le même à la maison. À mesure que les jours passent, il me dit à quel point il est surpris des changements qui se sont opérés avec Ben, et depuis que je ne court-circuite plus les contacts, il cherche plus souvent à unir ses efforts aux miens. Nous continuons à être relativement lamentables dans notre tentative d'établir des ententes claires et cohérentes envers nos fils, côté responsabilités. Mais dans chaque famille, il y a place à l'amélioration et, chez nous, c'est sans aucun doute là qu'est cette place. Quand je réussis à voir avec curiosité et tendresse nos défauts en tant que parents, j'arrive à en faire autant avec mes enfants.

Ensemble, mais différents

Désormais, si une assiette traîne dans la salle de séjour, ce n'est pas de cela que je parle à Ben en premier lieu quand il rentre de l'école, quoique j'avoue aborder la question en troisième ou en quatrième lieu. Ces jours-ci, il vient souvent s'asseoir dans mon bureau pour me parler d'un essai qu'il rédige ou pour me lire ses poèmes à voix haute. Au cours de ses années de secondaire, il a décidé qu'il voulait être un «pauvre poète» (changement notable par rapport à son projet précédent d'être un «riche avocat»), de sorte qu'il cherche à faire publier ses poèmes. J'entends encore sa voix exubérante tandis qu'il dévale les escaliers en criant «Oh! oui. Oh! oui.» Il brandit une lettre qu'il vient de recevoir d'une revue internationale de littérature ayant accepté de publier deux de ses poèmes. Ben bondit de joie à l'idée d'être un auteur publié à 17 ans. Je ne l'ai jamais vu si radieux. L'un des poèmes, mon préféré, concerne le jardin que Steve a fait à la campagne et qui, après avoir bien démarré, n'a presque rien donné.

MON PÈRE AIME TOUT CE QUI POUSSE*
par Ben Lerner

Ton jardin,
celui que tu appelles «le nôtre»
est un bel échec.
Quelque part entre les concombres
et le maïs que tu as promis à maman,
les mauvaises herbes ont profité.

Mais les poivrons te sauveront,
bien rouges et dispersés.
Ils serpentent sans gêne au bord du jardin
tu en prends un et tu enlèves la queue avec tes dents.
«Ils sont parfaits!», dis-tu, convaincu,
tout en marchant, la bouche en feu, vers le puits.

---

* MY FATHER LIKES ANYTHING THAT GROWS
By Ben Lerner

Your garden,
the one you call «ours»
is a beautiful failure.
Somewhere between the cucumbers
and the corn you promised mom,
the weeds have thickened.

But the peppers are your redemption
deep red and scattered
they twist daringly at the garden's edge
you pick one and snap off the tip in your mouth
«They're perfect!» you say and mean it
as you walk, mouth burning, to the well.

Ben, avec son généreux esprit poétique, a décrit avec amour le projet de jardin de Steve, ce qui me rappelle le cadeau que nous nous faisons quand nous nous penchons sur les talents les uns des autres.

La morale de cette histoire, ce n'est pas tant que nous devrions atteindre le fond du baril juste pour pouvoir vivre une transformation qui nous fournira l'occasion de crier «Eurêka!» Il arrive que cela se produise ainsi, mais de toute évidence il est préférable d'utiliser sa tête pour stopper le plus vite possible la descente en spirale. Il y a quelque utilité à nous rappeler nos défauts. Je redeviens humble, surtout après m'être impatientée devant les agissements épouvantables des *autres* mères, quand je me vois ainsi entraînée dans des élans émotifs assez puissants pour m'emporter dans le courant.

Cette histoire me rappelle également que les changements sont parfois inexplicables. Récemment, une amie me demandait de lui dire pourquoi ce changement brusque était survenu dans ma cuisine – pourquoi une personne apparemment aussi intelligente que moi n'avait pas réussi à faire cela beaucoup plus tôt et comment j'avais réussi à mettre en pratique ma décision de ne plus me disputer avec Ben – et je fus incapable de lui fournir une analyse plus satisfaisante que de lui dire que j'avais atteint le fond du baril et que quelque chose avait soudain changé dans ma tête, c'est tout.

En revanche, je sais qu'au cours de cette même période, tout allait trop vite pour moi. Au travail, les pressions avaient atteint de nouveaux sommets pour Steve et moi. Matthew étant à l'université, Ben était vraiment «seul» avec nous pour la première fois; au fond, je savais que lui aussi partirait bientôt. À l'idée du nid déserté, mon anxiété augmentait, je me demandais si j'avais bien préparé Ben pour affronter le monde des adultes et quelle sorte de mère incompétente j'étais. À cette même époque, mes parents déménagèrent à Topeka pour être plus près de moi, de Steve et des enfants. La santé de mon père l'amenait lentement dans un état végétatif, tandis que ma mère, comme on pouvait s'y attendre, était découragée et par moments débordée.

Il y avait d'autres sources de tension dans ma vie à cette époque et je rejetais tout cela sur Ben qui, je dois le préciser, ne se faisait pas prier pour m'en fournir de bonnes occasions. Matthew et moi ne nous serions jamais accrochés ainsi, parce que lorsqu'il vivait à la maison, il était réservé, diplomate, évitant les conflits et, du moins en apparence, respectant la hiérarchie instaurée dans la famille même si, discrètement, il n'en faisait qu'à sa tête. Entre Matthew et moi, ce sont plutôt des froids qui risquaient de se créer, attitude qui est l'envers de la violence et qui est en soi tout aussi problématique.

Quand je m'excuse pour les erreurs que j'ai commises, mes fils sont toujours remarquablement indulgents. Quelques mois plus tard, alors que je travaillais dans une autre ville, Steve me lut la note suivante que Ben avait écrite à l'ordinateur.

Papa et maman,

Ce soir j'ai fait un rêve intéressant. Je me suis rencontré dans un tournoi d'art oratoire et je me suis demandé à moi-même: «Quel est le conseil le plus important que tu pourrais te donner?» Je me suis répondu: «Dis à maman et à papa combien tu les aimes, juste pour être sûr qu'ils le savent.»

Il est trois heures du matin, nous sommes dimanche et je viens tout juste de me dire de vous dire que je vous aime. Alors voilà.

Vous êtes tous les deux les meilleurs parents que l'on puisse imaginer. Les meilleures personnes que j'aie jamais rencontrées. Je vous aime tous les deux le plus sincèrement du monde.

Ben

Lâcher le pilote automatique

La bataille au sujet du ménage dura peut-être six mois, mais elle aurait pu durer toujours. J'étais sur le pilote automatique et je ne faisais preuve d'aucune créativité pour régler le problème, jusqu'à ce qu'il devienne intolérable. Je n'avais pas eu, non plus, l'idée de demander l'aide d'une personne plus éclairée.

Voici cinq trucs pour régler des problèmes quand vous êtes pris dans des batailles qui n'en finissent plus. Ce sont justement les choses que je n'ai *pas* faites durant la période où j'étais à couteaux tirés avec Ben.

1. *Voyez la situation dans son ensemble.* Nous fixons notre attention sur un enfant quand nous ne voyons pas les problèmes de notre mariage, de notre divorce, de notre belle-famille, de notre famille d'origine et de notre projet de vie. Tout ce qui est en suspens et tout ce que nous négligeons se reporte sur l'enfant, habituellement sous forme de colère ou d'inquiétude – ou les deux.
2. *Restez centrée.* Quand nos réactions habituelles ne donnent rien, nous devons faire preuve d'imagination pour changer notre comportement. Cela ne veut pas dire que nous ne serons plus jamais furieuses contre nos enfants ou contre nos conjoints. Cela veut dire en réalité que nous avons prise sur notre violence et que nous ne nous y accrochons pas. Si nous n'arrivons pas à changer notre comportement en faisant appel à notre imagination, il ne changera jamais. Il y a toujours quelques petites choses que nous pouvons faire différemment pour contribuer à calmer les choses.
3. *Aspirez à être créative.* Nous avons toutes en réserve des ressources de créativité quand nous arrivons à nous calmer, à nous servir de nos méninges, à nous concentrer sur notre comportement (c'est tout ce que nous pouvons changer) et à mettre au point un nouveau plan d'attaque. La créativité exige parfois d'avoir des idées originales et de ne plus faire ce qui vient spontanément. Voici un petit conte qui illustre bien cela.

> Un vieil homme se faisait déranger par quelques garçons bruyants qui s'amusaient à sa porte. Il appela les garçons et leur dit qu'il aimerait bien les entendre jouer, mais qu'il devenait sourd. S'ils acceptaient de revenir tous les jours et de faire du bruit en jouant, il leur donnerait à chacun 25 sous.
>
> Le jour suivant, ils jouèrent bruyamment et le vieil homme les paya. Mais le lendemain, il ne donna que 15 cents à chacun des garçons, leur expliquant qu'il manquait d'argent. Le jour suivant il leur dit qu'il regrettait d'avoir à réduire la paye à cinq cents. Les garçons se fâchèrent et refusèrent de revenir parce que ça ne valait pas la peine de jouer bruyamment pour seulement cinq cents par jour.

Expérimentez et ouvrez les yeux en observant le fruit de vos efforts. Si vous n'arrivez à rien avec votre enfant, il est inutile de répéter ce que vous faites déjà.

4. *Soyez patiente avec vous.* Quand l'anxiété est élevée ou dure depuis longtemps, même la mère la plus créative au monde touche le fond du baril. Bien sûr vous perdrez les pédales, vous crierez après votre enfant, vous bouderez, vous serez violente et vous blâmerez les autres. Vous établirez des règles et vous négligerez de les suivre d'une part, ou vous serez inflexible et trop rigide d'autre part. Vous ferez tout cela non pas parce que vous êtes une mauvaise mère, mais parce que vous êtes humaine.
5. *Recherchez de bons conseils et de l'aide pour trouver des solutions.* Le perfectionnisme est le pire ennemi des mères, mais l'orgueil l'est tout autant. D'ailleurs, le perfectionnisme et l'orgueil vont de pair. Si vous avez des tendances à être perfectionniste, vous aurez de la difficulté à admettre à quelqu'un d'autre que vous n'arrivez pas à convaincre votre lambin de fils d'arriver à temps à l'école le matin ou d'aller au lit le soir sans que cela donne lieu à une bataille. Vous présumerez que les autres mères, guidées par leur généreux instinct maternel, savent exactement quoi faire en pareilles circonstances, ou que, d'abord et avant tout, elles n'ont aucun de vos problèmes. Vous penserez que pour elles, le fait de renforcer les règles est simple comme bonjour. Ensuite vous vous cacherez pour taire aux autres votre incompétence.

Post-scriptum pour individualistes incorrigibles

Si vous avez tendance à tout faire vous-même ou si vous êtes sujette aux débordements de honte, vous aurez beaucoup de difficulté à prendre au sérieux ce dernier tuyau. Je ne dirai jamais assez à quel point nous avons besoin des autres quand nous avons des enfants. Parfois nous avons besoin de quelqu'un qui vienne immédiatement – *à la seconde même* – pour prendre les choses en main à notre place. Parfois nous sommes au bord de la folie ou de la crise de nerfs, ou épuisées ou malades ou déprimées ou tout simplement désireuses de nous accorder un peu de temps.

Nous vivons dans une société gratifiant ceux et celles qui se suffisent à eux-mêmes et reprochant aux autres leurs besoins humains les plus fondamentaux. Ne croyez pas ceux qui voient comme de la faiblesse le fait de demander de l'aide. En fait, c'est plutôt une force. Nous, les femmes, nous faisons dire que nous sommes «trop dépendantes», alors qu'en fait, nous mettons beaucoup plus d'énergie à combler la dépendance des autres qu'à reconnaître et à demander de l'aide pour la nôtre.

Les mères ont besoin d'aide sur le plan affectif et sur le plan pratique. Parfois, nous avons besoin d'amies qui nous disent qu'elles ressentent la même chose que nous, qui nous rappellent que nous ne sommes pas complètement folles ou les seules à nous sentir ainsi. Parfois nous avons besoin d'elles pour préparer le souper à notre place ou pour nous aider à nous sortir d'un énorme cafouillis. Parfois nous avons besoin d'un ou d'une parente créative, dont les idées sont claires, pour nous dire ce qu'*il* pense ou ce qu'*elle* ferait à notre place. Parfois, nous avons besoin d'aide financière et pratique de la part des services sociaux et communautaires. Parfois, nous avons besoin d'aide professionnelle pour voir plus clair, pour savoir où aller, pour avoir un plan solide, ou un point de vue plus large et plus équilibré.

Être créative constituait pour moi un des plus grands défis lorsque mes enfants étaient petits. J'ai eu la chance de me faire une très bonne amie au cours de ces années, une thérapeute de famille qui connaissait bien les dynamiques familiales et qui n'hésitait pas à me faire bénéficier de ses connaissances. J'avais rencontré Kay peu après le premier anniversaire de Matthew, au moment où sa fille, Julia, avait environ le même âge. Avant que nous ayons nos deuxièmes enfants, Ben et Parkin, nos familles respectives s'étaient rapprochées, nos enfants ayant sensiblement le même âge.

Je comptais sur Kay pour proposer des idées inventives, dont même la plus simple ne me serait jamais venue à l'esprit. Par exemple, lorsque nous avons prévu, les deux familles, d'aller ensemble au Michigan en auto, durant les vacances d'été, je savais que Matthew et Ben n'allaient pas rester sur la banquette arrière de l'auto pendant des heures d'affilée sans s'arracher la tête. Kay suggéra que chaque famille prépare un «sac fourre-tout» pour le voyage, ce qui voulait dire que nous devions aller dans un grand magasin et acheter huit articles à très bon marché pour chaque enfant, articles que nous devions ensuite emballer individuellement, étiqueter à leurs noms et placer dans un sac de papier. Il y avait un élément-clé dans l'histoire: Kay choisissait et emballait les articles pour mes enfants, et de mon côté, j'en faisais autant pour les siens, car cela maximisait l'idée du «cadeau» et risquait de donner plus de mérite aux articles en question dans l'esprit des enfants. Il y avait une «règle» pour ce sac fourre-tout: chaque enfant pouvait ouvrir un cadeau à toutes les 60 minutes, ce qui, miraculeusement, eut pour effet de garder mes fils relativement dociles pendant un bon huit heures. Même si un article en particulier ne les occupait que trois minutes, ils acceptaient mieux la longueur du voyage, chacun d'eux sachant qu'il aurait une autre surprise à déballer et avec laquelle jouer, une heure plus tard.

Au cours de ce même voyage, assis dans le restaurant d'un hôtel relativement chic où nous étions réunis pour le dessert, les trois garçons commencèrent à s'exciter à table. «Hé! Calmez-vous!», dis-je de ma voix la plus dure, ce qui eut son effet habituel, c'est-à-dire aucun. (Mes fils détestaient cette expression «calmez-vous» à peu près comme ils étaient rebutés par la question «Comment était l'école aujourd'hui?», ce qui provoquait inévitablement la non-réponse «Bien.») Ils continuaient donc à être turbulents.

Sans se lever de sa chaise, Kay leur donna un ultimatum de sa voix chaude et ferme: «Si vous ne vous calmez pas», dit-elle sans broncher, «je vais marcher jusqu'à votre table et vous donner à chacun un gros bec mouillé sur la joue.» La perspective d'une telle humiliation publique les amusa et les calma.

Mes fils adoraient Kay et ils voyaient en elle quelqu'un sur qui ils pourraient toujours compter. Le fait que nous nous soyons fréquentées quotidiennement pendant des années donna à Matthew et à Ben le sentiment d'avoir une famille plus enracinée, ce qui comptait d'autant plus que nous n'avions pas de parenté aux alentours. Je me sentais à l'aise pour faire part à Kay de mes problèmes et lui demander de l'aide.

Il n'est pas facile de trouver une famille proche qui s'entend aussi avec la vôtre quand vos enfants sont petits. Mais en fait, nous pouvons nous en tirer avec un peu d'aide de nos amis. Contactez d'autres parents ou formez un groupe qui se réunit une fois par mois. N'ayez pas peur d'appeler des membres de la famille ou des parents d'amis de votre enfant. Demandez-leur ce qu'ils font devant un problème comme celui de l'oreille percée ou du ménage – ou de l'heure du coucher, des corvées, des devoirs ou des crises de nerfs.

Comme le suggère Ron Taffel, mettez en place un système d'entraide et entourez-vous de gens qui peuvent vous conseiller avant que ne survienne la crise, et non après vous être rendu compte que votre relation est en ruine, ou après avoir découvert que votre fils prend de la drogue ou que votre fille souffre d'un problème d'alimentation. Dans son livre *Parenting by Heart*, Taffel donne des conseils précis pour savoir comment démarrer un groupe avec les parents des amis de vos enfants, si cela les intéresse. Cette sorte d'entraide peut vous aider beaucoup quand vos enfants grandissent et que vous n'êtes plus certaine de savoir où ils en sont ou ce qu'ils s'apprêtent à faire. Consultez un bon thérapeute de famille quand les choses ne débloquent pas.

Que ce soit parce que vous êtes prise dans une lutte de pouvoir ou simplement parce que vous ne savez plus du tout quoi faire, oubliez votre orgueil. Le fait de révéler nos limites et notre vulnérabilité nous donne, comme mères, une bonne chance de passer à travers.

8

Comment parler aux enfants avec qui vous n'arrivez pas à parler

Il n'est pas toujours facile de parler aux enfants. Je ne songe pas seulement aux sujets très délicats qui sont sensibles dans toutes les familles, comme la maladie, le divorce ou le suicide de l'oncle Antoine. Pratiquement tous les sujets, par exemple savoir si votre fille va finir par manger les deux bouchées de patates pilées qui restent dans son assiette au souper, peuvent devenir des sujets chauds, selon les péripéties du passé ou les tensions en cours.

L'état de la communication affecte tout, y compris la manière dont vous entrevoyez votre retour à la maison après le travail, l'amour que vous portez ou non à votre enfant et à vous-même, et l'atmosphère qui règne entre les uns et les autres à la maison. De plus, il n'y a rien comme de *ne pas* communiquer avec votre enfant, car le silence et la distance en disent déjà très long.

Écouter

Commençons avec l'art de l'écoute, parce que les enfants ne parlent pas quand ils ne se sentent pas écoutés. Le défi consiste à écouter, le cœur et l'esprit ouverts, et à poser les bonnes questions plutôt que de s'empresser de calmer, d'arranger les choses, de donner des conseils, de critiquer, d'enseigner, de sermonner et de faire en sorte que les portes se ferment.

Aucun conseil ne captive l'attention comme une bonne écoute. Dans ses moments les plus authentiques, l'écoute révèle l'art d'être pleinement présent sur le plan affectif, sans jugement et sans distraction. Dès que nous sommes pleinement présents, nous ne pensons ni à notre travail ni à rien d'autre. Nous ne jugeons pas. De la même façon, quand nous écoutons, nous n'exprimons pas notre opinion et nous ne réfléchissons pas à la meilleure manière de présenter notre point de vue. Nos pensées ne s'accrochent ni au passé ni à l'avenir. Nous sommes tout à fait réceptifs et ouverts à ce que notre enfant nous dit sans vouloir changer, arranger, corriger ou conseiller. Nous sommes là, avec notre enfant, et nulle part ailleurs.

Nous n'écoutons pas bien quand notre esprit est déjà occupé ou quand nous avons notre idée derrière la tête. Dans ce dernier cas, nous risquons d'engager une conversation du genre «je parle – *j'attends* – je parle» (en d'autres termes nous ne faisons qu'attendre que notre enfant ait fini de parler pour pouvoir faire notre intervention), plutôt que du genre «je parle – *j'écoute* – je parle». Comme en toutes choses, certaines personnes ont plus de talent que d'autres pour écouter, mais tout le monde peut s'améliorer.

Nous écoutons et nous sympathisons mieux avec nos enfants quand nous sommes détendus et à l'aise, quand nous sommes centrés et en paix intérieurement. Il est plus probable qu'une conversation mutuellement stimulante survienne dans une période de calme et de recueillement que durant une période d'anxiété et de frénésie. L'art de l'écoute est donc, comme l'art de la réflexion, inextricablement lié à l'art de se calmer et de se centrer. La conscience humaine ferait certes un grand bond en avant si notre désir d'écouter et de comprendre nos enfants était aussi grand que notre désir d'être nous-mêmes entendus et compris.

Il est également essentiel de comprendre que nous ne pouvons tout le temps, ni même la plupart du temps, écouter de cette manière pure et à cœur ouvert. Cela n'est pas réaliste ni même idéal. Les enfants acceptent que notre attention soit partielle quand nous sommes fatiguées, tendues, stressées et préoccupées, ou quand nous sommes dans les affres d'une émotion violente ou simplement prises par autre chose.

Bien sûr je ne vous suggère pas d'être négligentes, mais l'extrême opposé constitue également un problème.

Voyons cette mère, Jocelyne, la plus jeune de sept enfants issus d'une famille pauvre de cultivateurs où la survie constituait le principal sujet de préoccupation. Quand elle vint au monde, ses parents étaient dans le marasme, sur les plans émotif et financier, et on l'avait confiée aux soins de ses frères et sœurs plus âgés qui ne l'aimaient pas du tout. Quand elle était petite, Jocelyne rêvait d'épouser une homme riche, de n'avoir qu'un seul enfant et de tout lui donner. C'est exactement ce qu'elle fit. Sa maison ressemblait à un magasin de jouets et son fils de quatre ans, Benoît, vivait comme un petit prince. Jocelyne était tellement attentive à Benoît et prenait tellement soin de lui que c'en était trop. Il avait besoin d'un peu d'*in*attention et d'un peu de laisser-aller (comme tous les enfants), mais Jocelyne n'arrivait pas à lui donner cela. Un deuxième enfant lui aurait sans doute permis de détourner son attention et de se laisser aller un peu, mais elle voyait cette possibilité comme quelque chose qui aurait privé son fils, plutôt que de lui faire du bien.

Les enfants gagnent à apprendre que leurs mères sont des personnes «séparées», qui doivent s'occuper de plusieurs choses, dont elles-mêmes. Ils n'ont pas besoin d'avoir notre attention totale tout le temps. Pour paraphraser une citation du docteur Rachel Naomi Remen, si l'univers voulait que votre enfant vive en Bouddha, l'univers se serait *arrangé* pour qu'il vive en Bouddha. Cependant, il faut vous préoccuper de la qualité de votre attention – et pratiquer l'art de la véritable écoute – de telle sorte que vous puissiez faire ce cadeau à votre enfant et à vous-même, au moins une fois de temps en temps.

La bonne communication

Les interventions «à la première personne» semblent avoir gagné une popularité immense et bien méritée depuis quelques années. Si je dis à un groupe d'une centaine de femmes, «Pouvez-vous lever la main si vous ne savez *pas* ce que je veux dire par une intervention *à la première personne*», il n'y a pas plus de deux ou trois courageuses personnes qui lèvent la main. Elles se sentent ensuite très mal à l'aise quand je me mets à prendre du temps précieux réservé au groupe pour leur expliquer un concept que toutes les autres femmes comprennent déjà, ou pensent comprendre. Au cas où vous vous reconnaîtriez dans ces quelques courageuses personnes, laissez-moi vous dire qu'une intervention *à la première personne* est une affirmation personnelle exempte de reproches et qui ne tient pas l'autre responsable de nos pensées et de nos sentiments. Cela peut paraître simple en théorie, mais en pratique, ce n'est simple que lorsque nous en avons le moins besoin, c'est-à-dire quand les choses vont relativement bien. Quand nous sommes fâchées ou dans un quelconque état émotif, nous revenons par réflexe aux interventions «à la deuxième personne» (Tu es vraiment égoïste avec ton frère!) ou aux pseudo-interventions «à la première personne» (Je pense que tu es vraiment égoïste avec ton frère!), comme si le fait de coller les mots «je pense» devant un jugement ou une interprétation faisait l'affaire.

Il y a une histoire que j'aime beaucoup raconter concernant la première fois que j'ai fait un effort délibéré pour parler à la première personne dans ma famille, quand Matthew n'avait que trois ans. Je jetais un coup d'œil au-dessus de l'évier de la cuisine pour m'apercevoir qu'il essayait de couper une pomme avec un couteau très pointu. «Laisse ce couteau, Matthew», m'exclamai-je à tue-tête. «Tu vas te couper!»

«Non, je ne vais pas me couper!» me répliqua-t-il.

«Oui, tu vas te couper!»

Tout en augmentant le ton, nous répétions nos phrases respectives. Nous étions donc là, au milieu d'une véritable lutte de pouvoir, quand j'eus l'idée de parler à la première personne. «Tu vas te couper» n'était pas vraiment une manière de parler à la première personne, étant donné que cela concernait Matthew et non moi. Je me suis alors tournée vers Matthew et je lui ai dit, plus calmement: «Matthew, quand je te vois avec ce couteau pointu, je suis terrorisée parce que j'ai peur que tu te coupes.» Comme vous pouvez l'imaginer, j'étais extrêmement fière d'avoir réussi ce brillant remaniement linguistique.

Matthew, à trois ans, était déjà bien subtil; il reprit sa pomme et me dit (tout aussi calmement): «Et bien, c'est ton problème.» Moi (étant encore plus subtile par la vertu du fait que j'avais, et que j'ai toujours, trente ans de plus que lui), je lui répliquai: «Oui, tu as absolument raison, c'est mon problème, et je vais m'occuper de mon problème immédiatement en t'enlevant ce couteau pointu.» Et c'est ce que je fis.

Comme je l'ai raconté dans *Le pouvoir créateur de la colère,* Matthew renonça au couteau sans se lancer dans la bataille habituelle et sans perdre la face, car j'avais pris le problème en main. En fait, j'ai tendance à devenir facilement angoissée quand il est question de sécurité. J'ai appris par la suite qu'il coupait des pommes avec des couteaux pointus depuis plusieurs semaines à l'école maternelle Montessori, mais cela n'avait rien à voir. Ce qui comptait, c'était que notre famille n'avait jamais fonctionné comme une démocratie, et à la lumière de cela, j'exerçais mon autorité maternelle sans sous-entendre que Matthew était mauvais, sans le blâmer et sans vouloir le convaincre de voir les choses à ma façon.

Les limites de la «bonne communication»

Si personne ne vous écoute, il y a des limites aux bénéfices que vous pouvez tirer à parfaire vos talents de communicatrice. Je peux vous dire avec la plus grande certitude que si vos enfants ne sont pas attentifs, toute intervention à la première personne sera inutile, aussi calme soit-elle (n'essayez pas non plus de monter le ton, ce n'est pas mieux). Vous n'y arriverez pas.

Le thérapeute de famille Ron Taffel, mon spécialiste favori en ce qui concerne les problèmes d'enfants difficiles, exprime mieux que quiconque ce point de vue. Obtenir l'attention d'un enfant peut exiger que vous fassiez des choses assez créatives (lire: totalement inattendues), comme lorsque Taffel, pour interrompre brusquement une bataille stérile avec sa fille de quatre ans, s'exclama: «Hé! Regarde la fenêtre! C'est pas du caca d'oiseau, ça?» Quelques instants auparavant, sa fille criait «Ce jouet est à moi! Je ne veux pas le prêter!» et tout cela n'allait nulle part. Or, cette amusante distraction capta son attention et l'aida à se concentrer, ensuite ils discutèrent de ce que l'oiseau avait mangé la veille au soir, et ils purent ainsi parler des mérites relatifs du partage.

Quelquefois notre goût pour la «bonne communication» contribue à créer un conflit stérile. Ainsi, Lucille, qui suivait un de mes ateliers, me demanda de lui enseigner l'usage des interventions à la première personne. Elle s'inquiétait parce qu'il n'y avait pas de communication entre elle et sa fille, Mimi, et elle se débattait constamment pour pousser Mimi à s'ouvrir à elle. Lucille était décidée à être la sorte de mère qu'elle-même aurait voulu avoir, mais qu'elle n'avait jamais eue. La mère de Lucille ne s'était pas occupée d'elle et ne s'était jamais intéressée aux détails de la vie quotidienne de Lucille, donc Lucille, par réaction, voulait à tout prix être omniprésente et s'intéressait furieusement à tout ce qui concernait sa fille – et beaucoup plus, semblait-il, que ce que Mimi voulait.

Lucille était prête à déplacer des montagnes pour être à la maison tous les après-midi quand Mimi revenait de l'école pour qu'elles puissent parler ensemble de la journée de Mimi. Elle se sentait rejetée et se fâchait quand Mimi lui répondait par monosyllabes à des questions importantes sur ce qui s'était passé à l'école («rien») et comment cela avait été («bien»). Lucille tenait à ce que les repas soient une occasion de partage, un lieu pour tisser des liens, mais Mimi n'avait pas grand-chose à dire au souper et n'avait pas envie de rester à table. Chaque soir, elles se disputaient parce que Mimi tentait de s'en aller dès le repas fini et Lucille insistait pour qu'elle reste à table et qu'elle «fasse partie de la famille». Le mari de Lucille, qui voulait appuyer sa femme, disait des choses comme «Regarde ta mère quand tu lui parles, jeune fille!» ou «Tu ne sortiras pas de table tant que tu n'auras pas participé à la discussion et que nous n'aurons pas fini de parler!»

Lucille était convaincue qu'en utilisant la technique des messages à la première personne, les choses s'arrangeraient, alors elle en essaya un sur moi pour le pratiquer. Cela ressemblait à peu près à ceci: «Mimi [ses yeux rivés sur ceux de sa fille], je t'aime beaucoup et je veux que nous nous entendions bien toutes les deux. Je veux vraiment que tu me parles de ta journée quand tu reviens de l'école, et je voudrais que tu t'intègres à la famille à l'heure des repas. Quand tu t'enfuis dans ta chambre et que tu gardes pour toi tes réflexions et tes sentiments, cela me fait mal et me rend triste. Je veux également que tu me regardes quand nous nous parlons, parce qu'autrement je me sens seule, comme si nous n'étions pas vraiment en contact l'une avec l'autre.»

Comme bien des femmes, Lucille valorisait les relations humaines et elle était décidée à travailler là-dessus. Elle avait également bien compris comment faire des messages à la première personne. Mais son genre de propos aurait incité n'importe quel enfant normal à se boucher les oreilles et à prendre ses jambes à son cou. Lucille n'avait pas à améliorer ses habiletés de communicatrice, parce que là n'était pas le problème. Au lieu de cela, elle aurait mieux fait d'arrêter de vouloir à tout prix savoir quand et comment la communication aurait lieu. Le défi pour Lucille consistait à repérer les moments où elle avait l'attention de Mimi et à profiter de ces moments quand ils se présentaient.

Comme Taffel le fait remarquer dans son livre *Parenting by Heart*, la plupart des enfants ne réagissent pas bien quand nous tentons de les embarquer dans une conversation les-yeux-dans-les-yeux. Ils préfèrent la «communication parallèle», au cours de laquelle leur attention est quelque peu dispersée. Par exemple, en conduisant l'auto (on espère qu'au moins une des personnes regarde la route), au lit (quand les lumières sont éteintes, les enfants adorent traîner avant de s'endormir), en jouant à des jeux de table ou en effectuant diverses tâches. Quand je demandai à Lucille de me parler des dernières fois où elle et Mimi avaient eu de bonnes conversations, les exemples qu'elle me donna correspondaient à ce que je viens de dire, comme quand elle allait la reconduire à ses cours de rattrapage en mathématiques.

Quand Lucille comprit ce que je lui disais, elle se dérida passablement. À ma suggestion, elle réduisit ses attentes à zéro pour un bout de temps, jusqu'à ce que lui vienne à l'esprit les endroits et les moments les plus indiqués pour entamer une conversation. La dernière fois que j'ai entendu parler de Lucille, elle me laissa savoir que la tension avait considérablement baissé à la maison et qu'elle avait du plaisir à bavarder avec Mimi quand celle-ci se préparait à dormir.

❧

Les enfants ne parlent pas sur commande, même à table, et pour bien des enfants, le moins bon moment pour parler est justement le moment où ils rentrent de l'école. Il n'y avait rien de particulier dans l'attitude de Mimi, du moins dans la mesure où je pouvais en juger, excepté que cela ne correspondait pas à l'idée que se faisait Lucille de la vie de famille, idée qui représentait l'opposé de la famille d'où elle venait. C'est un moyen idéal pour aboutir à l'échec que d'avoir une idée préconçue de la manière et du moment où la communication devrait se produire, et d'essayer de forcer les enfants à s'y conformer, car ils ne le feront pas.

Si vous voulez améliorer vos habiletés de communication, vous trouverez quelques bons conseils dans *Parenting by Heart*. Le docteur

Taffel suggère, par exemple, que vous laissiez du temps aux enfants pour «lambiner» tout de suite après l'école, plutôt que de leur poser des questions ou de leur rappeler leurs tâches et leurs devoirs avant qu'ils n'aient le temps de se détendre. Taffel note également que les enfants détestent se faire demander comment s'est passée leur journée. Au lieu de cela, il suggère de poser des questions plus précises, comme: «As-tu trouvé des livres pour ta recherche sur John Kennedy?» ou «Est-ce que ça s'est mieux passé avec Julie dans l'autobus aujourd'hui?» Taffel encourage aussi les parents à dire ce qu'eux-mêmes ont fait durant leur journée, parce que cela donne moins l'impression aux enfants qu'ils doivent «produire». Finalement, il écrit que vous serez sans doute déçus la plupart du temps si vous vous attendez à de grandes conversations à table. «Les enfants me disent qu'ils ne peuvent supporter l'idée d'une conversation forcée à l'heure des repas, et plus les parents s'y attendent, moins les enfants sont enclins à parler.»

La transformation de Matthew

Gardez à l'esprit que la communication avec un enfant peut prendre plusieurs tournants surprenants. Matthew, par exemple, était un enfant extrêmement discret jusqu'à ce qu'il parte de la maison pour aller à l'université. Il ne disait pas ce qu'il pensait, du moins pas à moi ni à Steve. Il ne cherchait pas non plus à attirer notre attention, étant l'enfant typiquement «facile» qui évitait les conflits, réussissait à l'école, avait de bons amis et une merveilleuse copine. Il faisait toujours ce qu'il fallait (du moins, pour ce que nous en savions) et il semblait grandir en sagesse. Je disais souvent à Steve, pour blaguer, que Matthew nous avait causé tellement de soucis avant de venir au monde et au cours de sa première année si atypique qu'il s'était repris au cours des années suivantes.

En rétrospective, je me rends compte que je me contentais trop facilement de cette distance établie entre nous, étant moi-même faite ainsi. Il est vrai, en revanche, que cette distance était tout de même chaleureuse et que nous avions beaucoup de rencontres familiales agréables, mais je pense que j'avais admis l'idée, transmise par notre culture, que les mères ne doivent pas être trop «indiscrètes» envers leurs fils et que nous devons les laisser respirer. Je me retirais donc, ce qui est ma tendance naturelle de toute façon.

Un jour cependant, en écoutant une conférence de la courriériste Ellen Goodman, il m'arriva de m'inquiéter en pensant à quel point je connaissais peu mon fils. Même si je n'arrive pas à me rappeler les mots exacts de Goodman, elle prévenait l'auditoire du fait que si nous n'avions par réussi à établir une bonne communication avec nos fils avant qu'ils ne partent de la maison, après il serait trop tard. Cela me paraissait plein de bon sens, mais dans le cas de Matthew c'est plutôt le contraire qui se passa.

Quand Matthew partit dans l'Est pour étudier à l'université Brown, il nous étonna en faisant tout pour rester en contact avec nous. Étant donné que j'ai déjà abordé le sujet de la boucle d'oreille de Ben, je ne peux résister à l'envie de vous montrer le premier fax que Matthew envoya à la maison, par l'entremise de son ordinateur. (Jen, en passant, est sa cousine adorée de Berkeley, dont le corps est percé à de multiples endroits et qui était déjà à cette université quand Matthew y arriva.)

C'EST LE DÉBUT DE LA RÉBELLION!!!!!!!!

JE VIENS DE ME FAIRE PERCER L'OREILLE ET VOUS N'Y POUVEZ RIEN.

Je viens de le faire une fois, mais je pense qu'il va y avoir des suites. Je me suis fait percer la partie supérieure de l'oreille gauche. C'est pas mal beau. D'ici à ce que vous veniez me voir pour le week-end des parents, je ressemblerai à Jen.

Je dois y aller. Je vous appelle dans quelques jours.
Bisous. Matt.

Ce fax avait le même «caractère» humoristique que l'on connaissait bien à Matthew, mais je n'aurais jamais pensé que notre fils en arriverait à s'ouvrir ainsi à nous et à nous faire part de son sentiment de vulnérabilité. Il se mit à nous téléphoner. Il nous parlait de ses déceptions, de ses inquiétudes, de sa confusion, de ses ambivalences et nous disait qu'il se sentait un peu perdu. Plus tard, il discuta de sa vie amoureuse pleine de rebondissements, des choses dont il était fier et de celles dont il l'était moins, de la préoccupation qu'il avait de trouver sa voie et de ses doutes quant à la spécialité qu'il allait choisir. Il nous demandait de lui faire part de nos idées, de nos points de vue, de nos valeurs et il nous demandait même conseil. Quand il trouva sa voie (et qu'il décida de sa spécialité), il nous en fit part également.

L'été dernier, Matthew s'inscrivit à une école de langue en Espagne et nous étions constamment en contact par l'entremise du courrier électronique, de sorte que je savais au jour le jour ce qui lui arrivait. Au cours d'une de ces communications, je dis quelque chose au sujet de mon père, qui avait alors 87 ans et qui restait près de chez moi, dans une maison de retraite, dans un état végétatif, incapable de communiquer, de reconnaître les gens ou de bouger. Dans sa réponse, Matthew me dit à quel point il avait été important pour lui de dire adieu à une amie de la famille, Liz Hofmeister, qui avait célébré son futur décès, quelques années auparavant, après avoir décidé d'arrêter ses séances de dialyse à la suite d'un long combat contre une maladie des reins sans rémission. Matthew parlait de cela pour m'encourager à m'adresser à mon père et à lui dire franchement que j'avais l'impression qu'il s'accrochait à la vie, même si les médecins étaient d'avis qu'il ne pouvait plus rien comprendre, ce que le sens commun donnait aussi à croire. «Tu ne vas tout de même pas lui faire le coup des illusions du bonheur* sur son lit de mort», me dit Matthew, s'inspirant du titre d'un de mes livres. «Parle-lui. Et fais-moi savoir ce que tu décides de faire.»

Récemment, je demandais à Matthew comment il percevait son changement d'attitude, qu'il reconnaissait lui-même comme une transformation majeure. Il me répondit qu'il ne savait pas du tout pourquoi il ne nous avait jamais parlé plus abondamment avant d'aller à l'université, qu'à cette époque ce n'était pas comme cela qu'il se sentait, même avec les gens de son âge, jusqu'à ce que sa copine insiste pour qu'il change et sorte de sa réserve. Je suis persuadée que si Matthew s'est affranchi quand il était à l'université, c'est en partie parce qu'il se

---

* *Les illusions du bonheur,* ouvrage de Harriet Lerner, traduit de l'anglais *The Dance of Deception* et publié aux éditions du Jour. (NDT)

sentait plus à l'aise de s'ouvrir dans une situation où il n'y avait pas de face-à-face. En étant à l'autre bout du pays, il n'avait plus à craindre de devenir «trop dépendant».

Je n'encourage pas les mères à s'asseoir en silence dans un coin, en attendant que survienne le moment magique où un enfant décide de se rapprocher. Je suis désolée de ne pas avoir pris plus souvent l'initiative de tenter d'imaginer des manières d'entrer en contact avec Matthew longtemps avant qu'il ne parte de la maison. S'il avait été une fille, j'aurais vécu cette distance émotive comme un problème, et je ne serais pas restée là à ne rien faire. Je pensais à cela en lisant le livre d'Olga Silverstein, *The Courage to Raise Good Men,* où elle parle de ce qui pousse les mères à prendre des distances par rapport à leurs fils, pour les préparer à «s'en aller», alors qu'en fait il faut se rapprocher d'eux. J'aurais aimé que Silverstein écrive son livre plus tôt, parce qu'après l'avoir lu, je n'ai plus eu peur de troubler l'«intimité» de Matthew et j'ai commencé à lui poser toutes sortes de questions: «Alors, est-ce que c'est une relation d'amitié ou d'amour?» «Couches-tu avec elle?» «L'aimes-tu vraiment?» «Quelle est la drogue la plus répandue à ton école?» «Quelles sortes de drogues as-tu déjà essayées?»

Ce n'est pas que je le bombarde de questions. Et je fais bien attention de ne pas le pénaliser de m'avoir dit la vérité alors que c'est précisément ce que je lui demandais, même si de mon côté je ne me gêne pas pour lui dire ce que je pense. Mais j'ai suivi un peu son exemple et je me suis mise moi aussi à parler plus ouvertement des choses qui comptent, plutôt que de me taire. Je me rends compte que je m'étais représenté la réserve de Matthew comme de l'indépendance et de l'autonomie, ce qui est bien chez un garçon, du moins la société nous incite-elle à le croire. Je regrette de m'en être satisfaite au cours des années précédentes, quoique l'attitude opposée n'aurait pas mieux valu (par exemple si j'avais tenu mordicus à ce qu'il parle).

Parler des choses difficiles

La famille «idéale» offre aux siens un lieu sûr où ils se sentent libres d'être eux-mêmes. Chacun se sent à l'aise pour partager en toute honnêteté ses idées et ses sentiments sur des sujets chargés, sans que les uns et les autres se disent quoi penser et quoi sentir, et se préoccupent trop des distinctions entre chacun. Les parents instaurent des règles qui structurent le comportement de l'enfant, mais ils ne lui dictent pas ses émotions et ses idées. La famille procure un sentiment d'unité et d'appartenance (le «nous»), tout en respectant l'autonomie et la différence entre chacun (le «je»). Personne dans la famille n'a à nier ou à taire un aspect important de lui-même pour se sentir inclus ou entendu. Même les sujets les plus délicats peuvent être abordés ouvertement et franchement.

C'est là un idéal, mais ce n'est pas la réalité de la plupart des familles. Il est facile d'aborder un sujet neutre, par exemple le sport favori de votre fille. C'est une tout autre histoire quand il s'agit d'aborder avec un enfant un sujet douloureux ou sensible. En disons-nous trop ou pas assez? Est-ce le bon moment? Comment dire des choses pénibles de façon positive, appropriée à l'âge de l'enfant? Il n'y a pas de réponses simples à ces questions.

❧

Mon amie Kay m'incita doucement à aborder quelques-uns des sujets les plus délicats avec les personnes qui comptent le plus dans ma vie, y compris mes enfants. Un été, nous étions les deux familles en vacances à Aspen, au Colorado, et l'atmosphère était tendue. Ben, qui avait alors neuf ans, se réveillait en pleurant très tôt le matin, et nous disait ensuite qu'il était déprimé. Comme c'était un enfant en général ouvert et expressif, il ne comprenait pas ce qui se passait et nous non plus.

En fait, Steve et moi avions tout de même notre petite idée. Nous avions été confrontés à une assez grande épreuve dans la famille quand, quelques années auparavant, on avait découvert à Steve un mélanome malin. Sa mère, Elsie, était morte d'un cancer peu de temps avant son cinquantième anniversaire, 10 ans après son premier diagnostic, et cela ne rendait pas Steve très optimiste quand on lui annonça, à 41 ans, qu'il avait 70 p. 100 de chance de vivre encore cinq ans. J'essayais de me concentrer sur ce 70 p. 100, comme s'il s'agissait d'un chiffre vraiment encourageant, mais la nuit, mon esprit me ramenait au 30 p. 100. Lorsque nous allâmes consulter l'un des meilleurs spécialistes, le pronostic fut révisé à la hausse, mais nous restions tout de même terrorisés, tout en essayant de nous retenir et de ne pas laisser notre angoisse envahir la vie familiale.

La conversation au cours de laquelle nous nous sommes décidés à parler à nos fils du diagnostic de Steve me reste en mémoire comme la plus difficile de toute ma vie. Matthew avait alors 10 ans et Ben, 6 ans. Nous avons fait notre possible pour ne pas dramatiser la nouvelle (ce n'est après tout qu'une conversation comme une autre autour de la table, n'est-ce pas?), mettant l'accent sur le pronostic encourageant de Steve et disant à quel point nous étions chanceux que les médecins aient découvert si tôt le cancer de papa. Matthew réagit en grand frère typique, disant qu'il n'y avait rien là, que tout s'arrangerait. Il se comporta avec calme, ne témoignant jamais de son inquiétude et ne se laissant jamais aller à imaginer la possibilité de perdre son père. Ben, plus sensible et plus porté à exprimer ses sentiments, semblait de toute évidence plus affecté. C'est lui qui, plus tard, demanda: «Papa, est-ce que tu vas mourir?»

Environ un an plus tard, Ben tomba de sa planche à roulettes en revenant de chez un ami, la planche ayant heurté une crevasse du trottoir. Il tomba la tête la première. Il arriva à la maison en pleurant, mais sans blessures apparentes, de sorte que je lui donnai un sac de glace et n'y pensai plus. Dix minutes plus tard, il me dit que l'image à la télévision était floue ou «double». Je lui dis que c'était probablement à cause des larmes dans ses yeux étant donné qu'il avait pleuré, et c'est ce que je croyais. Mais j'ai également appelé le pédiatre, qui m'a dit: «Gardez tout simplement l'œil sur lui, il n'a probablement rien.»

Mais il avait quelque chose. Avant que je ne l'emmène chez le médecin, il avait eu le temps de paniquer, il était désorienté et ressentait une série de symptômes neurologiques qui lui donnaient le sentiment qu'il s'éloignait et qu'il allait mourir. Nous courûmes vers l'hôpital le plus proche, où deux infirmières et une aide étendirent Ben sur une civière et, pour lui faire un examen au scanner, lui injectèrent des calmants parce qu'il était beaucoup trop agité pour coopérer. Steve s'était dépêché de laisser son travail et nous étions tous les deux là, avec lui, mais nous n'arrivions pas à le calmer, car désormais il n'était plus capable de nous voir ni de reconnaître nos voix. Je me souviens de ce qu'il disait et de sa terreur avant que l'anesthésie ne fasse effet: «Maman, Papa, où êtes-vous? Où êtes-vous? Je ne vous vois plus! À l'aide! À l'aide!»

Ben reprit du mieux le jour même, sans qu'on ne lui trouve de dommage neurologique. Mais je pense qu'ils sont rares et chanceux les parents qui peuvent traverser toute une vie sans être touchés par aucun de ces incidents au cours desquels le cœur s'arrête ou de ces événements qui rappellent qu'en un instant, la vie peut basculer – que le sol peut avoir l'air solide sous nos pieds à un moment, et le moment d'après s'ouvrir brusquement en nous donnant l'impression que nous n'arrêterons plus jamais de tomber. Un an plus tard, Ben glissa, tomba et subit une seconde commotion cérébrale, moins sérieuse que la première, mais il dut encore une fois coucher à l'hôpital. Rien n'est jamais acquis.

❧

Tandis que nous étions à Aspen, je parlai à Kay des problèmes de sommeil de Ben. Elle se dit que le diagnostic de cancer de Steve pouvait en partie les expliquer. Selon Kay, les commotions de Ben avaient réveillé son anxiété, refoulée à la suite de cet épisode de cancer, et maintenant les craintes qui l'assaillaient donnaient à penser que nous n'avions pas assez examiné, en famille, le problème de cancer de Steve. Je protestai que, s'il y avait quelque chose, c'était que nous l'avions trop examiné.

Steve et moi venons tous deux de familles où les diagnostics de cancer de nos mères avaient constitué des sujets tabous. À cette époque, le contexte culturel incitait à nier ce genre de choses, et même le mot *cancer* était difficile à prononcer. Steve n'avait jamais parlé à sa mère de sa maladie mortelle, et il ne lui avait jamais dit adieu. Quand Steve fut diagnostiqué, nous étions bien décidés à ne pas rééditer cela, alors nous avons parlé à mort du cancer de Steve, pour utiliser un mauvais jeu de mots.

Matthew et Ben en étaient même venus à nous taquiner à ce sujet. Je me rappelle une fois, à table, où Steve se mit à crier après les enfants sans raison, pour ensuite offrir ses excuses. «Oh non, dit Matthew, épargne-nous! Ça y est, papa va nous dire maintenant à quel point il réagit fort parce que c'est l'anniversaire de son diagnostic de cancer ou quelque affaire du genre! C'est reparti!»

Kay me fit remarquer que le fait de trop se pencher sur un sujet et de le ressasser anxieusement (ce en quoi je suis passée maître) n'équivalait pas à une analyse constructive du problème. Elle me demanda, en quelques questions, quelles avaient été les pires peurs et les pires visions de Ben après qu'il ait appris le diagnostic de Steve, et je me rendis compte que je n'avais jamais posé directement à Ben ces questions fondamentales. À la suggestion de Kay, je me décidai à les poser, même s'il eut été plus facile de n'en rien faire.

Cet après-midi-là, je trouvai du temps pour être seule avec Ben et je lui dis que j'avais réfléchi à ses problèmes de sommeil. Je lui fis remarquer que ses larmes et sa tristesse me rappelaient les peurs que nous avions eues dans la famille, plusieurs années auparavant, lors de ses deux commotions cérébrales et du diagnostic de cancer de papa. Ensuite, je lui posai mes épineuses questions au cours d'une conversation qui ressemblait à peu près à ceci.

Moi: Dis-moi Ben, quand tu penses au cancer de papa, qu'est-ce qui te fait le plus peur?

Ben: Je ne sais pas.

Moi: Qu'est-ce que tu penses qui pourrait arriver de pire?

Ben: Que papa meure.

Moi: Et bien, je ne m'attends pas à ce qu'il meure. Le médecin ne s'attend pas à ce qu'il meure. Et papa non plus ne s'attend pas à mourir. Mais si jamais cela arrivait, comment penses-tu qu'on se débrouillerait? Comment penses-tu que j'arriverais à m'occuper de toi et de Matt?

Ben: Ce serait terrible.

Moi: Pourquoi terrible?

Ben: Papa m'emmène partout. Il me conduit partout. Toi, tu ne sais même pas comment faire pour te rendre à Kansas City.

Moi: Alors, tu ne penses pas que je pourrais apprendre à faire quelques-unes des choses que papa fait maintenant? Tu ne penses pas que je serais capable d'apprendre ce qu'il faut?

Ben:	Non.
Moi:	Alors tu penses que je suis faible? Tu me vois comme une poule mouillée ou quelque chose du genre?
Ben:	Oui.
Moi:	O.K. Disons que papa meurt de cancer, ou qu'il meurt en faisant une chute en montagne. Alors, qu'est-ce que tu craindrais le plus?
Ben:	Que tu meures.
Moi:	Bien, et si je mourais, moi aussi, sais-tu qui prendrait soin de toi et de Matt?
Ben:	Je ne sais pas. Je n'en ai aucune idée.
Moi:	Y penses-tu parfois?
Ben:	La pire chose, ce serait que je sois obligé d'aller dans un orphelinat. Que Matt et moi allions dans un orphelinat. [Plus tard, je sus qu'il avait pris cette idée dans une émission de télévision.]
Moi:	Si papa et moi mourions tous les deux, toi et Matt vous iriez vivre avec tante Marcia [la sœur de Steve] et oncle Ricardo à Berkeley. Ils s'occuperaient de vous. Et c'est sûr et certain que vous n'iriez pas dans un orphelinat.
Ben:	Est-ce qu'ils sont d'accord?
Moi:	Tout à fait. Nous en avons parlé et tout est arrangé. Ce n'est pas que papa et moi soyons en train de prévoir d'aller où que ce soit, ne t'en fais pas. Bien des parents prennent des ententes pour savoir qui s'occuperait de leurs enfants à leur place, s'ils devenaient incapables de le faire.
Ben:	Est-ce que je pourrais finir dans un orphelinat?
Moi:	Il n'est absolument pas question que ni toi ni Matt soyez jamais séparés l'un de l'autre ni que vous finissiez dans un orphelinat, peu importe ce qui pourrait nous arriver, à papa et à moi.

Au cours de cette conversation, je réussis à rassurer Ben au sujet de l'orphelinat et à créer un climat plus ouvert dans notre famille. Plus tard, je contestai l'idée de Ben à l'effet que je ne serais pas capable de m'occuper de la famille si j'étais une mère monoparentale, quoique en réalité cela était – et reste encore – une de mes pires craintes. J'étais tellement contente d'avoir entamé cette conversation. J'avais eu peur que mes questions au sujet du «pire scénario possible» poussent Ben à s'inquiéter encore plus en rendant l'éventualité de la mort de Steve plus réelle à ses yeux. Mais, bien sûr, cela était déjà présent en lui – comment pourrait-il en être autrement? – et pendant tout notre entretien, il avait pu parler des idées qu'il se faisait quant à son hypothétique destin d'orphelin.

À la suite de notre conversation, les symptômes de Ben disparurent. Je ne veux pas dire qu'ils ont disparu à tout jamais, mais Ben se reprit en main et retrouva son sommeil. Quand je racontai cet échange à Steve ce soir-là, il trouva que j'avais bien fait et me dit qu'il allait trouver le moyen d'avoir lui aussi pareille conversation avec ses deux fils, Ben et Matthew. Au lieu de cela, quelques jours plus tard, tandis qu'il était à la pêche à la campagne, il glissa sur un rocher, se disloqua l'épaule et je me trouvai prise pour conduire l'auto dans les montagnes pour nous ramener au Kansas. Cela fut excellent pour moi, étant donné que je refusais de conduire en dehors de Topeka, ce qui constituait un de mes pires handicaps. Aussi, j'ai toujours pensé que dans une famille saine, les problèmes faisaient la rotation (les pépins ne devant pas rester toujours dans le panier d'un même membre de la famille), et maintenant c'était au tour de Steve d'avoir le problème. Ben avait besoin de répit. Et pour tout le monde, il était bon de savoir que j'étais capable de conduire ma famille à travers les montagnes, quand le besoin s'en faisait sentir.

Le climat affectif

Les bonnes intentions et les meilleures habiletés de communication du monde ne garantissent pas que vous pourrez parler à vos enfants. Ce qui compte le plus, c'est le climat affectif qui règne dans la famille. Le défi consiste à créer un climat affectif calme dans lequel il est possible de partager les choses difficiles à dire et où les enfants se sentent assez en sécurité pour poser des questions et témoigner avec franchise d'une large palette d'émotions à mesure qu'elles surviennent. C'est une chose que d'annoncer une mauvaise nouvelle (papa a perdu son emploi). C'en est une autre que de toujours rester en contact, de sorte que vos enfants se sentent vraiment «autorisés» à poser des questions délicates pour raffiner au fil du temps leur compréhension d'un événement ou d'un problème. Plus un sujet donné est chargé d'anxiété, de honte ou de gêne, plus il est difficile d'atteindre cet objectif.

On ne dit jamais et on n'absorbe jamais non plus les vérités difficiles à dire en une ou deux fois. Une mère peut avoir l'impression d'avoir fait son possible pour transmettre des renseignements délicats à un enfant, comme le fait que la petite Suzanne a été adoptée. Cette mère peut très bien avoir fait tous les efforts possibles pour raconter à Suzanne ce qui s'est produit à sa naissance et comment elle est arrivée dans la famille. Mais à mesure que Suzanne grandira, elle aura de nouvelles questions à poser et elle ressentira de nouvelles choses au sujet de son adoption. Elle sentira peut-être de la joie, de la gratitude, de la loyauté et de la satisfaction, mais peut-être également de la peine, de la honte, de la colère et de la confusion. Elle peut s'affliger d'avoir été séparée de la mère qui l'a mise au monde, et elle peut un jour envisager la possibilité de rechercher ses parents biologiques. Une question comme «Qui est ma mère?» signifie une chose pour Suzanne quand elle va au jardin d'enfants et une autre quand elle termine son secondaire et qu'elle essaie de mieux se comprendre et de donner un sens à sa vie.

Si la mère de Suzanne n'a pas bien analysé le sujet de l'adoption – avec son mari ou son conjoint –, Suzanne ne se sentira probablement pas libre de poser des questions ou d'exprimer ses véritables sentiments. La mère de Suzanne n'a peut-être pas vraiment affronté ses propres sentiments au sujet de l'infertilité et de l'adoption. Peut-être elle et son mari n'ont-ils pas fait le deuil de l'enfant biologique qu'ils ont un jour rêvé d'avoir ensemble. Peut-être le couple est-il trop concentré d'une part sur le problème de l'adoption ou, d'autre part, a-t-il besoin d'en minimiser l'importance. Ce que je veux dire, c'est que nous ne pouvons offrir à nos enfants un climat affectif calme si nous n'avons pas nous-même réglé un sujet donné.

❧

Les enfants se sentent mieux quand les membres de leur famille peuvent parler ensemble, ouvertement, des choses qui comptent. Pour commencer, il y a le problème de la confiance. Nos enfants avancent dans la vie en présumant que nous ne leur mentirons pas intentionnellement ou que nous ne leur cacherons pas délibérément des faits qui les toucheraient. Quand les enfants nous demandent: «Où suis-je née?» ou «Pourquoi tante Marthe a-t-elle cessé de venir nous voir?», ils croient les réponses que nous leur donnons. Les enfants commencent par s'attendre à des réponses honnêtes, ou du moins à se faire dire que certaines choses ne les regardent pas, que nous n'en discuterons pas et que nous ne leur en ferons pas part. Si nos enfants ne peuvent pas croire que nous leur disons la vérité quand il s'agit de sujets qui les concernent, ils auront de la difficulté à croire le monde entier, y compris leur monde intérieur fait de leurs pensées, de leurs sentiments et de leurs perceptions.

Il est également important de garder à l'esprit que les enfants ont une remarquable capacité de faire face à des faits difficiles. Ils y arrivent moins bien quand les faits qui les concernent sont falsifiés, mystifiés ou entourés de silence. Les enfants sont aussi les membres les plus dépendants de la famille et, en tant que tels, ils sont absolument fidèles aux règles tacites qui règnent dans la famille en ce qui concerne la communication. Si un sujet donné fait l'objet d'une règle implicite qui dit «motus et bouche cousue», les enfants s'en apercevront. Ils «savent» automatiquement et profondément ce qu'il faut dire et ne pas dire. S'il existe un tabou interdisant d'exprimer leur tristesse, leur vulnérabilité, leurs besoins, les enfants le savent également.

Quand il existe un sujet chargé sur le plan affectif et qui ne doit pas être abordé, les enfants développent souvent des problèmes à l'école ou ils commencent à agir de façon extravagante. Cela survient parce que les parents peuvent bien cacher des faits douloureux à leurs enfants, mais ils ne peuvent cacher l'émotion qui entoure ces faits. Par exemple, mes parents commencèrent par cacher à Suzan et à moi le fait que ma mère avait reçu un diagnostic de cancer, mais ils n'arrivaient pas à cacher l'angoisse de la mort qui flottait dans l'air. Quand les enfants sentent les courants de fond dans la famille, comme une tendance à l'anxiété, à la réserve ou à l'hostilité, ils peuvent patauger dans d'obscures angoisses (comme la crainte de Ben de se retrouver à l'orphelinat) ou se mettre à croire qu'ils sont coupables de choses qui ne peuvent être réglées tant que les faits n'ont pas été abordés au grand jour.

❧

Il ne s'agit pas d'attraper nos enfants le soir même et de «tout dire». Il est évident qu'il faut taire certains faits à nos enfants, autant pour maintenir notre intimité que pour les préserver de révélations inutiles et pénibles. Toutes les mères décident automatiquement et à tous les jours de ce qu'il faut dire ou non à leurs enfants ainsi que comment et quand le faire. Il arrive à tous les parents de mentir à leurs enfants, quoique nous n'aimions pas toujours utiliser ce mot pour décrire nos actes.

De la même façon, nos enfants nous mentent couramment et nous cachent des choses. Ils le font pour les raisons habituelles: pour éviter d'être punis ou désapprouvés, pour éviter de nous inquiéter, pour se créer un espace qui leur appartienne, pour consolider les relations avec leurs frères et sœurs et avec leurs camarades, pour favoriser leur autonomie et leur indépendance, pour détourner l'attention et éviter l'ingérence importune. Le fait de cacher des choses à leurs parents permet souvent aux enfants de se sentir puissants et indépendants. Il existe cependant une exception importante à cela: quand les enfants ne «choisissent» pas les secrets qu'ils gardent et ne se sentent pas assez en sécurité pour les divulguer, auquel cas ils se sentent terrifiés et impuissants.

Il n'y a pas de «règles» convenant à toutes les familles en ce qui concerne ce qu'il faut révéler aux enfants. Notre âge, notre religion, notre groupe ethnique, la génération dont nous faisons partie, notre entourage, notre classe sociale et notre culture, tout cela modèle ce que nous voyons comme des «renseignements confidentiels» et ce que nous croyons impropre à pénétrer les oreilles de nos enfants. Mais on peut dégager, comme règle générale, que les relations familiales sont renforcées quand nous trouvons moyen de parler ouvertement des choses qui comptent, quelles qu'elles soient. Dans mon cas, j'étais contente d'avoir pris l'initiative de rouvrir la conversation avec Ben à propos de ce qu'il s'imaginait qu'il arriverait à notre famille si Steve mourait. Comme le disait la spécialiste des communications Deborah Tannen, les choses ne se règlent pas si on les balaie sous le tapis, elles ne font que nous donner un tapis plein de bosses.

Nous pouvons aussi pécher par excès d'ouverture. Dans tous les systèmes de relations humaines, l'anxiété renforce les pôles et nous conduit aux extrêmes. Quand nous sommes bouleversées, nous en disons trop ou pas assez. Ou bien nous évitons totalement d'aborder un sujet difficile ou bien nous en parlons sans cesse. Ou bien nous poussons nos enfants à s'ouvrir ou bien nous prenons trop nos distances. Ou bien nous refusons d'entendre les faits qui touchent nos enfants ou bien nous n'arrivons pas à les protéger suffisamment des problèmes et des angoisses des adultes. Ou bien nous réagissons trop ou bien pas assez face à ce que nos enfants nous disent, et nous voyons trop ou pas assez de choses dans les conversations que nous avons avec eux. En observant n'importe quelle famille placée sous tension chronique, vous verrez les extrêmes: ou la communication se ferme ou l'anxiété des parents déborde de tous côtés et court-circuite les relations.

Bref, les conversations que nous avons avec nos enfants ne peuvent être fructueuses que si elles portent sur des sujets que nous avons nous-mêmes réglés avec les adultes concernés. Si nous n'avons pas le contrôle sur nos propres émotions, nous risquons de prendre notre agressivité ou nos réactions angoissées pour de l'«honnêteté» et de l'«ouverture». Il est souvent préférable de se taire, du moins à court terme. Ce n'est *qu'après* nous être calmées que nous pouvons décider, avec les idées claires, *comment* et *quand* dire *quoi* à *qui.*

Les enfants peuvent accepter véritablement des faits douloureux, mais ils y arrivent moins bien quand ils doivent faire face aux émotions non résolues qui entourent ces faits. Bien sûr, ils ont besoin de connaître nos véritables sentiments, de nous voir pleurer, par exemple, quand nous leur annonçons que grand-maman vient de faire une crise cardiaque. Mais les enfants ont plus de difficulté quand nos réactions sont suscitées par l'angoisse («Mimi, il faut que je te dise ce que ton père a fait!»), surtout quand cela est chronique et constant.

Il est de notre responsabilité de nous calmer le plus possible, ce qui nous ramène à notre thème principal. Nos enfants sont les premiers à bénéficier du travail que nous faisons sur nous-mêmes.

TROISIÈME PARTIE

Quand les enfants grandissent, les défis en font autant

9

Alimentation et sexualité: comment transmettre nos inhibitions

Le fait de parler de sujets délicats m'amène à aborder les thèmes de la nourriture et du sexe. Chacun de ces sujets est chargé d'une anxiété transmise de génération en génération. Les parents cessent d'être objectifs sur ces sujets dès que les enfants sont en cause, parce qu'en tant que société, nous n'avons pas vraiment commencé à avoir le contrôle sur nos inhibitions d'adultes. Commençons avec la nourriture, parce que vos enfants doivent manger longtemps avant de commencer à s'intéresser au sexe.

Traditionnellement, ce sont les mères qui sont responsables de nourrir les enfants. Les enfants, de leur côté, peuvent affirmer leur autonomie en fermant leur adorable petite bouche, cette barrière de leur corps, et refuser ce que leur mère leur offre. Rares sont les mères qui ont elles-mêmes une relation vraiment saine et non conflictuelle avec la nourriture, ou avec leur taille, et la nourriture a souvent représenté pour elles un champ de bataille au cours de leur jeunesse. Il n'est pas étonnant alors de voir que nous, les mères, sommes souvent portées à être trop émotives quand il est question du comportement de nos enfants face à la nourriture.

Dans notre culture obsédée par les régimes alimentaires, l'inquiétude d'une mère au sujet de son poids peut affecter profondément ses filles. Une de mes amies, mince comme un fil, blaguait sans cesse avec sa fille du fait qu'elle était une grosse «mangeuse». Cette mère pouvait dire des choses du genre: «Je me suis tellement empiffrée que tu vas devoir me rouler pour me sortir de la salle à dîner!» Ou encore elle se pinçait la peau du ventre et annonçait qu'elle devenait tellement grosse qu'elle devrait s'inscrire au gymnase. Sa fille, qui avait une ossature beaucoup plus forte que sa mère et qui avait beaucoup plus de gras sur cette ossature, riait toujours des blagues de sa mère. Mais des années plus tard, elle confia à cette mère si mince que toutes les blagues qu'elle avait faites sur la nourriture et le surplus de gras l'avaient blessée et lui avaient donné le sentiment qu'elle (la fille) n'était pas acceptable telle qu'elle était.

Le club de l'assiette propre

Chaque mère cultive une sorte de folie à propos de la nourriture. Comme il vous sera difficile de reconnaître la vôtre, je vous suggère d'observer d'abord le comportement absurde des *autres* en ce qui concerne les habitudes alimentaires de leurs enfants. Par exemple, vous pouvez entendre votre frère dire à sa fille: «Si tu finis tes légumes, tu auras du dessert». Il reste cinq fèves de lima dans l'assiette de votre nièce et elle s'efforce de se les rentrer dans le corps, même si elle n'a plus faim et qu'elle ne veut pas de ces fèves. Peut-être trouvez-vous cela assez irrationnel ou le voyez-vous comme un comportement contrôlant de la part de votre frère, à moins, bien sûr, que vous ne disiez le même genre de choses à vos enfants.

Lors d'une rencontre nationale de l'Association des études féminines, une femme juive nous raconta l'histoire suivante. Quand elle était adolescente, sa mère, une survivante de l'Holocauste, l'obligeait constamment à manger plus et à prendre du poids. Pourquoi? «Dans les camps», lui expliquait sa mère, «les gens qui avaient quelques livres en trop arrivaient à survivre quelques jours de plus.» Ce raisonnement peut sembler totalement irrationnel à une fille née aux États-Unis, mais nos parents nous voient à travers le filtre de leur histoire, même quand ils n'ont pas été traumatisés. Nous en faisons autant quand nous devenons nous-mêmes parents.

Plus nous examinons notre héritage familial en ce qui a trait à un sujet particulier comme la nourriture, plus nous pouvons faire des choix éclairés pour nos enfants, plutôt que de répéter sans réfléchir les modèles du passé ou de se rebeller contre eux. Ma mère n'était pas une survivante de l'Holocauste, mais en tant que fille de pauvres immigrants russes, elle avait des attitudes très émotives face à la nourriture et à l'alimentation. Le fait que ma sœur et moi ayons eu de gros appétits et mangions tout ce qui nous était présenté fut une grande source de fierté pour elle. Quand elle s'aperçut que mes fils ne mangeaient pas beaucoup et qu'ils n'aimaient pas les légumes, elle s'inquiéta parce qu'ils manquaient d'appétit.

Le fait de gaspiller de la nourriture était la seule chose qui ressemblait vaguement au péché dans ma famille juive. Jamais on ne jetait le moindre restant de nourriture, pas le moindre petit pois. Je n'exagère pas. S'il restait quelque chose dans un plat (ce qui arrivait rarement), ou dans une assiette (ce qui n'arrivait presque jamais), cela se retrouvait le lendemain dans la boîte à lunch de mon père. Lui aussi était un gros mangeur. Il ne se serait pas plaint si ma mère lui avait mis dans son lunch un sandwich aux haricots verts avec un pot de jus de cornichons pour étancher sa soif.

Ma mère n'a jamais acheté de plats préparés et ne nous a jamais emmenées au restaurant, ce qu'elle aurait considéré comme une façon de gaspiller de l'argent que nous n'avions pas. Il n'y avait ni gâteaux ni bonbons à la maison, même aux anniversaires. Rose préparait des haricots frais presque tous les soirs, de sorte que je passai la plus grande partie de ma jeunesse à croire que les haricots verts faisaient partie de l'alimentation de base, comme le pain, et étaient toujours présents au souper chez les gens. Le climat qui régnait à table était détendu et vivant. Pour ma sœur et moi, les meilleurs souvenirs que nous ayons gardés de notre enfance se situent à l'heure des repas, à la table de la cuisine. Mon seul souvenir négatif, c'est d'avoir été forcée de boire du lait au petit-déjeuner. Je détestais son goût et sa texture, de sorte que dès que ma mère sortait de la pièce, je vidais dans l'évier de la cuisine le verre que je devais prendre chaque jour et je rinçais le tout pour que rien n'y paraisse.

❧

Susan et moi étions de fières membres du «Club de l'assiette propre» et dès que nous hésitions le moindrement devant une dernière bouchée de pommes de terre pilées, on nous rappelait qu'il y avait des enfants qui avaient faim dans le monde. Imaginez ma surprise lorsqu'une de mes amies me raconta que dans sa famille protestante, elle devait laisser quelque chose dans son assiette après chaque repas pour les «bonnes manières», afin de faire preuve de retenue, mais aussi pour montrer que l'on était pas un glouton. «Ma mère mourrait d'apprendre cela», lui dis-je.

Mes plus anciens souvenirs liés à la nourriture concernent le fait de manger au nom d'autres membres de la famille. Mon père m'offrait une cuillerée de soupe aux légumes en disant «cette bouchée est pour oncle Abie» et «celle-ci est pour tante Phyllis». Si j'hésitais, il en ajoutait: «Tu ne veux pas que tante Phyllis crève de faim, non?» Bien sûr que je ne voulais pas. Grâce à Susan et à moi, la famille entière réussissait à survivre et à rester en santé. En grandissant, j'appris avec consternation que je resterais maigre peu importe la quantité de gens pour lesquels j'avais mangé. À l'école, on m'appela «Boney-Maroney*» jusqu'à ce que je parte de la maison pour aller à l'université.

Aujourd'hui, je n'ai plus ce problème. Maintenant, mon plus grand défi par rapport à la nourriture consiste à arrêter de manger quand je n'ai plus faim. Par réflexe, je mange toujours tout ce qu'il y a dans mon assiette — et dans l'assiette de tout le monde —, chez moi et au restaurant. Une amie me fit remarquer que ce comportement n'aidait pas vraiment les enfants affamés à travers le monde et ne m'aidait certainement pas non plus, mais le fait de jeter de la nourriture continue de me paraître péché. Même aujourd'hui, au milieu de ma vie, il m'est difficile d'abandonner mon poste au «Club de l'assiette propre». Toutefois, j'avoue que de la nourriture pourrit souvent dans mon réfrigérateur sans que je m'en aperçoive, et peut-être est-ce que j'exprime par là ma rébellion inconsciente contre l'extrême frugalité de ma mère et son aversion du gaspillage, un mode de vie qui, j'en suis bien consciente, devrait être plus répandu dans le monde.

Avez-vous faim?

Mon fils cadet, Ben, se mit à raffoler des bonbons et de la gomme à mâcher dès le moment où il put parler. Steve et moi ignorons qui avait donné à Ben son premier morceau de gomme pendant que nous

---

* Titre d'une chanson à la mode à cette époque, dans laquelle il était question de Miss Boney-Maroney, la reine des championnes des mangeuses de macaroni. (NDT)

avions le dos tourné, mais nous décidâmes de ne pas trop nous en faire à ce sujet tant qu'il n'eut pas une carie, ce qui arriva pour la première fois quand il eut 16 ans. Nous nous inquiétions plutôt de ce besoin et de cette insistance incroyable à vouloir de la gomme et des bonbons, ce pour quoi son frère avait montré très peu d'intérêt. Plus nous traitions son amour des sucreries comme un problème à régler ou à éliminer, plus il en voulait. Voici comment nous avons réussi à guérir Ben de cette obsession, à le transformer en maniaque des raisins, et à faire de notre mieux pour nous assurer qu'ils ne devienne jamais comme ces gens qui mangent toute une boîte de petits gâteaux aux brisures de chocolat simplement parce qu'ils sont déprimés ou tendus. (En fait, la manière dont vous nourrissez vos enfants quand ils grandissent peut influencer leurs futures habitudes alimentaires, mais il n'y a aucune garantie à ce sujet.)

❧

Une amie thérapeute, Jane Hirshmann, et sa collègue, Lela Zaphiropoulos, ont mis au point une approche très hardie pour élever les enfants sans qu'ils ressentent de conflits et d'inquiétudes quant à leur nourriture et à leur poids, et elles décrivent leur approche dans leur premier livre, *Are You Hungry?* Quand ce livre est sorti, en 1985, Ben entrait en deuxième année et Matthew en sixième année. Je ne me serais probablement pas rendue plus loin que la page couverture si ce n'avait été du fait que j'aimais beaucoup les deux auteurs. Mais à mesure que je le lisais, j'étais fascinée par leur approche, et je réussis à convaincre Steve de m'aider à la mettre en application.

L'idée centrale dans *Are You Hungry?* (dont le titre a été changé récemment pour *Preventing Childhood Eating Problems*) est incroyablement simple. L'approche est basée sur l'autosatisfaction en fait de nourriture. Ici, les enfants ont toute liberté de manger ce qu'ils veulent. Selon le principe de base, les parents donnent les consignes suivantes à leurs enfants, quel que soit leur âge: «Mange quand tu as faim, mange ce que tu veux et arrête-toi quand tu te sens plein.» Les enfants décident absolument de tout ce qu'ils mangent et du moment où ils mangent, selon leur appétit. Bien sûr, quand nous sommes adultes, nous mangeons pour toutes les raisons du monde, hormis le vrai appétit et le simple plaisir, mais ici il s'agit d'enseigner aux enfants à surveiller ce que leur corps leur dit.

Dans le programme, les aliments interdits n'existent pas. Le chocolat n'est pas plus «bon» ou «mauvais» que le brocoli ou le tofu. La «nourriture saine» n'est pas meilleure ou pire que les aliments sans valeur nutritive (*junk food*). Tous les mets sont permis et démystifiés. Selon cette méthode, il y aurait autant de sens à dire: «Suzanne, tu auras ton brocoli quand tu auras fini tes biscuits!» que l'inverse. Comme le font remarquer les auteurs, lorsque nous limitons l'accès des enfants à des aliments en particulier, comme du soda ou des bonbons, cela intensifie le goût qu'ils ont de ces aliments. «Les aliments interdits brillent comme sous les feux de la rampe», disent-elles, «comme s'ils étaient annoncés sur Broadway.» Une fois tous les aliments permis et disponibles pour l'enfant, en quantité plus abondante que tout ce qu'il ou elle pourrait s'imaginer vouloir, l'enfant commence par prendre sa revanche et à s'empiffrer mais finit habituellement par y perdre son intérêt.

Cette approche toune autour de trois questions fondamentales à poser à l'enfant. «As-tu faim?», «Qu'est-ce que tu veux manger?» ou «Tu aurais faim pour quoi?», «Es-tu rassasié?»

Avec le temps, les enfants apprennent à décider par eux-mêmes quand manger et quand s'arrêter. Pour suivre le programme, l'enfant ne doit avoir aucune contre-indication médicale liée à un problème de santé et vous devez avoir assez d'argent pour acheter aux enfants les aliments de leur choix, quoique, bien sûr, vous puissiez limiter le nombre de choix possibles selon votre budget. La partie difficile consiste à respecter les choix de vos enfants sans tomber dans la panique totale à l'idée que votre famille se retrouvera bientôt assaillie par la maladie et le chaos, que les dents de vos enfants vont pourrir et tomber, et, pire encore, que vous-même allez descendre les marches de l'escalier au beau milieu de la nuit pour vous gaver des réserves de boules de gomme et de patates chips que votre fille s'est mises en réserve.

De la théorie à la pratique

D'abord, Steve et moi avons expliqué le nouveau programme à nos enfants, qui nous ont regardés comme si nous leur annoncions que nous venions de la planète Vulcain. Ensuite nous avons réservé à chaque garçon une étagère de nourriture dans le garde-manger et leur avons expliqué que cette étagère était sacrée, ce qui veut dire que personne d'autre ne pouvait y prendre de la nourriture. Ensuite, j'ai amené les garçons à l'épicerie pour leur faire des réserves de tout ce qu'ils voulaient. Je les ai encouragés à acheter de grandes quantités de leurs aliments préférés, pour qu'il leur soit impossible d'achever leurs réserves, sans quoi il serait difficile d'évaluer si leur estomac était rempli.

Si, par exemple, un enfant était sûr d'avoir toujours un litre de bonbons M&M sur sa tablette, il pourrait en manger quand il a faim et arrêter quand il est plein, tout en étant certain qu'il en restera amplement quand il en voudra à nouveau. À cette fin, je prenais note des aliments en baisse, longtemps avant qu'il n'en reste plus, de sorte que nos fils comprirent que Steve et moi étions sérieux quand nous leur disions qu'ils ne manqueraient pas de leurs aliments préférés. Au début, Ben s'empiffra comme un fou de sucreries, mais quand le programme fut instauré depuis assez longtemps, ce comportement diminua et les sucreries devinrent un aliment parmi d'autres.

Je n'oublierai jamais cette première visite à l'épicerie, mais surtout parce que j'eus la malchance de croiser mon superviseur et une de mes patientes en thérapie (Topeka est une petite ville). Mes fils couraient le long des allées comme des maniaques remplissant leurs paniers de montagnes de friandises dont ils devaient se priver depuis longtemps, et moi je tentais de respirer à fond et d'accepter leurs choix. Toute personne normale qui aurait remarqué le contenu de mon chariot d'épicerie et qui aurait surpris nos échanges («Es-tu sûr que c'est assez pour toi, Matt, quatre sacs de bonbons *gummy bears?*»), se serait demandé si elle ne devait pas me dénoncer au bureau de la protection de la jeunesse. Comme il n'était pas possible de m'expliquer, et que nous n'étions pas à l'époque de l'Halloween, je me suis simplement dit que c'en était fait de ma réputation et qu'il fallait m'y faire.

Quelques années plus tard, mon amie Ellen Safier nous invita tous chez elle pour fêter la Pâque juive. Tard le soir, je remarquai que plusieurs enfants s'étaient installés autour de la table à desserts, loin du regard de leurs parents, et s'empiffraient à qui mieux mieux de douceurs, comme de vrais petits cochons. Mais Ben n'était pas parmi eux. Il rôdait autour du bol de fruits. Je le vis jeter un regard furtif alentour et, pensant que personne ne le voyait, prendre une grappe de raisins. Il mangea ce qu'il put et mit le reste dans ses poches. Steve et moi avions boycotté les raisins à la maison bien avant la naissance de Ben, par solidarité pour le syndicat des travailleurs de fermes en Californie. Ben avait choisi la nourriture interdite.

❧

Les auteurs du livre répondent aux questions qui viennent spontanément à l'esprit de tous les lecteurs, comme: «Qu'arrive-t-il à l'heure des repas lors des réunions familiales?», «Qu'est-ce qui se passe si mon enfant est allergique à certains aliments?», «Qu'en est-il des caries dentaires?», «Qu'est-ce qui se passe quand elle est chez des amis?», «Que se passe-t-il s'il ne veut plus jamais manger de légumes?», «Qu'en est-il de l'équilibre des menus?» Le fait de voir de nouveaux points de vue par rapport aux habitudes alimentaires des enfants, même quand nous voyons la situation différemment, nous fouette les esprits. Ensuite nous en arrivons à mettre en place nos propres solutions.

Une mère avec qui je travaillais en thérapie tentait constamment de persuader ses trois enfants, âgés de 6, 9 et 11 ans, de manger les plats qu'elle préparait soigneusement pour sa famille. Quand les disputes et la mauvaise atmosphère devinrent intolérables, elle commença à leur préparer des repas individuels, ce qui lui donnait beaucoup plus de travail. Le climat qui régnait aux repas se détendit considérablement quand cette mère arriva avec un nouveau plan d'attaque. Elle se mit à cuisiner un seul repas le soir, et si ses enfants n'en voulaient pas, ils pouvaient se servir à volonté de fruits et de céréales ou se faire des sandwichs. Elle gardait à la maison de bons aliments et les enfants étaient tout à fait libres d'y puiser à leur guise. Il n'est pas nécessaire d'être un génie pour trouver un plan qui convienne à tout le monde, mais il faut être capable de laisser tomber nos préjugés sur le comportement alimentaire des enfants.

En réalité, Steve et moi n'avons pas maintenu le programme très longtemps, quoique nous ayons continué avec notre version personnelle modifiée. Ben et Matthew disent aujourd'hui que c'est là une folie parmi tant d'autres qu'ils nous ont vu faire, mais je ne suis pas du tout d'accord. Selon moi, cette expérience fut l'une des entreprises les plus intéressantes pour pénétrer dans le royaume du parentage créatif. La préoccupation de Ben par rapport aux sucreries disparut et il n'y eut plus jamais de dispute dans notre famille par rapport à la nourriture et à l'alimentation.

Je ne veux pas dire par là que tout le monde devrait suivre ce programme ni même l'approuver. Ellyn Satter, une autre spécialiste en habitudes alimentaires chez les enfants, propose un programme plus modéré que celui que nous avons essayé de suivre. Son programme est taillé sur mesure pour chaque personne, et elle croit également que les parents devraient créer un environnement alimentaire sain favorisant la confiance envers les enfants qui deviennent responsables de ce qu'ils mangent. La plupart des parents avec qui je travaille s'égarent en tentant de trop contrôler et la plupart d'entre nous gagnerions à alléger et à examiner à fond nos croyances habituelles et nos choix en la matière. Si vous pensez que votre fille a des problèmes d'alimentation, gardez à l'esprit qu'un problème empire souvent quand un parent s'en occupe trop. Si votre fils a une tendance génétique à l'embonpoint, il ne réagira qu'en mangeant plus encore si vous essayez de lui imposer une diète sévère ou de contrôler sa consommation d'aliments.

Dans le chapitre 16, j'analyse le comportement d'une famille pour laquelle les problèmes d'alimentation prennent de telles proportions que l'on en vient à perdre les pédales. Mais pour le moment, passons de la nourriture à la sexualité: sortons de la poêle à frire et jetons-nous dans le feu.

Le sexe fait-il apparaître votre côté menteur et hypocrite?

Malgré la charge émotive qui entoure la nourriture, bien des enfants me disent qu'en pensant au passé, ils se rappellent les messages sur la nourriture comme étant extrêmement positifs dans leurs familles. Une étudiante de première année à l'université en parlait ainsi: «Ma mère adorait cuisiner. J'ai appris que la nourriture était l'un des plus grands plaisirs que la vie nous offrait, que c'était une chose merveilleuse, que cela permettait aux gens de montrer de la tendresse, que les goûts de chacun sont différents, qu'il est bon d'improviser et que la nourriture est vraiment un plaisir.» En revanche, les messages au sujet du sexe reflètent rarement chez les parents une telle réaction positive, orientée vers le plaisir, affirmant que la vie est belle. Je sais qu'il n'y a rien de nouveau là-dedans, mais il vaut la peine d'en parler.

Je viens tout juste de finir de lire un article de magazine intitulé «Comment répondre aux questions gênantes de vos enfants au sujet du sexe». On ne compte plus le nombre de spécialistes des enfants qui se sont penchés sur la question. Ce qui n'est pas abordé, cependant, c'est d'abord la raison pour laquelle les adultes sont si gênés de parler de sexualité et comment nous pourrions regarder en face nos inhibitions afin de ne pas les transmettre aux autres.

Susie Bright, mon auteur préféré en matière de sexualité, note que les adultes américains, en particulier, témoignent de réactions très enfantines face à des pratiques sexuelles nouvelles pour eux, tout comme de petits enfants qui se font offrir un légume qu'ils n'ont jamais vu: «*C'est dégoûtant!*» «Mais mon chéri, tu n'y as même pas gouté.» «*Ça ne fait rien. Je n'aime pas ça.*»

Les adultes crispés dans leur sexualité risquent de vouloir enrayer à tout prix la vie érotique de leurs enfants. Je parle ici d'une névrose collective, culturelle, et non d'une névrose personnelle. Il y a à peine une ou deux générations, les mères se faisaient dire que si elles n'empêchaient pas leurs enfants de se masturber, ceux-ci finiraient par sombrer dans l'immoralité et le vice. Dans un livre sur l'art d'être parent datant du temps de ma mère, on affirme non seulement que les enfants abusant de leurs délicats organes sexuels, organes sacrés, allaient vivre un destin terrible, mais aussi qu'ils auraient eux-mêmes des enfants chétifs et souffreteux qui mourraient jeunes.

Les parents modernes ne disent plus à leurs enfants que s'ils se masturbent ils deviendront aveugles et auront des problèmes de santé mentale, mais en tant que société nous restons chatouilleux et puritains à propos de la sexualité, surtout pour nos filles.

Regardez ce que lit ma fille!

Une mère m'écrit au magazine *New Woman* sur le sujet suivant: «J'ai trouvé une pile de livres érotiques sous le lit de ma fille. Elle commence à peine son secondaire et c'est une bonne élève, et je suis tellement surprise de voir qu'elle lit de la pornographie. Je suis féministe et je crois que toute pornographie exploite les femmes et nos corps. Comment devrais-je l'affronter par rapport à ce sujet?»

Toutes, autant que nous sommes, avant d'affronter nos filles à propos de quoi que ce soit ayant rapport avec la sexualité, nous leur devons d'examiner nos propres attitudes à ce sujet. Certaines pornographies (pas toutes) exploitent les femmes et nos corps, mais il en est de même de nombreuses publicités imprimées, émissions de télévision, musiques populaires et films. La culture contemporaine remplit les médias d'images violentes qui diminuent les femmes, érotisent la violence et la subordination féminine, et commercialisent les corps de femmes de sorte qu'il devient difficile pour les filles de revendiquer une démarche authentique et personnelle sur le plan sexuel, peu importe ce que cela implique. Cette mère n'avait pas à fouiller sous le lit de sa fille (d'ailleurs, que faisait-elle là?) pour s'apercevoir de l'évidence de cette réalité.

À part ses valeurs féministes, qu'est-ce qui pouvait bien motiver la réaction négative de cette mère face à la pile de livres pornos de sa fille? En toute franchise, je crois que ce qui fait si peur aux parents dans la pornographie, c'est qu'elle a pour objet principal de stimuler la masturbation. Je n'ai pas encore rencontré une personne, jeune ou vieille, qui garde de la pornographie dans sa chambre parce qu'elle veut se blottir au lit avec de grands textes. L'objet de cette littérature consiste à échauffer le lecteur et à augmenter ainsi le plaisir de son orgasme. Bien des parents, pour des raisons dont les fondements sont émotifs et absolument cachés, ne veulent pas imaginer leurs filles en train de faire *ça.* (Vous pouvez être sûres que les filles, de leur côté, sont encore moins capables d'imaginer leurs *mères* faire *ça.*)

De façon paradoxale, notre société est non seulement obsédée par le sexe, mais également puritaine. Côté puritanisme, nous faisons comme si le sexe n'avait pas de place dans l'expérience de vie de nos filles, à moins que ce ne soit lié à l'amour et au mariage, ou à tout le moins à l'intimité, à la spiritualité, à la connexion. Il n'y a rien de mal à voir cela ainsi, si nous reconnaissons que les autres peuvent avoir des croyances différentes et que la sexualité a des significations variées chez les gens, à différentes étapes de leur vie. Peut-être la pornographie nous rend-elle nerveux parce qu'elle nous rappelle que le sexe existe également pour le pur plaisir, l'éclatant plaisir de la chose. Susie Bright fait remarquer que la pornographie nous rappelle également qu'au moment de l'extase, du relâchement qui survient avec l'orgasme, personne (y compris nos fils et nos filles) ne songe à une promenade au clair de lune sur la plage, main dans la main.

Reconnaissons que la pornographie n'est pas de la grande littérature. Quelquefois, la pornographie est épouvantable. (Si la revue est de bon goût ou a une certaine valeur artistique, nous disons qu'elle est *érotique*.) Cependant, bien des mères ne sont pas à l'aise à l'idée de trouver un «livre cochon» sous le lit de leur fille tout comme elles ne sont pas à l'aise pour dire à leur petite fille qu'elle a un clitoris (et pas seulement un vagin) et à quoi il sert. Comme nous le rappellent les gourous du sexe aux États-Unis, Susie Bright et le docteur Leonore Tiefer, le sexe pour le pur plaisir, seul ou avec d'autres, ne mérite pas d'avoir si mauvaise presse.

Qu'est-ce que je ferais si j'étais à la place de cette mère? J'ignorerais peut-être la situation ou j'en ferais mention sur un ton léger. Si je considérais que ces livres sont affreux, je dirais à ma fille ce qui me fatigue. Pour avoir un échange d'idées enrichissant, j'essaierais d'éviter de faire de la morale. Si ce que je voyais dans les livres me choquait beaucoup (comme le font les magazines pornos), je lui dirais que je ne veux pas de tels livres dans la maison, mais je reconnaîtrais également que je ne peux contrôler tout ce qu'elle lit et que, finalement, elle devrait se laisser guider par ses valeurs et ses convictions. Je ferais la même chose avec mes fils.

Cette mère devrait également garder à l'esprit que sa fille vivra bientôt toute seule. Elle est à l'âge où elle a besoin que sa mère lui dise qu'elle la considère assez responsable pour vivre de bonnes expériences et faire de bons choix. Cette mère doit arriver à être ouverte avec sa fille et lui faire part de ses valeurs et de ses croyances, tout en respectant son droit de voir les choses différemment. De plus, nous, les parents, devons garder à l'esprit que notre désapprobation ne peut que rehausser l'intérêt d'un fils ou d'une fille pour les sujets interdits ou, ce qui compte encore plus, peut couper les ponts entre tout le monde.

Gardez vos convictions, mais analysez-les!

Prenons un autre exemple: une mère me demande mon opinion parce qu'elle et son mari ne sont pas à l'aise avec le fait que leur fille de 12 ans, Émilie, veut dormir toute nue. Ils croient que le fait de dormir nue l'encouragera à se masturber. De plus, ils se disent qu'Émilie pourrait sortir nue de sa chambre par inadvertance. «À quel âge est-ce approprié pour une fille de dormir nue?», demande cette mère. «Comment devrais-je répondre aux arguments d'Émilie qui me dit qu'elle se sent mieux sans pyjama? Je ne sais trop quoi lui dire ni quoi faire.»

Je crois que dormir nue convient aux personnes de n'importe quel âge si les membres de la famille sont à l'aise avec cela et si l'intimité de chacun est respectée. Je lui dis également que la masturbation était normale et que s'ils voulaient l'empêcher, ils devraient attacher les mains d'Émilie aux barreaux de son lit ou prendre d'autres mesures aussi extrêmes, étant donné qu'elle trouvera toujours le moyen d'atteindre son corps sous son pyjama et de se toucher.

La réaction des parents d'Émilie à cette requête reflète probablement leurs angoisses au sujet de la sexualité qui émerge chez leur fille – ou les soucis qu'ils se font au sujet de leur sexualité – plutôt que des dangers réels liés à la nudité. La vie érotique des filles est un sujet particulièrement délicat pour bien des parents, qui désirent sans doute en secret que leurs filles aient aussi peu de désirs sexuels que Blanche-Neige. Quel que soit l'issue du problème de pyjama, je suggérai à cette mère de continuer d'aborder ce sujet avec son mari.

À cette fin, je posai à la mère quelques questions à prendre en considération: Que vous ont dit vos parents sur votre corps et sur la sexualité quand vous étiez jeune? Que s'est-il passé quand vous aviez l'âge d'Émilie? Le climat dans votre famille d'origine était-il trop ou pas assez prude? Vous souvenez-vous d'occasions où votre intimité a été violée? Parlez-vous ouvertement avec votre mari de sexualité, et vous connaissez-vous bien l'un l'autre, en tant qu'êtres sexuels?

Si cette mère et son mari arrivaient à se parler ouvertement de ce qu'ils avaient tous deux vécu dans le passé et de ce qui se passait à l'heure actuelle sur ce plan, ils pourraient mieux faire la part des choses entre leurs réactions émotives et leurs pensées plus rationnelles. La question du pyjama ne constituait que le début d'une longue série de problèmes auxquels ils allaient devoir faire face tout au long de l'adolescence de leur fille.

❧

Ceci dit, le point le plus important, c'est que cette mère et son mari sont responsables de leur famille. Ils ont le droit de prendre en considération leur bien-être quand ils établissent des règles. Si l'un d'entre eux ne se sent pas à l'aise avec l'idée qu'Émilie dorme toute nue, ils ne sont pas obligés de la laisser faire. Comme pour ce qui est des moyens d'établir une bonne communication, voilà le conseil que je donnai à la mère d'Émilie. «Si la réponse est *non,* soyez clairs en la donnant. Ne vous disputez pas avec Émilie et ne lui donnez pas de longues justifications pour faire valoir votre point de vue. Au lieu de cela, tentez quelque chose comme "Et bien, Émilie, ton père et moi sommes vieux jeu. Nous nous sentons plus à l'aise quand tu portes un pyjama." Si Émilie réagit fortement à ce sujet, faites de votre mieux pour écouter attentivement ce qu'elle a à vous dire. C'est bien de dire "Tu as raison, Émilie. Je ne dis pas que j'ai raison et que tu as tort. Je dis simplement que tu es prise avec deux vieux encroûtés de parents complètement bouchés. Nous dormions en pyjama quand nous avions ton âge et nous aimerions que tu en fasses autant."»

Quand des différends surgissent entre les membres d'une famille, cela ne veut pas dire que l'un a raison et l'autre tort. Émilie avait tout à fait le droit de vouloir dormir nue, tout comme sa mère avait le droit d'être mal à l'aise avec cela. Nous avons tous le droit de penser et de sentir ce que nous pensons et ressentons. Le défi pour cette mère consistait à discuter de ces choses avec son mari et ensuite de prendre position, tout en respectant les pensées et les sentiments différents de sa fille (y compris sa colère et sa déception), sans essayer de convaincre Émilie de voir les choses comme elle.

L'«éducation sexuelle» est une honte

Je rends visite à mon amie Miriam, que je connais depuis l'université. Sa fille de 17 ans, Casey, entre à la maison et annonce, à brûle-pourpoint: «Je ne ferai jamais l'amour avant de me marier.» «C'est formidable!», s'exclame Miriam avec enthousiasme. Fin de la conversation.

Comme je connais très bien Miriam, je m'étonne de sa réaction face à ce que vient de lui dire sa fille. D'abord, elle n'a posé aucune question à Casey, par exemple: «Comment en es-tu arrivée à prendre cette décision?» ni même: «Vraiment? Raconte.» Miriam n'a pas cherché à savoir si le vœu de chasteté de Casey était fondé sur la peur (des maladies, de la grossesse, de perdre sa popularité et sa réputation), ou sur une mauvaise expérience sexuelle, ou sur quoi que ce soit d'autre. Miriam n'a pas demandé à Casey si sa décision d'éviter la sexualité voulait dire qu'elle n'aurait pas de relation sexuelle, pas de caresses, ou pas d'autre chose. Elle n'avait aucune idée non plus de la raison qui poussait Casey à faire sa déclaration précisément cet après-midi-là, plutôt que la semaine d'avant ou le mois d'après. Peut-être l'affirmation de Casey signifiait-elle que quelque chose d'important venait tout juste de se produire dans sa vie, quelque chose dont elle aurait peut-être aimé parler. «Il y a des cours d'éducation sexuelle à l'école de Casey», répondit Miriam pour satisfaire ma curiosité. «C'est peut-être là qu'elle a pris cette idée.»

Je ne serais pas surprise que Miriam ait bien vu juste. L'«éducation sexuelle» a toujours eu rapport avec la grossesse, la maladie et le fait de dire *non!* au sexe. En général, on ne montre pas aux jeunes que la sexualité peut être épanouie, se produire dans une atmosphère de tendresse qui leur permettrait de comprendre leurs véritables désirs et de formuler ce qu'ils pensent et ce qui leur convient. Quand le refus du sexe est commandé par la peur et par les pressions extérieures, ce n'est pas un véritable choix. Et cela risque de ne pas tenir longtemps si la fille ne sent pas qu'elle a suffisamment de pouvoir réel pour dire un vrai *oui*.

«Veux-tu dire que dans les cours d'éducation sexuelle, on devrait encourager les jeunes à faire l'amour?», me demande Miriam d'un ton incrédule quand je lui fais part de mes idées.

«Non», ai-je répliqué. «Les adolescents n'ont pas besoin d'encouragement pour faire l'amour. Tout ce que je dis, c'est qu'il devrait y avoir de la place pour des conversations authentiques et pour une diversité d'opinions.»

Nos enfants n'ont pas beaucoup d'occasions de parler honnêtement quand le sexe est en cause. Ils ne disposent pas d'une tribune libre et sûre où ils pourraient poser des questions importantes ou même commencer à découvrir ce qu'ils risqueraient d'avoir envie de poser comme questions. La dernière fois que j'ai été invitée à parler de «sexualité et d'intimité» à un groupe de filles du secondaire, on me remit une note tandis que je me dirigeais vers la salle de classe; sur cette note, je pouvais lire: «Veuillez ne pas parler d'homosexualité.» Je savais qu'un élève homosexuel venait tout juste de tenter de se suicider un mois auparavant et je décidai d'ignorer la note.

Plus tard, j'essayai de comprendre ce qui avait inspiré ce message. L'administrateur qui avait établi cette règle informelle de «ne pas en parler» savait que certains élèves dans cette grande école secondaire avaient un parent gay ou lesbienne et qu'un certain pourcentage des enfants dont les parents étaient hétérosexuels étaient eux-mêmes gays ou lesbiennes. À quoi l'administrateur voulait-il en venir en me demandant de nier l'existence des homosexuels lors de ma discussion avec les élèves? Même si les gays et les lesbiennes ne représentaient qu'une infime portion de la population mondiale (ce qui n'est pas le cas), qu'est-ce que cela donnerait de faire comme s'ils étaient tous hétérosexuels, sauf promouvoir la gêne, le secret, le silence, la honte, l'isolement et peut-être même un autre suicide parmi ceux et celles dont la «différence» était aussi inacceptable?

Il s'avéra que cet administrateur avait peur de la désapprobation et de la censure des parents, étant donné qu'il venait juste d'y avoir une vigoureuse protestation contre le cours d'éducation sexuelle. Pourtant, ce cours s'intitulait «vie et famille» et ne consacrait que trois heures au «sexe et à la reproduction».

❧

Les filles traînent jusqu'à l'âge adulte les pires confusions et inhibitions au sujet du sexe. Susie Bright, qui travaillait jadis dans un magasin de vibrateurs à San Francisco, entendit un jour une femme dire à une autre: «Je ne sais pas où est mon clitoris et je ne suis pas sûre d'avoir déjà eu un orgasme.» En revanche, elle n'a jamais entendu un garçon dire: «Je ne sais pas où est mon pénis et je ne suis pas certain d'avoir déjà eu un orgasme.» Les hommes n'ont pas de problèmes à localiser leurs organes, quoiqu'ils aient, eux aussi, bien des questions et des inquiétudes au sujet du sexe. On n'encourage pas les adolescents à poser les questions qui leur trottent vraiment dans la tête, et ils ne peuvent pas non plus trouver facilement des gens qui les guident et leur apprennent comment ils pourraient explorer ce domaine de façon intelligente et agréable. En tentant d'éloigner les jeunes de la sexualité et de leur faire peur à cet effet, ou en excluant de l'existence certains sujets, on ne fait que laisser les choses s'envenimer, ce qui donne lieu à plus d'angoisse et à des choix plus impulsifs chez les garçons et les filles.

Préserver la virginité de nos filles

Pourquoi mon amie Miriam s'est-elle exclamé «C'est formidable!» quand sa fille lui a annoncé qu'elle ne ferait pas l'amour avant de se marier? Je connais Miriam depuis 30 ans et *elle* a fait l'amour avant de se marier, très souvent d'ailleurs. J'entends encore Miriam, à l'université, à l'école graduée et plus tard, me parler de ses aventures érotiques extatiques et, parfois, désastreuses. Je sais qu'elle a eu plus d'amants qu'elle ne pourrait en compter avec les doigts de ses deux mains avant de se marier, heureuse, à 32 ans. Elle ne regrette pas son passé sexuel, ni même les mauvaises expériences, qui lui ont permis d'en apprendre beaucoup.

«J'ai peur du sida», me dit Miriam après avoir réfléchi. «Je préfère donc que Casey n'ait pas trop de partenaires sexuels à l'université avant de se ranger.» Je comprends ses inquiétudes, mais à moins d'opter pour le célibat total, le sida a moins à voir avec le nombre de partenaires sexuels de nos filles qu'avec le fait qu'elles doivent *toujours* prendre les précautions nécessaires. Le sida n'est pas une maladie de maniaques sexuels irresponsables ni une punition pour avoir trop fait l'amour, bien que ce soit ce que notre société tente de nous faire croire. On essaie de nous convaincre que nous n'aurons pas le sida si nous ne couchons qu'avec une ou deux personnes, comme si le sida servait à pénaliser les gens pour leur appétit sexuel ou pour avoir été «trop loin». Or, au cours d'une recherche sur le sida menée par l'université Brown et portant sur 90 femmes hétérosexuelles et séropositives, on s'est aperçu que ces femmes avaient eu en moyenne trois partenaires sexuels stables.

Si nos filles négligent de prendre les précautions nécessaires, même en s'en tenant à un ou deux partenaires sexuels, elles peuvent aussi bien attraper le sida ou le VIH si elles ne sont pas prudentes et informées, si elles sont malchanceuses, si elles sont prises par la force ou liées à un partenaire infidèle.

Le sexe transforme les meilleurs d'entre nous en hypocrites. Le contraste entre les aventures sexuelles de Miriam et sa réaction devant la déclaration de Casey était frappante. Était-ce là l'amie qui m'avait dit un jour qu'elle avait de la peine pour les femmes qui se mariaient sans avoir d'expérience sexuelle? Non seulement Miriam croyait-elle qu'une certaine diversité dans les expériences et quelques connaissances en matière de sexualité avant le mariage donnaient du piquant à la vie, mais elle croyait surtout qu'une femme y gagnait la capacité de bien distinguer un homme qui lui convenait sur le plan érotique d'un autre qui lui convenait pour le mariage ou pour une relation à long terme.

Sur ce point, je suis du même avis. Plusieurs femmes ne font pas la différence entre un bon partenaire sexuel et l'homme (ou la femme) à qui elles donnent leur cœur. Au lieu de cela, elles pensent: «Ça va bien au lit! Ce doit être sérieux! Peut-être devrions-nous nous marier!» Elles s'accrochent sur le plan affectif alors que tout ce qui les accroche vraiment, c'est une émotion et un sentiment de fusion inspirés par le sexe. Il est facile de confondre sexualité et amour, ce qui provoque de mauvais jugements, de grandes attentes et des cœurs brisés. Miriam et moi croyons toutes deux qu'il est plus sain pour une femme d'être capable de dire: «Ce type me plaît sur le plan érotique, mais je ne veux pas que cela aille plus loin.»

Pourquoi, alors, Miriam réagit-elle avec cet enthousiasme épidermique au vœu de sa fille de rester chaste? Une mère peut jouer le rôle de gardienne farouche de la virginité de sa fille à cause de ses valeurs religieuses. Ou encore elle peut, de bon droit, craindre pour sa fille à cause de l'omniprésence de la violence sexuelle faite aux femmes et parce que la société étiquette encore les femmes (et les gays) comme ayant des mœurs dissolues ou autres horreurs. Si elle croit que l'avortement est un meurtre, c'est essentiellement pour cette raison qu'elle établira une règle interdisant les relations sexuelles avant le mariage, étant donné que le contrôle des naissances n'est pas garanti et qu'une fille forcée de garder un enfant non désiré ou de le donner en adoption se dispose à souffrir beaucoup. En plus, bien des adolescentes se sentent obligées de faire l'amour même si ça ne leur dit rien. Mais ce n'étaient pas ce genre de peurs et de soucis qui animaient Miriam. En continuant d'en parler, Miriam m'avoua qu'elle n'avait aucune idée de la raison qui l'avait poussée à applaudir à l'annonce de sa fille, sauf peut-être parce qu'elle n'y avait pas vraiment pensé. Et, bien sûr, elle était à même de savoir que les paroles de Casey, une adolescente, n'étaient pas coulées dans le béton.

J'espère que Miriam continuera la conversation avec Casey. Pas pour encourager Casey à avoir des aventures sexuelles. Les adolescents ne veulent pas et n'ont pas besoin que leurs parents les poussent dans cette direction. Quand je demandais à un groupe de filles de 16 ans quel conseil sur la sexualité elles donneraient à leur fille adolescente si elles en avaient une, voici à peu près la réponse qu'elles me donnaient en général: «Ne fais *rien* dont tu n'as pas envie et, ce qui est plus difficile, c'est de savoir *vraiment* ce dont tu as envie.» Une jeune fille avait eu des relations sexuelles avec un de ses professeurs qui était populaire à l'école privée où elle allait à New York, et au début, elle avait eu l'impression que c'était là son choix à elle. Plus tard, en voyant la différence de pouvoir qu'il y avait entre eux et les problèmes complexes qui résultaient de leur relation sur le plan pratique et affectif, elle se dit qu'elle avait l'impression d'avoir été violée.

Les adolescentes comprennent que la sexualité peut être profonde et compliquée, et que l'on peut facilement s'y sentir oppressée et vulnérable. Elles veulent également que l'on reconnaisse qu'elles sont des personnes sexuées, que la sexualité dépasse largement les relations sexuelles, et que bien des adolescentes sont assez mûres pour vivre leur sexualité de façon responsable, c'est-à-dire pour l'expérimenter prudemment et favorablement.

Quant à Casey, au bout du compte elle fera ses choix, qui seront sans doute très différents de ceux qu'avaient faits Miriam à son âge. Au cours des années à venir, Casey aura peut-être différents partenaires sexuels, ou peut-être préférera-t-elle l'abstinence totale. Elle aimera peut-être les hommes, les femmes, ou les deux. Elle voudra peut-être un seul et même partenaire sexuel pendant toute sa vie. Ce que Miriam a de mieux à faire, c'est de maintenir la communication avec Casey, et de rester prête à parler de ses valeurs et de ses croyances à elle. C'est en faisant cela qu'elle pourra aider Casey à découvrir sa personnalité sexuelle.

Le pouvoir de l'inconscient

Si nous nous autorisons à explorer les replis profonds de notre psyché, nous pouvons nous rendre compte que nos réactions face à la sexualité de nos enfants sont très personnelles et profondes. Elles reflètent nos désirs, nos besoins et nos craintes. Prenons par exemple cette conversation que j'ai eue avec une mère en thérapie, elle-même professionnelle de la santé mentale.

> *Hélène [18 ans] est rentrée à la maison samedi soir dernier, et j'ai compris qu'elle avait fait l'amour avec son copain. Je l'ai confrontée et elle l'a admis. Je ne lui ai rien dit sur le coup, mais cela m'a rendue folle cette nuit-là. J'étais tellement agitée que je n'arrivais pas à dormir. J'étais hors de moi. J'avais pourtant été sexuellement active à son âge, alors pourquoi donc cela me rendait-il folle? J'ai été frappée de m'apercevoir de ce qui me remuait ainsi: je sentais que je la perdrais, comme si la force de sa sexualité l'éloignerait de moi. Je me l'imaginais emportée par la passion, là où je n'aurais jamais ma place. J'avais sous les yeux cette image très claire de ma photo préférée où nous étions toutes les deux bras dessus, bras dessous, et je voyais la photo déchirée en deux, nous séparant l'une de l'autre. Peut-être est-ce parce que sa sexualité correspond à une partie d'elle dont je ne ferai jamais partie. Cela m'exclut. Cela m'efface. Cela me met devant l'éventualité de notre séparation. Je sais que cela peut paraître ridicule, mais la sexualité est la seule chose au monde qu'elle ne peut partager avec moi, et c'est le seul lien plus puissant que celui que nous partageons ensemble. Je me suis sentie tellement seule, comme si j'avais perdu ma petite fille, comme si elle était partie dans un monde qui m'était inaccessible, comme si je ne pouvais plus la garder dans le tout petit cercle de notre famille. Je n'avais pas réagi ainsi quand mon fils aîné, Marc, avait commencé à avoir des relations sexuelles à l'école secondaire. C'était même plutôt le contraire, je me sentais rassurée de voir qu'il s'avérait être un vrai mâle digne de ce nom, comme ils disent (lire: Dieu merci, il n'est pas gay). J'imagine qu'avec Marc, j'avais plutôt l'attitude «ça, c'est bien les gars».*

Il faut de la perspicacité et du courage à une mère pour présenter avec autant de franchise sa réaction et son homophobie. Il arrive plus souvent que nous contraignions nos filles, que nous leur communiquions de la défiance ou que nous agissions comme des puritaines obsédées ou des polices du sexe. Ou encore, nous pouvons faire l'inverse (ce qui est l'envers de la médaille) et ignorer les comportements sexuels motivés par l'anxiété, autodestructeurs ou blessants – des comportements qui représentent un appel à la structure, à l'intervention et à l'aide.

Allez-y, soyez prudes!

À certains points de vue, je suis une bégueule totale et aucunement honteuse de l'être. Quand il est question de frontières sexuelles entre les générations, je pèche plutôt par excès de conservatisme; ainsi, je n'ai jamais marché nue dans la maison devant mes fils et je ne leur ai jamais raconté de détails sur ma vie sexuelle. Je suis portée à protéger l'intimité sexuelle de toutes les manières possibles.

Voici quelques exemples de comportements de parents qui m'inquiètent.

- Un père de trois enfants laisse ses magazines *Playboy* traîner dans un présentoir de la salle de bain.
- Un couple dont les petits enfants dorment dans le même lit fait parfois l'amour tout en étant couché à côté d'eux.
- Une mère refuse à sa fille la permission de fermer sa porte la nuit (l'air circule moins bien, dit-elle), bien que sa fille la supplie de la laisser fermer.
- Une mère pénètre dans la chambre de son fils sans frapper.
- Un père insiste pour que sa fille de 12 ans s'assoie sur ses genoux, malgré son malaise évident à le faire.
- Une mère achète un vibrateur pour la masturbation qu'elle offre en partage à sa jeune fille.
- Une mère demande à sa fille, dès que celle-ci revient à la maison après une rencontre amoureuse, de tout lui raconter en détail.
- Un père jette son regard sur la poitrine bourgeonnante de sa fille et lui demande de se tenir droite, de rejeter ses épaules vers l'arrière et de «montrer ce qu'elle a».

Je pourrais continuer ainsi en ajoutant à cette liste divers comportements contre lesquels je m'oppose. Même si je suis toujours pour l'ouverture et la communication, je ne pense pas que les enfants devraient se faire dire ou montrer plus de choses que ce qu'ils veulent entendre et connaître, et je crois qu'il vaut beaucoup mieux pécher par excès de conservatisme et de pudeur que de risquer d'être indiscrets, de les entraîner là où ils ne veulent pas aller, et d'agir en égal plutôt qu'en parent.

En fin de compte, si les enfants expriment leur sexualité sur le mode obsessionnel, compulsif, précaire et sans respect pour eux-mêmes et pour les autres, alors il est assez évident que les parents devraient se pencher sur la question. De tels comportements n'ont habituellement rien à voir avec le sexe en soi, mais ils cachent des problèmes plus vastes qui doivent être mis au jour et discutés. Si vous vous en faites avec ce qui est «anormal» et que vous vous demandez quoi faire, parlez aux parents d'autres adolescents ou consultez un thérapeute de famille.

Mais comprenez bien que la sexualité et l'énergie érotique appartiennent à vos enfants de façon tout aussi personnelle que leurs empreintes digitales; c'est là une force trop puissante et trop pleine de vitalité pour que vous puissiez la contrôler, la modeler ou l'écraser. Vous ne pouvez pas la réglementer, ni engager un détective privé pour filer vos fils ou vos filles quand leurs sorties les entraînent loin de vos regards. Par conséquent, soyez claire par rapport à vos valeurs et exprimez votre confiance en la capacité de vos enfants de faire de bons choix. Gardez à l'esprit que la sexualité est une manière pour les enfants de s'affranchir de leurs parents, de sorte que plus vous serez sévères envers eux à cet égard, jouant à la police du sexe, plus vos enfants adopteront un comportement débridé. Par-dessus tout, ne vous attendez pas à ce que vos croyances deviennent les leurs et qu'ils empruntent les mêmes chemins que vous. Pas plus avec le sexe qu'avec autre chose.

10

Votre fille vous observe

Nos enfants nous observent, surtout nos filles. Elles nous regardent pour voir à quoi pourrait ressembler leur avenir et quelles sont leurs possibilités. Ce que nous *montrons* à nos filles compte encore plus que ce que nous leur *disons*. L'héritage qu'une mère laisse à sa fille est multiple. Voyons ce qu'en dit la thérapeute de famille Betty Carter.

> Elle montre à sa fille comment être une épouse, une maîtresse, une mère, une fille, une sœur et une tante.
>
> Elle lui montre comment être ou ne pas être une femme d'intérieur, une cuisinière, une hôtesse et une femme au travail.
>
> Elle montre à sa fille comment être sexuelle ou asexuée ou anti-sexuelle, comment être jeune, d'âge mûr et vieille, comment être divorcée ou veuve, comment être heureuse ou malheureuse.
>
> Mais par-dessus tout, et qu'elle le prévoie ou non, une mère montre à sa fille comment être une personne de sexe féminin, et si cela est possible ou s'il ne s'agit que d'une contradiction dans les termes.

Les faits en disent long

Prenons Agnès, une de mes patientes en thérapie, qui était découragée de voir sa fille de 15 ans, Élisabeth, si passive et si timide avec son copain. Elle voulait que sa fille parle avec assurance, qu'elle soit elle-même. C'est pourquoi elle lui donnait des conseils, féministes et valables, pour l'inciter à exprimer ce qu'elle pensait vraiment et ce qu'elle ressentait, quitte à perdre le garçon de vue. Or, si le discours d'Agnès exprimait une chose, son attitude en exprimait une autre.

Agnès ne prenait pas beaucoup de place dans son couple, même si elle avait plus d'instruction et comptait une meilleure réussite financière que son mari, Samuel. Elle avait l'air d'être indépendante, en ce sens qu'elle faisait marcher son entreprise et n'était pas du genre à se faire donner des ordres, mais elle se taisait par rapport à ce qui lui déplaisait chez Samuel. Elle osait à peine aborder certains sujets chauds avec lui, comme sa mauvaise gestion des finances, ou bien elle le faisait avec 1000 précautions, comme quelqu'un qui marche dans un champ de mines. Elle n'avait pas la moindre idée de ce qui se passerait si elle disait vraiment à Sam ce qu'elle ressentait et ce qu'elle pensait, sans se retenir, assez spontanément, ou même si elle se plaignait calmement en persistant jusqu'à ce que le problème soit résolu. La prudence d'Agnès, sa hantise des conflits, sa timidité au sein de son ménage, sa fuite devant l'éventualité de franches discussions sur les problèmes courants, – tout cela était plus éloquent que n'importe quel discours d'Agnès pour encourager sa fille à l'autonomie.

Au début, Agnès entreprit une thérapie parce qu'elle se sentait déprimée «sans raison valable», disait-elle. Quand nous avons commencé à travailler ensemble, son anxiété se rapportait à sa fille Élisabeth dans une proportion d'environ 80 p. 100. Agnès était dévastée de voir que le copain de sa fille était dominateur et elle s'inquiétait de ce que l'attitude passive d'Élisabeth laissait présager pour l'avenir. La thérapie prit un nouveau tournant quand Agnès réussit à réorienter le faisceau de son anxiété sur elle-même et se mit au défi de manifester sa présence de façon claire et forte au sein de son couple. Pour faire de tels progrès, Agnès devait redéfinir tous les rapports qu'elle entretenait avec les membres de sa famille d'origine.

❧

Les parents d'Agnès, Marie et Théodore, maintenant au milieu de la soixantaine, étaient assortis comme une main et un gant. Depuis le début de leur mariage, Marie avait été l'épouse dominatrice, critique et autoritaire; Théo, le mari passif, silencieux et soumis. Théo s'affirmait rarement, même sur des sujets tout simples, par exemple combien d'argent il allait consacrer à l'achat d'un cadeau pour ses parents. Au lieu de cela, il s'en remettait à sa femme qui avait des opinions tranchées sur tout. En réaction à sa famille d'origine, où les gens se fâchaient les uns contre les autres et ensuite ne se reparlaient plus jamais, il était terrifié à l'idée d'une discorde et même à l'idée de tenir son bout. Après avoir été complaisant pendant tant d'années, toutefois, il agissait à la dérobée. Il faisait par exemple des transactions financières peu judicieuses, en secret et sans consulter personne. Chaque fois que sa femme le surprenait en train de faire une folie, elle s'arrangeait pour le surveiller d'encore plus près et le contrôler plus énergiquement, ce qui créait un cercle vicieux. Marie, pour sa part, était la première et la trop responsable enfant de parents alcooliques et hors de contrôle. Pour elle, le fait de contrôler, de diriger les autres et d'orchestrer leurs relations avait été un moyen de survie, maintenu jusqu'à l'âge adulte, pour le meilleur et pour le pire.

Au début, quand Agnès vint me voir, elle prenait fermement pour son père et, du plus loin qu'elle pouvait se le rappeler, elle avait été de son côté. Les enfants, même quand ils sont grands, perçoivent rarement la complexité du drame conjugal qui se joue entre leurs parents; ils ne reconnaissent pas en quoi chacun provoque le comportement de l'autre et l'entretient. Au lieu de cela, les enfants penchent souvent pour le parent qu'ils perçoivent comme le conjoint maltraité ou celui qu'ils considèrent comme le plus faible ou le plus vulnérable. En grandissant, Agnès avait perçu sa mère comme autoritaire et contrôlante, son père comme assailli et écrasé par les reproches. Elle me dit: «Dès le jour où je suis entrée au jardin d'enfants, je me suis promis de ne jamais être comme ma mère. Mieux valait être discrète comme une souris.»

Agnès, en prenant sa résolution de ne jamais découvrir le visage de sa mère en se regardant dans la glace, opta pour l'autre extrême. Elle réduisit la tension affective en prenant ses distances et elle épousa quelqu'un qui en faisait autant. Elle et Samuel ne se disputaient presque jamais, mais ils n'étaient pas non plus très intimes ni spontanés. Agnès était dépressive parce qu'elle se sentait seule et perdue dans leur ménage. En revanche, elle s'en faisait beaucoup avec l'idée qu'il lui fallait sauver l'âme d'Élisabeth, dans l'espoir que la jeune fille devienne la femme forte et affirmative qu'Agnès n'avait jamais été.

❧

En thérapie, Agnès en vint à regarder d'un œil plus objectif et avec plus d'empathie le comportement directif de sa mère et elle vit mieux la danse que dansaient ses parents. Tant qu'elle ne voyait pas les forces et les qualités de sa mère, elle n'arrivait pas à croire aux siennes. Et tant qu'elle ne comprit pas que le rôle de son père consistait à maintenir sa position de mari chien de poche, elle fut incapable d'agir différemment dans son ménage. Il ne s'agit pas ici de montrer qu'Agnès était blessée sur le plan affectif à cause de la dynamique de ses parents ou qu'elle blesserait certainement Élisabeth si son ménage n'était pas fondé sur une parfaite égalité, un respect mutuel et le partage des pouvoirs. Dans la vraie vie, aucun parent ne peut créer un climat affectif parfait pour que le meilleur d'un enfant s'épanouisse. Mais il fallait qu'Agnès arrête de braquer les projecteurs sur les amours de sa fille et qu'elle les dirige sur sa propre vie si elle voulait voir les deux plus clairement.

À mesure qu'Agnès évoluait dans sa démarche, elle se concentrait moins sur Élisabeth, et elle cessa ainsi de ruminer au sujet de l'avenir que le comportement de sa fille de 15 ans pouvait laisser présager. Ce changement permit à Agnès de partager ses observations avec Élisabeth et de lui poser des questions doucement, sans la critiquer, elle ou son copain. Elle pouvait dire, par exemple: «Élisabeth, je sais que tu voulais aller au cinéma hier soir, mais quand Alain a suggéré d'aller plutôt dans une fête, le film a pris le bord. Est-ce que je me trompe ou il me semble que tu finis presque toujours par céder devant Alain. Qu'est-ce qui se serait passé si tu avais insisté pour aller voir le film?»

Auparavant, Agnès aurait posé les mêmes questions, mais sur un ton acerbe et critique qui aurait fait cessé la conversation avant même qu'elle ne commence. Maintenant Agnès approche Élisabeth avec un intérêt véritable et sans besoin particulier de la changer, ce qui de toutes façons serait impossible. En retour, Élisabeth lui avoue plus ouvertement qu'elle craint de faire peur à son copain en étant «trop entêtée». Mais ce qui compte le plus, c'est qu'au fil du temps, Agnès et Élisabeth continuent de se parler.

Que pouvons-nous faire de mieux pour pousser nos filles à s'exprimer et à cesser de craindre de s'aliéner leur amoureux ou de le perdre? Jusqu'à un certain point, nos conseils peuvent aider. La courriériste Ellen Goodman raconte l'histoire d'une amie qui avertissait ainsi ses trois filles: «Participez aux discussions! Parlez haut! Prenez la parole! La seule personne que vous allez effaroucher, c'est votre futur ex-mari.» Voilà vraiment de quoi améliorer la situation de nos filles! Mais mieux vaut tard que jamais pour éliminer les conjoints potentiels qui risqueraient d'avoir peur d'une femme forte.

Nous aidons mieux nos enfants quand nous nous aidons nous-mêmes, comme Agnès le fit quand elle se mit à s'occuper moins de sa fille et plus d'elle-même, et qu'elle chercha à s'affirmer dans son ménage. Les enfants tirent également avantage d'avoir une famille dont le climat encourage l'expression de la différence, des désaccords et des véritables sentiments. Ce type d'atmosphère fera plus de bien que n'importe quel discours d'incitation à l'affirmation de soi.

❧

Dans 10 ans, quel sera le «quotient d'affirmation» d'Élisabeth? Nous n'en savons rien. Comme nous le rappellent les travaux de Carol Gilligan, Mary Pipher et Peggy Orenstein, il y a de puissantes influences culturelles en plus du contrôle maternel, pour contribuer à empêcher une adolescente de s'exprimer et de développer son esprit. Il faut constamment rappeler aux mères qu'elles sont importantes, malgré le peu de pouvoir réel qu'elles ont. Le comportement d'Élisabeth envers son copain était relativement normal parmi ses amis (en fait, c'est la norme), ce qui ne veut pas dire que c'était bon pour elle. La maison ne représente qu'un endroit parmi d'autres où les jeunes filles apprennent ce que c'est que d'être une femme dans ce monde. En fin de compte, chaque fille doit faire son chemin à elle parmi toutes les avenues où, à tout bout de champ, on risque de vouloir l'empêcher d'exprimer ce qu'elle a de plus authentique.

Mères et filles: le lien suprême

Certaines filles ont une sensibilité très aiguisée par rapport à la qualité de vie de leur mère et elles voient bien comment leur mère mène ses relations. Elles peuvent ressentir la solitude de leur mère, sa déception ou son chagrin, et tenter d'«arranger» les choses, aux dépens de leur propre épanouissement. Prenons cette histoire touchante racontée par une participante lors d'un atelier sur les relations mère-fille, que je codirigeais il y a quelques années.

Une femme, elle-même thérapeute, raconta que lorsqu'elle était petite, elle s'inventa une jumelle, ou plus exactement une copie conforme d'elle-même, personnage imaginaire qui s'assoyait à ses côtés sur la banquette arrière de l'auto de ses parents, pendant les voyages en famille. Même si elle était toute petite, elle savait pourquoi elle inventait une pareille histoire de double. «Ainsi, se disait-elle, je peux grandir, voyager dans des pays lointains et vivre une vie de plaisirs et d'aventures. Pendant ce temps, mon sosie pourra rester à la maison et *vivre pour maman.*»

Son histoire me fascina parce que ce type de loyauté envers la mère est courant chez les filles, mais rares sont celles qui sont capables de l'exprimer aussi clairement. Habituellement, le drame se déroule sans que les acteurs ne soient conscients de leurs rôles respectifs. La mère n'ordonne pas: «Vis pour moi!» Pas plus que la fille ne fait de vœu solennel: «Je ne grandirai jamais tout à fait et je ne te laisserai jamais. Je laisserai une partie de moi à la maison!» Les dynamiques familiales se mettent en place sans que personne ne s'en aperçoive et sans qu'il y ait de mauvaises intentions, et c'est justement pour cela qu'elles ont tant de pouvoir.

Quand je parle à mes collègues de cette sosie imaginaire, ils se représentent la scène avec une «mauvaise mère» – vous savez, ce genre de mère hyper-possessive qui surprotège son enfant pour se consoler d'avoir une vie ennuyeuse, pauvre et vide. Mais ce n'est pas toujours le cas, je dirais même que c'est rarement le cas. Les enfants sont souvent contents de s'offrir pour jouer tel rôle ou occuper telle place dans la famille, sans qu'on leur en ait fait la demande. Une fille peut pressentir chez sa mère des espoirs, des craintes, des rêves, des compromis, des pertes et des espoirs déçus. Elle peut ensuite décider de «faire quelque chose» en vivant «pour maman» parce que maman ne vit pas pour elle-même. Tout cela sans qu'on ne lui ait rien demandé.

En tant qu'adulte, cette jeune fille peut même s'interdire d'avoir ce que sa mère n'a pas eu, que ce soit de l'ambition, du piquant, de la passion, des aventures ou un partenaire qui la traite bien. Elle peut alors pester contre sa mère, comme si cette dernière était responsable des sacrifices de sa fille, alors qu'ils tiennent de son choix personnel, bien qu'inconscient. En d'autres termes, il peut être très difficile pour une fille de concentrer son énergie sur son épanouissement personnel si elle surveille sa mère et s'en inquiète sans cesse. Et vice versa. Il m'arrive de taquiner mères et filles: «Alors, laquelle de vous deux s'en fait le plus pour l'autre?», «Qui remporte ici la palme de la personne la plus inquiète?» Habituellement l'inquiétude d'une mère au sujet de sa fille transparaît dans le visage de la fille, alors que l'inquiétude de la fille au sujet de sa mère reste cachée. C'est parfois un secret qu'elle tait, même à sa propre conscience.

Les messages contradictoires

Oui, bien sûr, nous pouvons donner à nos filles des messages contradictoires quand il s'agit de sortir dans le monde, comme en témoigne ce vieux poème folklorique.

Maman, je peux aller me baigner?
Oui, ma chère enfant.
Accroche tes vêtements sur une branche de noyer
et ne t'approche pas de l'eau.

«Sois indépendante!» disons-nous, mais il nous arrive ensuite d'exprimer le contraire: «Fais comme moi!» ou même «Vis pour moi!» Il est possible de dire: «Aie du succès!», tout en ignorant subtilement les succès de notre fille ou en les sapant. «Vas-y!», clamons-nous avec enthousiasme, alors qu'entre parenthèses nous chuchotons: «Ne va pas trop loin.» Si l'on nous a empêchées de développer nos talents, peut-être n'arriverons-nous jamais à valoriser ceux de notre fille, ou au contraire nous associerons-nous tellement à ses réussites qu'elle finira par ne plus avoir l'impression qu'elle en est responsable.

❧

Il est intéressant de voir la perspective d'une fille devenue adulte devant le point de vue que sa mère adoptait par rapport au «succès». Je me rappelle un congrès de femmes, il y a plusieurs années, au cours duquel des auteurs et des artistes discutaient de l'influence de leur mère sur leur travail et leur personnalité, pour le meilleur et pour le pire. En une journée, j'ai entendu une multitude d'histoires contradictoires.

Au début du congrès, une auteur afro-américaine parla de l'immense confiance que sa mère avait en elle. Je ne me souviens plus des mots exacts, mais l'essentiel de son message se résumait à ceci. «Ma mère m'a toujours encouragée à aller plus loin. Si j'arrivais deuxième, elle me disait que j'avais ce qu'il fallait pour être première. Elle me poussait à essayer plus fort. Si j'avais un B dans un cours, elle me disait que la prochaine fois j'aurais un A. Comme elle croyait en moi, comme elle n'acceptait que ce que j'avais de meilleur, j'ai appris à ne m'attendre qu'au meilleur de moi-même.» L'auditoire applaudit vigoureusement à ce témoignage émouvant qui montrait à quel point l'amour d'une mère avait du pouvoir.

Plus tard au cours du congrès, une auteur juive d'origine russe vint nous entretenir du fait que le perfectionnisme de sa mère avait été un malheur pour elle. «J'arrivais à la maison avec un B plus, et ma mère me disait: "Bien, c'est très bien ma chérie". Mais plus tard, elle lançait un commentaire du genre: "Je me demande si tu étais loin du A?" J'ai appris que ça ne suffisait pas d'être simplement ce que j'étais. Ma mère s'attendait toujours à plus. Je peux vous dire aujourd'hui que chacune d'entre vous est parfaite telle qu'elle est. Et peu importe ce que vous dit votre mère, B, c'est une très belle note!»

Le même auditoire applaudit tout autant cette oratrice qui rejetait le perfectionnisme nocif de sa mère. Bien sûr, sous l'apparente contradiction, chaque femme songeait sans doute à quelque chose de très précis concernant l'attitude de sa mère. Sans doute la mère de la première oratrice avait été vraiment «de son bord» et l'avait incitée à réussir; sans doute la mère de la seconde oratrice avait-elle été ambivalente ou même malveillante. Mais je ne pouvais m'empêcher de penser, *oh qu'il est difficile pour une mère de savoir quoi faire.*

Les mères dans leur contexte

Un beau jour, quand tout a été dit et fait, votre fille vient vous voir pour vous emprunter de l'argent afin d'aller en thérapie où elle pourra vous condamner à loisir. Il est impossible de déterminer la manière dont votre fille réagira face à vous en tant que mère, pas plus qu'il est possible de l'empêcher de raconter à votre propos les histoires qu'elle voudra. Aucun d'entre nous ne peut vraiment être objectif par rapport à sa mère. Il y a longtemps, la sociologue Jessie Bernard fit remarquer que les mères ont toujours été glorifiées ou condamnées, entourées d'une aura de sentimentalité ou faisant l'objet d'un discrédit sans nuances. Tout ce que nous pouvons espérer c'est que nos filles ne se mettent pas à publier des choses sur nous ou à exposer nos défauts devant de gigantesques auditoires de téléspectateurs. Quand elles deviennent adultes, elles en viennent parfois à une meilleure vision d'ensemble et elles comprennent mieux le contexte dans lequel nous avons d'abord été des filles, avant d'être des mères.

Parmi tous les liens qui unissent parents et enfants, la relation entre la mère et la fille offre probablement le plus riche potentiel de rapprochement, mais également le plus riche potentiel de déception et de colère. Pour reprendre les mots de la poète et essayiste Adrienne Rich: «Il n'y a probablement rien dans la nature humaine qui soit autant chargé d'électricité que l'énergie circulant entre deux corps semblables biologiquement, dont l'un a baigné dans la béatitude des eaux intérieures de l'autre, dont l'un a travaillé fort pour donner naissance à l'autre.»

Il y a plus de 20 ans, Rich écrivait son livre le plus célèbre, *Of Woman Born,* qui présentait un point de vue profondément féministe de l'institution maternelle. Il y a encore des critiques pour voir dans son travail une offensive contre la maternité et la famille, même si Rich prend la peine de faire la distinction entre l'ensemble des relations qui peuvent se tisser entre une mère et son enfant, et *l'institution* de la maternité, *telle qu'elle est définie et dominée par le patriarcat.* Sans la perspective féministe, je ne vois vraiment pas comment mères et filles peuvent s'imaginer qu'elles arriveront à se comprendre elles-mêmes ou entre elles.

Tant que votre fille vit sous votre toit, elle ne vous verra pas comme un tout et comme une véritable femme. Elle ne sait certainement pas à quel point les inégalités des sexes ont pu marquer votre vie. Adrienne Rich écrit: «L'enfant ne voit pas le système social ou l'institution qui encadre la maternité, elle n'entend qu'une voix dure, ne voit que deux yeux lourds, une mère qui ne la prend pas dans ses bras et ne lui dit pas à quel point elle est merveilleuse.»

Quand les filles grandissent, toutefois, elles commencent souvent à regarder plus loin, au-delà de leurs mères, et voient les forces qui ont influencé celles-ci. «J'avais toujours pensé que ma mère se fichait de moi», me dit une adolescente de 15 ans. «Mais maintenant je vois que si elle travaillait autant, c'était pour faire vivre notre famille et elle était vraiment à bout à la fin de la journée.» Une autre dit: «Je déteste la manière dont ma mère m'impose sa sévérité et me fait si peu confiance avec les garçons. Mais elle est tombée enceinte à mon âge et elle a peut-être peur que j'en fasse autant.» Une fille de 17 ans dit: «Ma mère ne semble jamais contente quand j'ai de bonnes notes, un A par exemple. D'après moi, elle a peur que j'aille à l'université, que je finisse par me croire plus fine que les gens de chez nous et que nous ne soyons plus jamais proches. Elle fait comme si elle ne se préoccupait pas de mes travaux scolaires, mais dans le fond, je pense qu'elle se sent menacée parce qu'elle n'a pas eu la chance d'aller longtemps à l'école.» Et de cette même fille: «J'étais fâchée que ma mère reste avec mon père. Ensuite je me suis rendu compte qu'elle n'avait pas d'argent pour s'en aller, que les femmes ne pouvaient s'en aller si elles n'étaient pas capables de faire vivre leur famille.»

Nous, les mères, devons également penser aux nombreuses influences qui nous touchent. La réaction d'une mère face à sa fille est marquée par son histoire personnelle qui est unique, et par les filtres à travers lesquels elle voit la vie. En plus de la sexualité, ces filtres comprennent sa position parmi ses frères et sœurs, sa classe sociale, et ses traditions ethniques, culturelles et religieuses, qu'elle les ait approuvées ou rejetées.

En ce qui concerne la position parmi ses frères et sœurs, songeons à la description de Betty Carter de certains modèles de relation mère-fille, basés sur l'ordre de naissance. Si la mère est une aînée, elle va trouver normal de montrer à sa fille aînée à être responsable et à diriger les autres, et ensuite elles peuvent aussi bien s'affronter, chacune trouvant l'autre «trop autoritaire». Si la mère est la benjamine de sa famille, sa fille aînée peut se mettre à agir comme une mère envers elle. Si la mère et la fille sont toutes deux des benjamines, la mère peut tenter d'agir sur le ton de l'amitié plutôt qu'avec autorité. Dans ce cas, mère et fille peuvent se sentir contrariées l'une par l'autre parce que chacune s'attend à ce que l'autre prenne bien soin d'elle et sent que l'autre ne le fait pas assez.

Pour ce qui est des influences de l'ethnie et de la culture, la thérapeute de famille Monica McGoldrick résume ainsi certaines de ses conclusions. L'Américain blanc protestant d'origine anglo-saxonne (le WASP, pour *White Anglo-Saxon Protestant*), cherche à ne pas montrer de signes de dépendance ou de sentimentalité, l'Irlandais à ne pas «faire de scènes» ou «avoir la tête enflée», l'Italien se préoccupe de loyauté envers la famille, le Grec des insultes à sa fierté, le Juif des enfants qui n'auraient pas de succès, et les Portoricains des enfants qui ne montreraient pas de respect.

La liste pourrait continuer ainsi longtemps. Bien sûr, cette description abrégée ne rend pas du tout justice à la recherche détaillée de McGoldrick ni à la complexité de la psychologie humaine. Il ne s'agit pas ici de créer des stéréotypes pour les mères, les familles ou les groupes ethniques, car il y a énormément de variété dans tous les groupes, et les stéréotypes ethniques ont servi tout au long de l'histoire à diminuer les gens et à les maintenir sous quelque joug. En fait, il s'agit surtout de voir les différentes influences qui façonnent l'attitude et les réactions d'une mère face à un enfant.

Dans ma famille, qui est juive, le succès était proche de la piété. Ma mère voulait que Susan et moi fassions une contribution marquante à la société, comme l'avait fait son petit frère adoré, Bo. Mon père voulait pouvoir se vanter de ses filles, surtout de Susan, et nous lui en donnions l'occasion. Si nos actions ne justifiaient pas tout à fait ses vantardises, alors en bon père de famille juive, il exagérait un peu ou beaucoup.

La grand-mère de mon mari (elle aussi immigrante juive d'origine russe) demandait un numéro à la téléphoniste et en profitait pour parler de son fils qui était médecin. En revanche, chez les membres d'autres groupes ethniques, on préfère nettement que les enfants ne ressortent pas trop, ne se vantent pas et ne brillent pas. Une de mes bonnes amies (une protestante anglo-saxonne) raconte que l'on attendait d'elle qu'elle soit bonne et qu'elle réussisse, mais avec discrétion et modestie. Il était plus important d'être une bonne coéquipière plutôt que de frapper des coups de circuit. En outre, faire des coups de circuit et en parler pouvait mettre mal à l'aise des joueurs moins habiles. Toutefois, de mon point de vue de Juive, mon amie semble toujours en train de se diminuer.

S'il est vrai qu'il n'est pas bon de trop mettre l'accent sur la réussite, je suis tout de même reconnaissante à ma famille d'avoir mis l'accent sur l'éducation et la carrière. Quand j'étais petite, les femmes se définissaient exclusivement par rapport aux hommes et aux enfants, alors j'étais contente qu'on me pousse à aller contre la vague. À cette époque les règles du jeu étaient claires et simples: les hommes devaient chercher fortune et les femmes devaient chercher les hommes. Le travail d'un homme lui permettait de devenir quelqu'un dans le monde; le travail d'une femme lui permettait de se trouver un homme qui aurait du succès. Chez nous, Susan et moi recevions un tout autre message.

Ce que disent les filles de leurs mères

Ces dernières années, j'ai entrepris dans plusieurs écoles secondaires un projet de recherche informelle avec des jeunes filles. Je rencontre des groupes allant de 15 à 20 élèves, et je demande aux filles de penser à leurs mères. Que feraient-elles (les filles) de différent si elles-mêmes devenaient mères? Quelles erreurs chez leurs mères avaient-elles remarquées? Je peux résumer plus d'une centaine d'observations et d'histoires touchantes dans les quelques points suivants.

- Leurs mères sont trop prises pour s'occuper d'elles ou, au contraire, elles s'en occupent trop.
- Leurs mères sont trop émotives ou, au contraire, trop froides.
- Leurs mères se conduisent de façon trop stricte et rigide ou, au contraire, jouent trop à l'amie, comme si elles avaient leur âge.
- Leurs mères ne leur en disent pas assez ou, au contraire, leur en disent trop.
- Leurs mères leur mentent ou, au contraire, leur révèlent plus de «vérités» qu'elles ne sont capables d'en prendre.
- Leurs mères n'exigent pas assez de leurs filles ou, au contraire, leur amour est trop conditionnel. (*Ma mère m'a dit qu'elle ne*

m'aimerait pas autant si j'étais lesbienne, ce qui me fait dire qu'elle ne m'aime pas du tout, car si elle m'aimait vraiment, elle m'aimerait même si j'étais différente.)

- Leurs mères ne sympathisent pas avec elles ou, au contraire, quand la mère éternue c'est que la fille a le rhume. (*Ma mère adopte mes sentiments, et je déteste ça. Quand je suis triste, elle est triste. Le mois dernier, mon copain m'a laissée tomber et j'étais vraiment déprimée. Alors ma mère s'est mise à déprimer et ensuite j'étais doublement déprimée parce que j'étais déprimée de voir ma mère déprimée.*)

Les remarques de ces adolescentes nous rappellent qu'il ne sert à rien d'aller à l'extrême dans un sens ou dans l'autre. Nous faisons toujours des erreurs en exagérant. Il n'est pas non plus facile pour une mère de trouver le juste milieu. Votre fille a peut-être des réactions intéressantes à votre propos. Essayez de lui demander ceci: «Si tu étais une mère, qu'est-ce que tu imiterais en moi? Et qu'est-ce que tu ferais de différent?» Que votre fille ait 7 ou 17 ans, vous y apprendrez sans doute des choses intéressantes.

Je devrais ajouter que le fait de résoudre des choses avec votre mère — en tirant au clair sa vie et son histoire — est l'une des meilleures choses que vous puissiez faire pour avoir une bonne relation avec votre fille. Si vous ne réussissez qu'à faire des reproches à votre mère ou à vous éloigner d'elle, votre fille en fera sans doute autant plus tard. De la même façon, si vous n'arrivez qu'à blâmer le père de votre fille, elle en viendra sans doute à vous en vouloir de n'avoir pas eu plus de contacts avec lui.

Post-scriptum sur les pères

On demanda un jour à un célèbre thérapeute de famille quels étaient les meilleurs conseils qu'il pouvait donner aux mères en ce qui concerne l'éducation des enfants. «Qu'elles aiment le père de l'enfant», répondit-il. Le mot aimer me trouble ici (sans parler du fait qu'il présume que la mère est encore mariée au père). L'amour ne s'obtient pas sur commande, même si le fait d'être élevé par deux personnes qui s'aiment est préférable pour un enfant. Au nom de l'amour, les femmes font toutes sortes de compromis et de sacrifices qui, au bout du compte, ne s'avèrent bons ni pour elles ni pour leurs enfants.

Les enfants n'ont pas *besoin* que leurs parents s'aiment ni qu'ils restent ensemble, même si ce serait là l'idéal et même si c'est merveilleux quand cela se produit. En revanche, les enfants ont effectivement besoin que leurs parents, mariés ou divorcés, se témoignent un respect mutuel et s'entraident dans leur rôle de parents. Ce qui marque profondément les enfants, peut-être plus que toute autre chose, c'est la relation et le climat qui règne *entre* leurs parents, ainsi qu'avec toute autre personne ayant à voir avec leur éducation. À long terme, cela compte plus encore que le fait que les parents forment un seul ménage ou deux.

Quand une mère se sent «laissée-pour-compte», il est difficile pour elle d'aider sa fille à avoir une bonne relation avec celui-là même qui l'a déçue ou trahie. Les mères et les filles peuvent constituer des alliées indéfectibles, et la feuille de route du père sera très lourdement chargée. Mais aucune enfant ne devrait se sentir obligée d'oublier qu'elle a un père ni sacrifier sa relation avec lui pour encourager sa mère, pour lui plaire ou pour la protéger. À tout le moins, l'enfant devrait pouvoir être en relation avec ses deux parents sans avoir l'impression de tromper ou de trahir l'un parce qu'elle aime l'autre. Une fille de 16 ans me dit ceci.

> *Quand mes parents ont divorcé, il y a quatre ans, ma mère me disait tout, parce que j'étais sa meilleure amie. Nous sommes encore très proches. Je veux l'aider, mais ça me blesse de l'entendre parler de mon père. Quelquefois je chantonne un air dans ma tête quand elle commence à parler de lui et après, je me sens coupable de ne pas avoir voulu l'écouter. Une fois je lui ai dit que c'était difficile pour moi de l'entendre le descendre en flammes. Elle a dit: «Je ne le descends pas en flammes; je veux juste que tu saches la vérité.»*

Avec les complexités du divorce et du remariage, il n'est pas facile d'aider votre fille à rester liée à un ex-conjoint si vous arrivez à peine à supporter d'être dans la même pièce que lui. Mais rappelez-vous que si vous ne pouvez parler à votre «ex» sans qu'il y ait de frictions, c'est que votre relation est très intense – vous n'êtes donc pas encore divorcés émotionnellement. Ce serait un cadeau à vous faire, ainsi qu'à vos enfants, que de vous débarrasser de vos émotions négatives. Heureusement, il y a des ressources pour vous aider à maintenir l'intégrité de votre famille si votre mariage tombe en lambeaux. J'ai une prédilection pour le livre du docteur Constance Ahrons, *The Good Divorce,* dans lequel les parents trouvent de l'aide pour apprendre à faire la transition entre une famille nucléaire et une famille «binucléaire» qui se divise en deux maisonnées et continue à satisfaire aux besoins des enfants.

Quelques pensées à prendre en considération

Si vous avez une fille, gardez à l'esprit les points suivants. Presque toutes les filles sont déçues de leurs mères jusqu'à un certain point, parce que personne ne peut combler les attentes impossibles et épuisantes qui vont avec le rôle de mère. Votre fille fera probablement l'erreur de penser qu'elle réussira mieux que vous quand son tour viendra, plutôt que de contester le fait qu'on attribue cette tâche, de combler les attentes des enfants, surtout aux mères et plutôt que de remettre en question la description de tâches elle-même.

Votre fille peut vous condamner de temps en temps en cours de route, surtout si elle est sûre que vous êtes assez solide pour le prendre. Les mères risquent moins que les pères de disparaître dans la foule, de sorte que vous pouvez bien vous retrouver blâmée pour le comportement des deux. Attendez-vous à ce que votre fille vous en veuille non seulement de n'être pas une mère parfaite, mais aussi de ne pas avoir réussi à mieux vivre votre vie ou à mener vos relations autrement. Quelques-uns des reproches de votre fille tomberont pile, car vous ne pouvez vraiment pas tout réussir, toujours, ni même la plupart du temps. Quelquefois, ce n'est qu'*après* avoir réussi à écouter jusqu'au bout les critiques et les invectives de notre fille, et quand nous sommes prêtes à demander pardon pour les inévitables blessures et erreurs dont chaque parent se rend responsable, que nous pouvons espérer être vraiment entendues par nos filles. Essayez d'être une bonne écouteuse.

Rappelez-vous que votre exemple durera longtemps. En tant que thérapeute de famille, Peggy Papp nous rappelle que la qualité de vie d'une mère et son courage font partie des plus précieux héritages qu'elle puisse laisser à sa fille. «Une femme qui arrive à croire en elle quand personne d'autre ne le fait, qui arrive à se battre pour elle quand personne d'autre ne le fait, qui continue à lutter même quand elle est sans défense, cette femme montre à sa fille que tout cela est possible.» Voilà un grand cadeau d'une mère à sa fille: vivre sa vie de son mieux. C'est un cadeau à faire également à son fils et à elle-même.

11

Vous élevez un fils à sa maman? Tant mieux!

Environ 30 p. 100 des enfants de moins de 18 ans vivent avec un parent célibataire. Les garçons, comme les filles, résident habituellement avec leur mère. Plusieurs de ces mères se demandent si leur fils ne souffre pas de cet arrangement. «Qui lui montrera à être un homme?», se demandent-elles parfois. «Devrais-je me trouver un mari pour le bien de mon fils?» Et même: «Est-ce que je risque de trop aimer mon fils?»

Les mères mariées partagent également ce souci. «Vais-je nuire au développement masculin de mon fils si je suis trop intime avec lui? Ça m'inquiète de voir qu'il veut toujours être dans la cuisine avec moi. Devrais-je garder mes distances de façon que mon fils n'adopte pas mes qualités féminines?» Et même: «Puis-je dénaturer mon fils en étant trop proche de lui?»

La thérapeute de famille Olga Silverstein fait remarquer dans son livre, *The Courage to Raise Good Men,* que les mères se sont fait laver le cerveau avec la crainte de transformer leurs fils en «fils à maman» ou de déranger d'une façon ou d'une autre le développement de leur virilité. Elle nous rappelle également qu'en y pensant bien, il n'y a personne de sain d'esprit qui voudrait reproduire une autre génération de ce que l'on appelle dans notre société des «vrais hommes». Il est bien connu que les hommes, beaucoup plus que les femmes, sont d'une part violents et agressifs, et d'autre part froids et indifférents, sans parler du fait qu'ils se suicident environ quatre fois plus souvent que les femmes, meurent environ huit ans plus tôt, et risquent trois fois plus de se faire assassiner (habituellement par d'autres hommes). Les hommes se rendent également coupables de la grande majorité des crimes dans ce monde, aussi bien à l'intérieur qu'à l'extérieur de chez eux. Et la liste continue interminablement.

Il ne s'agit pas ici de blâmer les hommes ni de s'apitoyer sur leur sort. Après tout, la plupart d'entre eux n'ont-ils pas commencé leur vie en mignons et tendres petits bébés couchés dans leur berceau, faisant ce que font tous les bébés du monde. Ils ne se sont pas nourris au sein de leurs mères ni promenés dans leur poussette à seule fin de conspirer pour savoir comment ils arriveront un jour à atteindre le succès, à obtenir le pouvoir et à dominer les autres hommes ou à tout le moins les femmes. C'est une situation intenable pour un fils que d'être nourri et aimé par une femme dont les traits et les qualités deviennent précisément ce qu'il apprendra à nier et à répudier pour lui-même en vieillissant. Les garçons ne souffrent pas d'être près de leurs mères. Les garçons souffrent plutôt du faux principe selon lequel ils devraient grandir en étant aussi *différents* que possible de leurs mères.

Le fait que le masculin et le féminin soient si polarisés contribue à créer le problème. Je me rappelle une veuve qui avait deux fils et qui s'inquiétait parce qu'ils n'auraient pas d'hommes sous les yeux pour leur servir de modèle. «Je ne veux pas que mes fils s'identifient à mes qualités féminines», disait-elle, tandis que je me demandais: «Et pourquoi pas?» Ces dites qualités féminines incluaient sa tendresse, sa sensibilité et sa capacité d'être attentive. Elles incluaient sa force et la volonté qu'elle avait de se préoccuper de ses fils au beau milieu d'un deuil difficile. Elles incluaient le fait qu'elle savait se faire des amis et qu'elle était capable de montrer sa vulnérabilité et de demander de l'aide. Ce qui pouvait arriver de mieux à ses fils, selon moi, c'était qu'ils arrivent un jour à prétendre eux-mêmes avoir ces qualités.

Pourtant, cette mère s'inquiétait profondément d'en arriver à «féminiser» ses fils en étant «trop proche» d'eux parce qu'il n'y avait pas de père dans le décor. Ce qu'elle devait vraiment faire, c'était de suivre son cœur et de leur donner tout l'amour et le dévouement dont ils avaient certainement besoin pendant cette période difficile. Bien sûr, elle pourrait rendre un fier service à ses fils si elle arrivait à entretenir en eux le souvenir de leur père décédé, à leur parler de lui, à pratiquer des rituels en son nom et à continuer à fréquenter sa famille. Nous avons tous besoin de contacts avec d'autres membres de notre famille, tantes, oncles, cousins et grands-parents. Toutefois, si cette mère a la chance de ne pas souffrir de la pauvreté – ce qui est de loin le plus grand danger qui guette les femmes chefs de famille – il n'y a pas de raison pour qu'elle ne réussisse pas à continuer à très bien élever ses enfants.

Il ne s'agit pas ici de nier l'immense importance des pères ni la chance incontestable des enfants qui ont deux parents aimants pour bien s'occuper d'eux. Il n'est pas non plus question de se couper des autres membres de la famille pour s'isoler dans une bulle fermée. Tout parent peut devenir envahissant, dominateur, indiscret et oppressif, au détriment d'un fils ou d'une fille, mais jamais une mère ne peut trop aimer son fils. De plus, un fils ne peut qu'être gagnant au contact des belles qualités de sa mère et de tout ce que nous avons nommé «féminin».

❧

Dans *The Courage to Raise Good Men,* Silverstein dénonce le mythe selon lequel seul un père peut transformer un garçon en homme ou qu'une trop grande intimité entre les mères et les fils est à éviter. En plus, elle nous fait part de son expérience personnelle avec son premier fils, Michael, né en 1945 au moment où son père, comme bien des hommes durant ces années de guerre, était parti pour l'armée. Selon la tradition de l'époque, la sagesse voulait qu'une mère prenne soin de ses enfants à longueur de journée, et même à longueur de nuit si nécessaire, tout en représentant une menace pour le garçon si elle l'aimait trop et ne réussissait pas à le laisser partir.

Silverstein tenta de son mieux de tenir compte de cette recommandation imposée par la société, encore en vigueur aujourd'hui et très bien portante merci. «Mais à ma grande honte», écrit-elle, «je ne réussissais pas toujours à mettre la distance convenable entre nous.» Pour avoir commis ce péché, elle se faisait faire des remontrances par plusieurs représentants de l'autorité. D'abord, quand Michael eut environ un an, elle l'emmena voir un pédiatre parce qu'il semblait tendu. Le médecin, devant cette mère qu'il trouvait trop soucieuse, eut une réaction sévère: «Arrêtez d'être sur le dos de ce garçon.» Des mois plus tard, elle emmena Michael voir un spécialiste parce qu'il marchait les pieds par en dedans, il trébuchait et avait sans doute besoin de souliers correcteurs. «Ce dont ce garçon a besoin», dit le spécialiste, agitant son index vers Silverstein, «c'est d'un petit peu de négligence bien placée.» C'est à la suite de scènes aussi avilissantes qu'elle entama un long processus de détachement au cours duquel elle allait se mettre à surveiller tout ce qu'elle faisait, de peur de nuire à son fils dans l'évolution de sa virilité.

The Courage to Raise Good Men est un antidote essentiel contre le discours qui veut encore faire croire aux mères qu'elles ne peuvent pas bien élever leurs fils si elles doivent le faire seules et, en outre, qu'elles doivent «prendre leur distance» à un moment donné pour s'assurer que leur fils devienne viril. Ce n'est qu'après avoir lu ce livre que j'ai vraiment compris à quel point je m'étais éloignée de Matthew, de manière subtile, surtout pendant son adolescence, et comment j'avais accepté trop passivement qu'il se ferme, comme si cela était normal chez les garçons. Intellectuellement, je savais que les fils qui refusent de se reconnaître dans leur mère perdent le contact avec des aspects essentiels d'eux-mêmes, et j'aurais dû savoir que Matthew et moi étions en train de nous perdre en ne nous parlant pas plus ouvertement. Mais je m'étais persuadée qu'il n'avait pas vraiment besoin de moi, surtout étant donné que depuis sa naissance, tout avait toujours eu l'air de si bien marcher pour lui.

Mon échantillon de deux garçons

Quand j'enseigne sur le thème de la famille, les questions que j'entends sur la relation mère-fils sont variées, allant du personnel (Quel effet ça vous fait d'élever des garçons?) au théorique (Quels sont les principaux défis d'une mère qui a des fils?). Quand je pense à Matthew et à Ben, et que je réfléchis à l'immense variété de sentiments qu'ils ont tous deux éveillés en moi au fils des années, il me semble difficile de généraliser sur «l'éducation des garçons», même en ce qui concerne mon minuscule échantillon. On fait tant de pressions au sujet de la différence entre les sexes que nous en oublions à quel point les garçons sont différents les uns des autres.

À première vue, mes deux fils sont «opposés» en ce qui concerne le tempérament, la personnalité, les intérêts et les talents, même s'ils sont tous deux extrêmement amusants et gentils. Matthew se présente comme un premier-né tout à fait typique: calme, réservé, charmant tout en étant secret, et très talentueux dans «l'art de se rendre utile». J'ai déjà dit à des amis que Matthew est en plein le type d'homme que vous voudriez avoir comme pilote de votre avion lors d'une tempête, ou comme chirurgien en chef lors d'une opération d'urgence. Ben, en véritable cadet, est expressif et toujours enclin à partager ses opinions et ses sentiments. Il est très sensible aux nuances chez les autres, et peu de choses lui échappent sur le plan psychologique. C'est le type d'enfant qui peut très bien entrer à la maison à l'heure du souper, sentir l'atmosphère et dire, à moi et à Steve: «Bon, vous venez de vous chicaner, hein? Qu'est-ce qui se passe?» Si mes garçons avaient été de sexes différents, j'aurais peut-être fait partie de ces mères qui ont tellement le don de m'irriter quand elles se promènent en disant, entre un clin d'œil et un sourire: «Et bien, maintenant que j'ai moi-même des enfants, je dois admettre que les garçons et les filles sont VRAIMENT différents, quoi qu'en disent ces chères féministes!»

Bien sûr, je fais partie de ces *chères* féministes, et ce n'est pas la «différence entre les sexes» qui me trouble (différence bien petite à vrai dire). Le problème, c'est plutôt ce que la société fait de ces différences sexuelles: on les amplifie et on les déforme, on s'en sert pour empêcher les gens de bouger, individuellement ou en groupes. Ce que j'ai appris personnellement en ayant deux fils, c'est justement à quel point un garçon peut être différent d'un autre. Il est facile d'oublier cela, car la société exagère et oppose énormément les différences entre les sexes tout en minimisant les profondes différences à l'intérieur de chacun des sexes. Quand les gens me demandent quel effet ça me fait d'élever deux garçons, je suis parfois incapable de généraliser.

Sur une note différente, je réfléchis depuis peu à ma tendance à «opposer» mes fils, à les trouver tellement différents au lieu de reconnaître à quel point ils sont profondément semblables. Matthew me disait récemment qu'il voit aujourd'hui ses silences antérieurs et son attitude distante dans la famille comme une façon qu'il avait eue de se prémunir contre sa «sensibilité». Tandis qu'il me donnait plus de détails, je fus frappée de penser à quel point ce qu'il disait était vrai. Matthew *était* un enfant délicat et profondément sensible, mais outre qu'il ne voulait pas montrer sa vulnérabilité, peut-être ne voulais-je pas la voir non plus. Comme Ben était tellement ardent dans ses hauts et ses bas, et comme aucune mère ne veut voir souffrir son enfant, j'ai peut-être encouragé la nature apparemment imperturbable de Matthew, son air de dire: «Je ne m'énerve pas pour un rien.» J'étais bien contente de croire Matthew quand, adolescent, il me disait: «Oh, je ne m'en suis jamais fait pour le cancer de papa. Je savais qu'il allait s'en sortir.»

Ce n'est pas tant que je voulais en faire un personnage à la James Bond ni un homme de fer. Je n'ai aucune prédilection pour la «virilité à l'américaine» et, au contraire, cela m'attristait plutôt de voir des garçons élevés à la manière habituelle. Je me rappelle comme si c'était hier le jour où Matthew jouait au soccer dans une équipe de cinquième année et qu'un des joueurs se fit mal au genou lors d'une partie. Le garçon était étendu par terre essayant d'arrêter de pleurer, tandis que l'entraîneur se penchait vers lui en lui disant: «*Pleure pas si tu veux que les filles t'aiment!*», répétant ces mots comme un mantra, encore et encore. La phrase se disait si mal (essayez de la dire tout haut quatre fois de suite) que je ne pouvais m'imaginer ce que l'entraîneur disait à cet enfant de neuf ans en larmes. (Je continue d'entendre dans ma tête «*Pleure pas si tu veux léviter*».) Quand je demandai à l'entraîneur de me décoder ce qu'il disait, je fus abasourdie par le message, bien qu'il fût tout à fait au diapason d'innombrables messages semblables que les garçons se font dire pour s'endurcir, pour nier leur vulnérabilité et pour ne pas demander à d'autres hommes de les réconforter.

Il fut un temps où garçons et filles étaient traités différemment dès leur naissance, mais aujourd'hui cela commence souvent des mois avant, grâce à l'amniocentèse qui permet de déterminer le sexe d'un fœtus de quatre mois. Silverstein rapporte les résultats d'une recherche intéressante montrant que les mères (comme d'ailleurs les pères et les autres membres de la famille) s'adressent plus souvent à un fœtus quand il est de sexe féminin, lui parlent plus souvent en utilisant des surnoms affectueux et en empruntant un langage enfantin et touchent plus souvent le ventre de la mère. Si le fœtus est de sexe masculin, la réaction habituelle est plus minimaliste, du genre: «Hé, comment ça va là-dedans, mon gars?» Ce n'est pas tant que ces différences dans la communication affectent le fœtus, mais elles en disent long sur ce qui s'en vient. On s'étonnerait de voir un entraîneur se pencher au dessus d'une fillette en larmes pour lui dire: «Pleure pas si tu veux que les gars t'aiment.» On serait plus porté à la prendre dans ses bras et à la réconforter, attitude beaucoup plus saine au demeurant.

Les sentiments forment un tout. Vous ne pouvez nier la propension à la douleur et à la vulnérabilité sans nier également la propension à la joie, à l'amour et à l'intimité, pas plus que le fait de nier leur vulnérabilité sert les gens à long terme. Mais personne n'est tout à fait à l'abri des stéréotypes sexuels, et une partie de moi voulait faire comme si au moins un de mes fils pouvait être immunisé contre la souffrance ou pouvait supporter la douleur en silence. Peut-être pensais-je inconsciemment que si mes fils pouvaient faire taire leurs sentiments, ils réussiraient mieux à survivre, surtout si jamais on les envoyait à la guerre, pour tuer ou se faire tuer. La guerre est une affaire d'hommes, et je crois que toutes les mères ayant des fils ont cela en tête.

Est-ce qu'un jour votre gentil petit garçon se fera expédier à la guerre?

Je me revois il y a plusieurs années, participant à un comité de discussion à Kansas City au sujet de la place des femmes dans l'armée. Un orateur distingué présenta un chaleureux plaidoyer pour que l'on maintienne les femmes hors du combat. Il déclara à l'auditoire: «Tout être humain normal devrait trouver insupportable l'idée de voir nos filles, nos sœurs, nos mères jonchant le sol des champs de batailles, mortes et ensanglantées. J'ai moi-même trois filles et une telle image ne me rentrera jamais dans la tête.» J'étais de tout cœur avec lui, mais je ressentais exactement la même chose pour mes fils. Alors je rassemblai tout mon courage pour lever la main et parler.

J'ai deux fils, dis-je, et je ne peux supporter l'idée de les voir jonchant le sol des champs de batailles, morts et ensanglantés. Pourquoi ferait-on moins de cas de mes fils que de vos filles? Que veut dire cette distinction? J'insistai pour dire que le fait de perdre un garçon sur le champ de bataille n'était pas moins tragique que de perdre une fille. Je leur suggérai que si les femmes allaient au front, nous serions peut-être moins portés, en tant que société, à nier l'horreur et le côté inacceptable de la guerre chez tous les peuples.

Un homme que je connaissais vaguement dans l'auditoire s'approcha de moi après la conférence et me dit que la réponse à mes questions se trouvait dans l'évolution biologique. Les mâles ont des millions et des millions de spermatozoïdes; c'est pourquoi les femelles, dont les ovules sont en nombre limité, ont plus de valeur sur le plan de la reproduction. Aussi fait-on moins de cas de la perte de garçons. Je me suis alors souvenu que cet homme avait perdu son fils de sept ans lors d'un accident de tracteur quelques années auparavant, mais je ne lui ai pas demandé si la mort de son fils était plus acceptable à ses yeux étant donné que l'enfant était un producteur de sperme, et donc remplaçable. Je lui fis plutôt remarquer que pour la survie de notre race, il fallait désormais limiter la reproduction et non plus l'encourager.

Je ne pense pas que les mères regardent leurs petits garçons en train de manger leurs céréales ou de faire leurs devoirs en pensant que des hommes plus âgés enverront les plus jeunes s'entretuer sur les champs de batailles. Peut-être ne pensons-nous même jamais à cela. Cependant je suis convaincue que cela influence en grande partie notre conception de la mâlitude et de la virilité. Avez-vous déjà jeté un coup d'œil à un rassemblement d'hommes mûrs dans un aéroport ou un séminaire, ou regardé un comité de spécialistes ou de politiciens à la télévision, et remarqué qu'ils *s'habillent en uniforme?* Oui, c'est vrai.

Je suis à peu près sûre que la moitié féminine de notre espèce ne pourrait jamais se faire convaincre d'aller travailler tous les jours dans l'uniforme terne et monotone du complet-cravate. En fait, si un Martien nous rendait visite aujourd'hui pour observer les différences entre les sexes aux États-Unis, aucune différence ne le frapperait autant que celle qui distingue les vêtements des hommes et ceux des femmes. Même si nous considérons comme «normal» que les vêtements masculins soient aussi semblables, je pense pour ma part que l'absence de couleurs, la rigidité du style et la cravate nouée autour du cou servent à émousser la sensibilité et l'émotivité des hommes et à les préparer à adopter une mentalité militaire. Imaginez, si vous le pouvez, une expérience culturelle au cours de laquelle les hommes et les femmes échangeraient totalement leurs «codes vestimentaires» pendant un an. Après tout, nous sommes assez flexibles quant aux autres aspects des caractéristiques sexuelles. Selon vous, qu'est-ce qui changerait vraiment pour les hommes, les femmes et nos relations réciproques, à la suite d'une telle expérience? Pourquoi les hommes habillés en femmes font-ils si peur aux gens? Pourquoi ne sommes-nous pas plus affolés de voir les politiciens, les grands pontes de notre société et les faiseurs de profits (dont la plupart sont toujours des hommes) s'habiller avec un conformisme si ennuyeux que leurs vêtements ressemblent à s'y méprendre à des uniformes militaires?

❧

Tandis qu'il est question de code vestimentaire, je vais faire une petite digression pour vous faire part d'un renseignement intéressant me venant du livre du sociologue Michael Kimmel, *Manhood in America*. Au cours des premières décennies du XXe siècle, au moment où les vêtements se mirent à être colorés, le rose était la couleur de prédilection pour les garçons, parce que c'était considéré comme «une couleur plus forte et marquée, par opposition au bleu, considéré comme plus délicat et raffiné. Aussi tard qu'en 1939, le magazine *Parents* publiait un article intitulé «Une couleur pour votre bébé?» et suggérant ceci. «Le rouge symbolise la ferveur et le courage, alors que le bleu représente la confiance et la persévérance.» Kimmel fait remarquer que l'on ne sait pas avec exactitude quand les codes de couleurs ont été renversés, mais les premières traditions étaient claires: «Les garçons portent du rose et du rouge parce que ces couleurs indiquent surtout l'intensité et la détermination, et les filles portent du bleu pâle, une couleur plus aérienne, comme le ciel, parce que les filles sont plus volages.»

Mais revenons-en à mon point principal. Je pense que ce qui explique sans doute en partie le fait que je me sois sentie rassurée de voir Matthew silencieux et distant, c'est que je n'aurais pas voulu qu'il soit affecté mentalement si jamais il avait dû affronter les horreurs de la guerre. En fait, je pense qu'il est tout à fait normal que des jeunes gens soient affectés mentalement quand on exige d'eux qu'ils aillent tuer des gens ou se faire tuer, surtout dans des guerres dont ils ne sont pas responsables et auxquelles ils ne croient souvent même pas. Mais il est compréhensible qu'une mère veuille aider son fils à se mettre à l'abri, à plus forte raison si ses fils sont Noirs, car les jeunes Noirs de sexe masculin sont traités dans notre pays comme le groupe d'êtres le plus «remplaçables». En tout cas, je confondais le style détendu de Matthew avec de la force, et le style émotif de Ben avec de la vulnérabilité, et je me trompais dans les deux cas. Entre les deux, c'est souvent Matthew qui a eu le plus de difficulté, prenant à cœur certains événements douloureux, et quelquefois je peux entrevoir en quoi on pourrait le considérer comme le plus sensible des deux.

Élever des soldats et des pourvoyeurs

Je ne crois pas que les mères et les pères élèvent intentionnellement leurs fils pour en faire de petits soldats. Mais si l'on oublie la guerre, chaque mère qui met un enfant au monde ou qui en adopte un vit en sachant qu'elle peut avoir à l'enterrer un jour ou l'autre. En plus du fait qu'elle ne peut empêcher son enfant de mourir, il est également impossible pour elle d'empêcher son enfant de souffrir et de subir les épreuves que la vie comporte inévitablement. Une mère peut donc inciter également sa fille à «s'endurcir» ou à nier sa vulnérabilité. Pour différentes raisons, une mère a souvent beaucoup de difficultés à rester sur son quant-à-soi et à laisser ses enfants vivre leurs sentiments et affronter leurs peines. Peu importe que son enfant soit un garçon ou une fille, cela peut représenter un véritable défi pour une mère que de laisser son enfant exprimer toute la gamme des sentiments humains sans tenter de les nier, de les minimiser ou de les «arranger». Avec les garçons, toutefois, il est particulièrement difficile d'encourager l'expression de sentiments considérés comme «faibles» chez les hommes. Nous voulons que nos fils se sentent bien dans le monde des hommes, qu'ils en fassent partie, qu'ils s'y fassent une place, qu'ils réussissent, réussissent, réussissent. Peut-être en voulons-nous autant pour nos filles, mais nous craignons parfois que nos fils, en particulier, n'y arrivent pas s'ils sont trop «doux», sensibles ou vulnérables.

On encourage les filles à sacrifier leurs ambitions et leurs revenus afin de s'occuper des autres et de voir à leur croissance. On tient le discours contraire aux hommes. Le docteur Rachel Naomi Remen raconte une visite à un cimetière historique où elle trouva par hasard une pierre tombale avec l'inscription suivante: «Ci-gît George Brown, né homme, mort gastro-entérologue.» De toute évidence, il nous faut rechercher un certain équilibre pour que nos enfants valorisent autant l'éducation que les salaires, et que nos fils ne se croient pas sans cesse obligés de prouver qu'ils sont virils, souvent grâce à leur statut social, en dominant les autres et en réussissant sur le plan financier.

J'ai vu mes deux fils se demander quelle allait être leur place dans le monde. Je veux les encourager à se détendre et à suivre leur cœur, mais ce n'est pas toujours facile pour moi. Quand Ben parle sérieusement de s'inscrire à l'université en poésie, sa passion depuis plus de deux ans, je m'inquiète. Arrivera-t-il à bien en vivre? Obtiendra-t-il le respect des autres lorsque, à la question «Qu'est-ce que tu fais?», il répondra qu'il est poète? Je lui rappelle qu'il n'y a pas de travail pour les professeurs d'anglais. Il en rit, disant que son frère, un grand spécialiste en informatique, le fera vivre, ou bien qu'il épousera une femme riche. Je tente de lui suggérer de devenir autre chose. J'essaie de lui rappeler qu'il a remporté les records de tous les temps en art oratoire et qu'il pourrait certainement utiliser ses dons dans une carrière plus sûre, peut-être en droit ou au gouvernement.

Je m'observe. Pourquoi est-ce que je réponds ainsi? Sa cousine Jen est poète et j'ai le plus profond respect pour elle et j'ai tout à fait confiance en *son* choix. Par ailleurs, plusieurs des avocats que je connais vivent une vie tout à fait pénible parce qu'ils travaillent trop. Je sais que les anciens rôles sexuels sont la source de bien des maux, mais une partie de moi continue à s'y accrocher.

Attachez-vous à vos fils

Il est extrêmement important d'essayer de rester liées à nos fils. Nous, les mères, nous faisons dire que les garçons risquent de devenir «efféminés» si nous ne prenons pas nos distances, surtout quand ils sont adolescents. Nous nous faisons dire qu'il faut qu'ils soient autonomes, forts et indépendants pour trouver leur voie dans le monde des hommes. Nous nous faisons dire qu'il ne faudrait pas que les garçons soient comme des filles ou que les fils soient comme leurs mères. Plus tard, nous changeons notre fusil d'épaule en disant: «Hé! Qu'est-ce qui ne va pas avec ces types! Ils sont incapables de s'attacher.»

Silverstein cite un poème de Rudyard Kipling dans lequel celui-ci témoigne d'une vision de la «masculinité» qui, encore aujourd'hui, prédomine dans notre société.

Si ni tes amis ni tes ennemis ne peuvent te faire de mal,
Si tous les gens comptent pour toi, sans qu'aucun ne compte trop;
Si tu arrives à occuper chaque minute difficile
Comme soixante secondes vécues à plein régime
Le monde t'appartient, le monde entier est tien,
Et mieux encore, tu seras un Homme, mon fils! *

Naturellement, ce n'est pas ainsi que les choses se passent. Si vos amis ne peuvent réussir à vous faire de mal et si personne ne compte trop pour vous, alors c'est que vous n'êtes vraiment pas en contact ni avec vous ni avec les autres. Et si vous devez occuper vos moments difficiles «à plein régime», vous ne resterez jamais assez longtemps au

---

* La traduction habituelle de ce poème est d'André Maurois qui a presque réécrit un nouveau poème sur le même thème, tellement son texte est personnel. Voici la version originale anglaise.
If neither foes nor loving friends can hurt you,
If all men count with you, but none too much;
If you can fill the unforgiving minute
With sixty seconds' worth of distance run,
Yours is the Earth and everything that's in it,
And — which is more — you'll be a Man, my son! (NDT)

même endroit pour vous apercevoir que vous n'êtes pas connecté, pas plus que vous ne vous arrêterez pour rechercher l'essence de ce qui compte vraiment pour vous. Si, en tant que mères, nous cherchons à ce que nos fils soient vraiment solides, nous y arriverons en cherchant à maintenir un lien avec eux, et non en nous retirant ou en les encourageant à être différents de nous. De la même manière, il n'est pas nécessaire que les mères célibataires, les mères lesbiennes et toute autre femme chef de famille se trouvent un homme pour servir de «modèle» à leurs fils, même si l'on souhaite évidemment que tous les enfants aient la chance de rencontrer au cours de leur vie plusieurs hommes et femmes bons et inspirants.

Comme le fait remarquer Silverstein, les mères, à toutes fins pratiques, tentent de favoriser le développement masculin de leurs fils en les abandonnant, même si c'est avec les meilleures intentions du monde. Alors si vous pensez que vous élevez un fils à sa maman, et bien tant mieux!

12

Frères et sœurs: supplice et splendeur

Quand j'étais enceinte de Ben, en 1978, j'étais à peu près sûre que mon deuxième enfant serait une fille. Quand je me rendis compte que j'avais tort, mes amis proches présumèrent que je serais déçue, peut-être même très déçue, mais ce ne fut pas le cas. Je me sentais parfaitement heureuse et peut-être même soulagée d'avoir deux fils. Il était évident que les garçons n'étaient «pas moi» et la différence de sexe entre nous m'assurait d'une certaine autonomie, somme toute, sécurisante. Je me disais que notre relation affective serait sans doute moins compliquée et que je risquais moins de revivre les batailles que j'avais moi-même eues avec mes parents et ma sœur. Je me suis également dit: «Des garçons! Super! Ce sera à Steve à leur enseigner tout ce que des gars doivent savoir dans la vie, par exemple comment faire un nœud de cravate ou changer un pneu crevé.» À l'époque, j'avais plus confiance en Steve qu'en moi-même, de sorte que ces notions stéréotypées me rassurèrent temporairement.

Confrontée encore une fois à l'inquiétude d'une maternité, je revins à une pensée extrêmement simpliste, dualiste et même sexiste. Je continuais à ne pas être certaine d'être capable de garder vivant et bien portant cet enfant, quel que soit son sexe, car je n'y étais même jamais arrivée avec une plante d'intérieur. À mon point de vue, c'était déjà assez d'avoir à m'occuper d'un seul enfant. J'étais terrorisée en pensant à tous les détails pratiques auxquels doivent penser les parents, sans compter le fait de devoir, toute sa vie, servir de modèle. D'une façon ou d'une autre, il me semblait plus facile d'avoir des garçons. J'avais l'impression, sans raison logique, qu'un deuxième garçon me rendrait moins imposantes les responsabilités qui allaient de pair avec la vie d'une nouvelle personne – et les imposantes responsabilités n'étaient pas vraiment mon genre. De plus, je ne pouvais m'empêcher de penser aux petits avantages économiques qui surviendraient du fait d'avoir deux fils, comme le recyclage de tous les vêtements de Matthew devenu trop grand pour continuer à les porter.

Il y avait aussi la question des relations entre mes deux fils. Lors du jour magique de la naissance de Ben, je me retrouvai soudain avec deux fois plus d'enfants que la veille et, de façon tout aussi miraculeuse, chacun d'eux se retrouvait avec un frère. Je me les représentais en train de jouer ensemble, compagnons, amis, et âmes sœurs pour la vie, chacun ayant de l'autre une compréhension riche, tissée en profondeur, comme seuls deux enfants de même sexe peuvent partager. Tandis que je voyais Matthew, qui avait alors trois ans et neuf mois, scruter son petit frère nouveau-né de presque 10 livres (dont le poids semblait surtout avoir été réparti sur les joues et le menton), je sentais, à ce moment-là, que ma vie était parfaite.

Si mon deuxième enfant avait été une fille, ma logique aurait pris un tour différent, quoique tout aussi favorable. J'aurais certainement eu l'impression que c'était là l'arrangement idéal, que j'avais beaucoup de chance d'avoir un fils et une fille. J'aurais étudié le lien mère-fille, riche de possibilités, favorisant une intimité et des affinités exceptionnelles, et je me serais délectée du bonheur d'avoir sous la main la constellation des gémeaux. Le fait d'être élevé avec un enfant du sexe opposé constitue le meilleur contexte possible pour que garçons et filles se développent tout en s'encourageant mutuellement à être sûrs d'eux, authentiques et souples.

Bien sûr, si j'avais été la mère de deux filles, j'en aurais également conclu que c'était là ce qu'il y avait de mieux dans le meilleur des mondes, surtout parce qu'entre deux sœurs, il se développe très souvent un lien extrêmement étroit, où chacune a beaucoup d'attentions pour l'autre, même dans le grand âge. En réalité, la constellation «idéale» de frères et sœurs n'existe pas ni même une «meilleure» que d'autres, quoique certains parents puissent avoir leurs préférences bien déterminées.

Tandis que j'imaginais mes deux petits chérubins s'entourant mutuellement d'un amour fraternel, je me souvins à un certain moment qu'il pouvait aussi y avoir de terribles chicanes entre deux frères ou entre deux sœurs. Bien sûr, un frère et sa sœur peuvent également vivre des conflits, mais en général la compétition est moindre quand le sexe est différent, étant donné que chacun a tendance à avoir sa «sphère», pour parler en ces termes. Certains parents échelonnent délibérément sur de longs intervalles la naissance de leurs enfants, pour se faciliter la vie et pour éviter à leurs enfants la violence de la jalousie et des autres irritants qui règnent souvent entre enfants d'une même famille. Mais ce qui est gagné est également perdu, puisqu'un enfant né plus de cinq ans avant le suivant adopte souvent une attitude plus proche de celle d'un parent que de celle d'un égal face au plus jeune. Cela dit, il n'y a pas «une» bonne disposition qui conviendrait à toutes les familles, pas plus que la nature ne coopère nécessairement avec nos plans, même les mieux préparés.

Les disputes entre enfants d'une même famille

Quand surgissent des chicanes entre les enfants, bien des parents font l'erreur de trop réagir. En voulant arranger les choses, il nous arrive d'intervenir trop intensément et trop rapidement, sans donner à nos enfants la place qu'il leur faut pour faire l'expérience du conflit, résoudre leurs problèmes et se retrouver face à leur peine. Ou bien nous faisons le contraire, et nous omettons d'intervenir quand ce serait le temps de le faire. Cela dit, non pas pour critiquer ou provoquer un sentiment de culpabilité, parce que tous les gens normaux réagissent trop ou pas assez quand ils sont sous tension, ou encore ils jouent au yo-yo, passant sans cesse d'un extrême à l'autre. Cela nous rappelle que c'est là, justement, que réside le mythe de la «bonne maman», et que les mères doivent résister à leur tendance au perfectionnisme. Mais en même temps, il est bon de reconnaître notre style ou notre «tendance à nous tromper», de sorte que nous pouvons observer et modifier nos façons habituelles de fonctionner sous le stress.

Pour ce qui est des conflits entre enfants, j'ai fait quant à moi des erreurs magistrales du côté de l'excès de distance. Tout n'était pas mauvais dans cette attitude, car lorsque les parents s'enlèvent du chemin et s'occupent de leurs affaires d'adultes, cela laisse plus d'occasions aux enfants de se développer à leur manière. Cependant, il m'arrivait de rester en dehors de leurs conflits dans des circonstances où j'aurais dû m'en mêler, pour leur bien, mais je ne savais absolument pas comment intervenir.

J'étais particulièrement à court d'idées quand mes fils se chamaillaient dans l'auto, alors qu'il m'était impossible de les envoyer chacun dans leur chambre. En général, Steve s'en mêlait dès que Ben embêtait Matthew, ou lui donnait un coup, ou défaisait sa ceinture de sécurité. Nous leur disions de garder leurs mains à leur place et de n'autoriser aucune partie de leur corps et aucun objet à traverser la frontière imaginaire séparant le siège arrière en deux. Mais invariablement, on entendait bientôt Matthew s'écrier: «Papa, Ben me talonne! Dis-lui d'arrêter!»

Ben semblait provoquer la chicane environ 9 fois sur 10. Steve, en accord avec nos principes familiaux, évitait le jeu du «qui-a-commencé» et tentait de tenir les deux garçons responsables d'avoir participé à l'escalade de la chicane.

D'abord, il disait calmement quelque chose comme: «Les garçons, c'est impossible pour moi de conduire prudemment avec tout ce bruit. S'il vous plaît, arrêtez immédiatement.»

Ensuite il disait: «Je veux le silence total, *tout de suite,* et j'insiste, le silence *total!* Si j'entends un mot de la part d'un seul de vous deux, ça va aller très mal!»

Ensuite venait un avertissement: «J'arrête la voiture sur le bord de la route immédiatement si vous n'arrêtez pas de vous battre à l'instant même!» Et aussi: «Dès que nous allons revenir chez nous, je vous enferme tous les deux dans votre chambre pour le reste de la journée.»

Mais l'approche de Steve ne fonctionnait pas. D'abord, à toutes les 15 minutes il menaçait d'arrêter la voiture sur le bord de la chaussée et il ne l'a fait probablement qu'une seule fois en tout. Ensuite, les sommations qu'il faisait aux garçons étaient trop nombreuses et se rapportaient à un moment trop lointain pour qu'il réussisse à les mettre facilement à exécution; elles restaient donc lettre morte.

J'étais encore moins efficace. Habituellement, je ne faisais pas attention aux garçons et je laissais Steve s'en occuper. Ou je disais quelque chose du genre: «Hé, les gars, c'est assez!» Et ensuite, après l'avoir répété plusieurs fois sur tous les tons, j'étais totalement découragée de voir qu'ils ne m'écoutaient toujours pas. Le fait que nos fils soient devenus amis plus souvent qu'ennemis ne tient probablement pas à notre imagination débordante.

Il m'a fallu également beaucoup de temps d'abord pour reconnaître que tout cela constituait une danse à laquelle participaient les deux garçons, et ensuite pour arrêter de toujours voir Ben comme le provocateur. En période de stress et dans ses contacts avec les gens, le style de Matthew consistait à s'éloigner des autres, alors que le style de Ben consistait à s'en approcher. En tant que frère cadet, Ben s'apercevait très bien qu'il ne retenait pas l'attention et l'intérêt de Matthew, alors, en lui sautant au visage ou en envahissant son territoire, il s'assurait au moins d'avoir une réaction. Ce n'est pas tant que le fait de s'éloigner, à la Matthew, fut «meilleur» que le fait de s'avancer, à la Ben, car cela occasionnait souvent des batailles physiques. Mais je trouvais le style de Matthew vraiment plus facile à vivre, de la même manière qu'il est plus facile d'avoir un enfant qui absorbe son angoisse en faisant de l'ordre et du ménage de façon obsessionnelle et compulsive, qu'un autre qui se met à piquer des crises de nerfs dans les lieux publics.

❧

Comme tous les parents, j'avais contribué à la danse des deux garçons. Quand les enfants ne s'entendent pas bien entre eux, il est bon d'observer la relation des parents avec chacun des enfants. C'était surtout durant les périodes où Ben pensait que je préférais Matthew qu'il provoquait Matthew. De temps en temps, il passait un commentaire comme: «Tu aimes mieux Matt que moi.» Quand je lui demandais de m'expliquer pourquoi il disait cela, il me répondait que Matthew avait le droit de tout faire parce que Steve et moi ne nous demandions pas de quoi il était capable. Même si, à mon sens, cela n'avait rien à voir avec l'intensité de l'amour, Ben n'avait pas tout à fait tort.

Pendant ses trois premières années de secondaire, Matthew occupait une vaste mansarde au troisième étage de notre grande maison du Kansas. Steve et moi ne nous hasardions pas souvent dans les escaliers qui menaient jusque-là, et le fait que Matthew fut non seulement diplomate, mais également hors de notre vue, renforçait ma tendance à ne pas faire attention à lui. Matthew ne nous défiait pas, ou sans doute le faisait-il mais nous ne le savions pas. Ben, en revanche, était un livre ouvert et selon son style de vrai «benjamin», il provoquait constamment et fortement l'autorité dès qu'il la considérait comme arbitraire ou injuste. Sa chambre était juste à côté de la nôtre, au deuxième étage, un de nos murs étant mitoyen, de sorte que même sur le plan de la structure de la maison, tout était en place pour créer trop de distance avec Matthew et trop d'intimité avec Ben.

Environ à l'époque où Ben devint adolescent, Steve me fit remarquer que mon attitude envers les deux garçons était différente et disproportionnée. Je m'en faisais trop pour Ben et pas assez pour Matthew. Je me concentrais trop sur les forces de Matthew et sur les faiblesses de Ben. J'avais tendance à être trop émotive avec Ben et trop froide avec Matthew. Quand j'étais inquiète, je m'imaginais Matthew réussissant facilement dans la vie et Ben ayant de la difficulté. J'avais tendance à ignorer les données qui contredisaient ce portrait de la situation. Je ne voyais pas non plus que le style de «réussite facile» de Matthew pouvait entraîner des problèmes et que le style de Ben, avec sa manière d'être aussi expressif, pouvait comporter des avantages.

Chaque membre de la famille influence chaque autre membre de la famille et, jusqu'à un certain point, les enfants s'offrent très spontanément pour jouer le rôle qui leur est dévolu. Les enfants viennent au monde avec un code d'ADN qui leur est propre et qui façonne leur personnalité et leur tempérament, et qui influence les étiquettes qu'ils recevront dans leurs familles: le gêné, le créatif, le rebelle ou le modérateur. En plus, les parents font énormément de projections; en d'autres termes, nous voyons dans nos enfants les parties de nous-mêmes que nous aurions souhaité exploiter ou celles qui nous ont fait peur, qui ont échoué ou que nous avons reniées. Nous confondons nos enfants avec nous-mêmes et avec d'autres membres de notre famille. La projection d'une mère peut prendre la forme d'un commentaire («Jean est tellement irresponsable, exactement comme son père!»), ensuite d'une prescription, et enfin d'une prédiction qui se réalise. Nos enfants peuvent devenir ce que nous racontons à leur sujet.

Les problèmes de frères et sœurs qui nous viennent de notre famille d'origine ressortent également avec nos enfants. Quand Ben, qui a la même position que moi dans la famille, m'accusait de favoriser

Matthew (qui partage la position de ma sœur Susan), c'était en quelque sorte un gros drapeau rouge qu'il agitait devant mes yeux, parce que c'est exactement ce que je ressentais quand j'étais petite. Comme résultat, je commençai à observer plus attentivement ma réaction face à chacun de mes fils et ma manière de parler d'eux devant les autres. J'eus l'impression que je pouvais, involontairement, répéter les modèles de mon passé si je n'y prenais pas garde. Et ce n'est là qu'une parcelle de la toile de fond qui anime une situation beaucoup plus vaste, s'étalant sur plusieurs générations.

Ce qui nous reste de notre position dans la famille

S'il y avait une différence de cinq ans entre ma sœur Susan et moi, ce n'était pas par la volonté de ma mère. (J'adore le proverbe yiddish qui dit «Si tu veux faire rire le bon Dieu, dis-lui quels sont tes plans.») La seconde grossesse de Rose, au moment où Susan avait trois ans, s'était terminée par une fausse couche et les femmes à cette époque se faisaient dire d'attendre au moins six mois avant d'essayer de concevoir à nouveau. Susan et moi ne nous sommes pas beaucoup disputées, à ce que je peux me rappeler, mais avec la grande différence d'âge qu'il y avait entre nous, nous n'avons pas non plus grandi avec cet esprit de camaraderie qu'ont connu mes fils en grandissant.

Susan aidait ma mère, elle donnait de la fierté et de la joie à mon père, et agissait en enfant modèle. Je ne faisais rien de tout cela. Susan, en aînée typique, vivait son angoisse en étant hyperactive alors que moi, en cadette typique, je la vivais en étant paresseuse. Au cours des moments difficiles de la vie familiale, comme lorsque ma mère reçut un diagnostic de cancer quand j'avais 12 ans, nos positions devinrent très contrastées et sans appel. Comme je l'ai décrit dans mon livre *The Dance of Intimacy,* je devins aussi mauvaise que Susan était bonne, et vice versa. Par exemple, Susan, étudiante en première année au Barnard College, faisait des trajets quotidiens de plusieurs heures en métro pour pouvoir être à la maison tous les soirs et faire ce qu'il fallait étant donné que ma mère était devenue invalide. Elle faisait à manger, nettoyait, repassait, et faisait tout le nécessaire sans jamais se plaindre. Si elle était fâchée devant l'ampleur de la tâche ou inquiète au sujet du diagnostic de ma mère, elle n'en laissait rien paraître et ne se l'avouait pas. En revanche, j'exprimais assez d'émotions pour la famille en entier, faisant des scènes pour obtenir des vêtements que mes parents ne pouvaient m'offrir et chambardant toutes les choses à mesure que Susan les nettoyait et les remettait à l'endroit. Chacune de nos positions maintenait et renforçait celle de l'autre.

Il est quand même intéressant de noter que ma mère a toujours attribué sa survie à mon comportement problématique. Dès qu'on lui demande comment elle s'en est sortie (à l'époque de son diagnostic, on lui avait donné seulement un an à vivre), elle répond: «Oh, je ne pouvais pas mourir à cette époque. Harriet avait trop besoin de moi. Elle était tellement désorientée qu'elle foutait le bordel partout!» Elle avance cette réponse comme si cela était parfaitement logique et ne méritait aucune explication supplémentaire, et elle m'a souvent dit que c'était pour mon bien qu'elle avait lutté et triomphé de son cancer.

Je ne veux pas dire ici que mon dérèglement a permis à ma mère de survivre. Je ne suis pas convaincue que la volonté de vivre ou l'esprit de combat assurent la survie – tout en admettant que ce sont là des attitudes saines. Toutefois, j'avais 12 ans et je croyais d'une certaine façon qu'il me fallait aider ma mère à rester en vie et bien portante en «foutant le bordel» à la maison, de la même façon que Susan croyait qu'il lui fallait préserver l'intégrité de la famille en étant bonne, la fille responsable qui ne cause de problèmes à personne et qui ne se montre pas du tout perturbée. À cette époque, on ne prononçait pas le mot *cancer* et il n'y avait pas de ressources autour de nous pour nous aider à parler de ce qui se passait. Un comportement difficile et odieux peut refléter la tentative d'un enfant pour résoudre un problème dans la famille ou pour garder un parent à flot. Je suis restée «désorientée» tant que je n'ai pas eu l'impression que ma mère était hors de danger.

Les rôles familiaux

Une partie importante de mon rôle dans la famille consistait à être l'intellectuelle. Du plus loin que je me souvienne, Susan était la star, elle rayonnait aux yeux de mon père, plus resplendissante que la vie elle-même. Même quand je me suis mise à avoir des formes, ce qui arriva lors de ma première année à l'école secondaire, mon rôle de pauvre intellectuelle persista. Je n'allais pas dans des écoles prestigieuses, au contraire de Susan, et jamais on ne collait dans les vitres de l'auto familiale les décalques des écoles où j'allais à côté des décalques de grandes écoles où Susan était inscrite, comme Barnard, Yale et Stanford. Susan devint dentiste. Je devins une «bonne écouteuse» (c'est-à-dire une psychologue). Mon père n'a jamais été mal à l'aise de montrer sa préférence pour Susan, et il faut dire qu'il n'a jamais non plus été reconnu pour sa subtilité.

Les rôles dans la famille peuvent être coulés dans le ciment. Un jour, je rendis visite à mes parents à Phœnix, à peu près à l'époque où mon premier livre, *Le pouvoir créateur de la colère,* prenait place parmi les best-sellers et était abondamment commenté dans les médias. Chaque semaine, j'avais envoyé à mes parents des coupures de presse tirées de différentes sources, allant du *National Enquirer* jusqu'au *New York Times*. J'avais même été invitée à l'émission de Phil Donohue. À cette époque précisément, Susan avait des problèmes professionnels et les choses étaient difficiles pour elle. Mon père se vantait de mes réussites devant une de ses connaissances pas du tout intéressée et il termina sur la note suivante, totalement gratuite: «Harriet est intelligente, mais vous devriez connaître mon autre fille, Susan. Elle est vraiment brillante.»

Par le passé, j'aurais voulu le mordre ou, dans mes moments plus réfléchis, je lui aurais passé une remarque sur son manque de subtilité. Mais cet après-midi-là, je lui dis, un peu plus tard, sur un ton chaleureux: «Tu sais, papa, j'ai l'impression que même si je gagnais le prix Nobel, je resterais toujours à tes yeux des milles et des milles derrière Susan.»

La réponse de mon père fut prosaïque. «Et bien, oui», dit-il. «Je pense que c'est vrai.»

«Comment vois-tu cela?», lui demandai-je. À ce moment précis, je ne ressentais qu'une authentique curiosité.

«Et bien», expliqua-t-il, «si tu gagnais un prix Nobel, ce serait parce que tu excelles dans un domaine en particulier. Mais Susan brille dans tous les domaines. Je pense que personne n'est aussi brillant que Susan.»

❧

Ma mère n'était pas du côté de mon père quand il définissait ainsi Susan, purement et simplement, sans aucune retenue, comme la personne la plus brillante de cette planète. Mais pour ma mère aussi, il y avait quelqu'un qui faisait l'objet d'une admiration sans borne – un personnage plus grand que nature, son jeune frère Bo.

Je n'ai pas de mots pour évoquer la profondeur de l'amour et de l'adulation que ma mère portait à son seul frère qui, en 1979, tandis qu'il changeait un pneu au bord du chemin, fut tué par un chauffard. Bo avait 57 ans et allait être grand-père. Je vivais à Berkeley quand ma mère me téléphona pour m'annoncer la tragédie. Elle disait que cela aurait dû lui arriver à elle, oui, mais pas à Bo.

Pas à Bo, non seulement parce qu'elle l'aimait, mais aussi parce qu'elle le trouvait tellement extraordinaire. Dans la famille de ma mère, Bo brillait d'un éclat particulier, et on lui avait réservé toutes les maigres ressources familiales pour qu'il fasse des études. Il avait tenu à ses principes pendant le maccarthysme, risquant non seulement son emploi (qu'il avait perdu), mais aussi sa sécurité personnelle. Plus tard, en tant que pionnier en éducation sexuelle et autres causes libérales, il avait contribué grandement au bien-être de la société par son travail et ses écrits. Mon oncle Bo était un homme assez taciturne et je ne l'ai pas vraiment connu lors de nos rencontres familiales. C'est plutôt par le regard de ma mère que je l'ai perçu comme un homme d'une intelligence remarquable et sans égal, très intègre et courageux, qui avait toujours fait ce qu'il fallait et que tout le monde aimait.

À un niveau inconscient, j'ai grandi en pensant que je devais *être* Bo, ou *l'épouser,* ou lui *donner naissance*. Peut-être ai-je essayé de faire un peu des trois. Il est intéressant de noter que Matthew est né prématurément le jour anniversaire de Bo. Son nom est Matthew Rubin Lerner, le «Rubin» étant là en mémoire de Bo, dont le nom était Isadore Rubin. Ma mère et ma sœur me disent toutes deux combien Matthew leur fait penser à Bo, ce que je pense aussi, bien que j'aie à peine connu mon oncle.

L'intense admiration de ma mère pour Bo était plus complexe et profonde que l'idéalisation de mon père pour Susan, mais je crois que cela n'a pas eu moins d'impact sur notre vie familiale. Mon père n'arrivait pas à la cheville de Bo; il ne pouvait même pas espérer entrer en compétition avec lui. Selon ma perception actuelle de la situation, il y avait sans doute un lien entre ces deux triangles familiaux enchevêtrés: le triangle formé de ma mère, de mon père et de Bo, et le triangle formé de mon père, de ma sœur et de moi. Dans ces triangles, mon père et moi étions compagnons d'infortune. Susan et Bo étaient des stars.

Avec mes enfants, à un certain moment donné, j'ai commencé à confondre Ben avec moi et à mettre Matthew dans la catégorie des enfants «exceptionnels». Par conséquent, je négligeais soigneusement les difficultés que Matthew vivait en silence, alors que j'avais les yeux rivés sur le «bordel» de Ben, ou sur ses faiblesses, minimisant l'importance de ses dons plutôt remarquables. J'ai finalement réussi à éviter de me retrancher derrière ces perceptions, grâce au travail que j'ai entrepris pour analyser ma famille d'origine, y compris ma famille élargie, ce qui me donna une perspective plus objective et équilibrée pour comprendre d'où je venais. Bien sûr, il m'arrivait encore quelquefois de perdre toute objectivité et tout équilibre, ce qui s'est passé d'ailleurs durant la période où je me chamaillais sans cesse avec Ben au sujet du ménage. Mais de façon générale, ces «lunettes» plus larges contribuèrent à me donner un point de vue plus objectif et à me prendre moi-même «en flagrant délit» dès que la perception que j'avais de mes fils avait plus à voir avec moi-même et avec l'histoire de ma famille qu'avec eux.

Des failles dans les anciens rôles

Et oui, il arrive qu'il change, même le plus rigide des rôles joué dans sa famille. Quand Matthew eut sa bar-mitsva en juin 1988, ma famille se rassembla pour la première fois dans une synagogue: ma mère, mon père, Susan et moi-même. Comme mes parents étaient allergiques aux cérémonies religieuses, je fus surprise de voir à quel point ils trouvaient cette journée importante. Peut-être, en réalité, ne faut-il rien prendre à la lettre. Le changement, bien qu'il soit lent, survient toujours, même pendant que nous nous accrochons à nos vieux rôles.

Nos familles étaient réunies la veille du grand événement, lorsqu'un membre de la parenté de Steve louangea mon travail. Sans passer à côté de l'occasion, mon père commença à expliquer combien ma sœur était d'une intelligence incomparable, laissant entendre que je ne lui allais pas à la cheville. Ceux et celles qui ne connaissaient pas notre famille étaient mal à l'aise et restaient interdits devant ses commentaires faits à mes dépens, mais pour moi, c'étaient là de vieilles rengaines. Je savais que mon père m'aimait et qu'il était fier de moi. Il ne faisait que répéter son vieux baratin.

Le lendemain matin au temple, quelques instants avant le début de la cérémonie de bar-mitsva, mon père me fit signe de venir le rejoindre. Bien que mon père n'ait fait que des études secondaires, il avait une manière de s'exprimer très distinguée, presque professorale. Il n'était jamais enclin à exprimer directement ses émotions.

«Harriet», dit-il, «hier soir je n'ai pas pu dormir. Au lieu de cela, je me suis retrouvé en train de réfléchir et de méditer sur plusieurs faits de ma vie.» Il s'arrêta et s'éclaircit la gorge. Je ne pouvais me douter de ce qui s'en venait.

«Une des choses auxquelles j'ai réfléchi», continua-t-il, «c'est le commentaire que j'ai fait hier soir sur toi et sur Susan. Je me suis juré de ne plus jamais refaire cela.» Soudain, mon père se mit à trembler et à pleurer. «Je regrette tellement», dit-il entre deux sanglots. «Je regrette tellement.» Je pris mon père dans mes bras et lui dis que je l'aimais. Ses excuses furent très appréciées, même si je n'en avais plus besoin.

Mon père m'avait amplement montré qu'il m'aimait par le fait même de sa présence à la bar-mitsva. Il avait presque 80 ans et sa santé était faible, il avait voyagé même si les médecins le lui déconseillaient. Tout le monde savait que c'était trop pour lui, mais il avait été inébranlable dans sa décision de mobiliser tout ce qui lui restait d'énergie et de force pour faire le voyage à Topeka. Mon père s'écroula moins d'une semaine après son retour à Phoenix et fut placé dans une maison de soins après avoir été hospitalisé. Il ne retourna jamais chez lui, une situation qui serait sans doute arrivée de toutes façons, mais qui a été hâtée par cet épuisant voyage. Je suis heureuse que mes parents aient vécu assez longtemps pour que je puisse mieux les connaître et que nous ayons pu apprendre, tous, qu'il y a plus d'une façon d'être star — et qu'il y a moyen d'avoir plus d'une star dans une même famille. Voilà l'héritage que je veux laisser à mes fils.

13

Vos enfants pourront-ils encore se parler dans 20 ans?

Je veux que mes fils s'aiment pour le reste de leurs jours. Plus encore, j'espère qu'ils s'aideront quand ils auront besoin l'un de l'autre, même si je suis sûre qu'il y aura des moments où l'un d'eux pestera contre l'autre, sera frustré ou simplement déçu par l'autre. Je veux qu'ils restent en contact, qu'ils se respectent mutuellement, que leur cœur reste ouvert et qu'ils continuent d'être capables de communiquer entre eux.

J'adorais ma grande sœur quand nous étions enfants. Quand Susan me demandait de lui «baiser les pieds» en retour d'un service rendu, je le faisais avec plaisir. Et quand elle me disais que j'aurais un bouton ou une tache dans le visage si je ne faisais pas ce qu'elle voulait, je m'attendais à voir mon visage bourgeonner le lendemain quand je me regardais dans le miroir, et c'est d'ailleurs ce qui arrivait parfois. Ce n'est qu'après que nous ayons toutes deux laissé la maison que j'ai commencé à avoir une vision plus juste de Susan (et de moi-même). Nous sommes devenues bonnes amies une fois adultes, quand la différence de cinq ans entre nous cessa d'avoir de l'importance. Avec le temps, notre relation s'équilibra, Susan acceptant plus volontiers de me montrer ses faiblesses et moi, capable plus aisément de lui montrer mes forces. Au fil des années, nous avons eu l'occasion d'apprécier la compagnie et la conversation l'une de l'autre, et nous continuons à nous parler de nos souvenirs communs comme seules deux sœurs peuvent le faire. Jusqu'en 1991, je dirais que les choses se passaient bien entre nous.

En 1991, nos deux vieux parents, âgés de 84 ans à l'époque, déménagèrent de Phoenix à Topeka pour se rapprocher de moi et de ma famille. Le fait de voir mon père dégénérer à l'état végétatif et ma mère confrontée aux épreuves du vieillissement fut l'une des expériences les plus éprouvantes de ma vie d'adulte. Avant que nos parents ne déménagent, j'étais capable de goûter en toute simplicité la compagnie chaleureuse et spirituelle de Susan et d'apprécier sa merveilleuse hospitalité quand j'allais chez elle à Cambridge. Nous pouvions toutes deux aller rendre visite à nos parents à Phoenix quand cela nous plaisait, et ils n'exigeaient à peu près rien de nous. Il ne nous était jamais venu à l'esprit, à Susan et à moi, que l'une d'entre nous pourrait finir comme soutien principal de nos parents quand ils seraient vieux, surtout du fait que notre mère, Rose, avait deux sœurs vivant près de chez elle à Phoenix.

Durant les années qui ont suivi le déménagement de nos parents à Topeka, il m'arrivait de me sentir complètement abandonnée par Susan. J'avais peur de la voir déserter le navire et disparaître si je ne courais pas après elle et si je n'insistais pas pour qu'elle s'occupe de nos parents. D'autres fois, elle agissait unilatéralement, sans me consulter, sur des sujets importants par rapport à Rose. Dans les deux cas, j'avais l'impression que nous ne formions pas une véritable alliance. Je réagissais très mal, car je me demandais vraiment comment je m'en tirerais devant le déclin progressif de nos parents. J'avais peur que ma relation avec Susan ne vole en éclats au moment même où il m'importait plus que jamais que nous soyons unies.

Quand je me sentais abandonnée et que j'avais l'impression que personne ne m'écoutait, je me disais que nous étions peut-être en train d'agir conformément à nos anciens rôles familiaux, fidèles au fait que l'on avait beaucoup attendu de Susan et peu de moi, mais cette fois, à l'inverse. J'avais l'impression que Susan voulait renverser la vapeur, même si je ne la soupçonnais pas de le faire consciemment. Bien sûr, elle avait fait beaucoup plus que sa juste part quand nous étions à la maison. En outre, elle venait à peine de se marier pour la première fois, à 50 ans, et j'imagine qu'elle tenait à bien vivre cette nouvelle étape dans sa vie, ce qui était tout à fait compréhensible. Pour ma part, à cause de mon ancien rôle de «petite sœur irresponsable», j'avais encore plus de difficulté à accepter de bonne grâce mes nouvelles responsabilités dans la famille quand je me sentais seule à les assumer. Quelquefois j'étais fâchée contre Susan, de façon irrationnelle, simplement parce qu'elle habitait trop loin, et je l'enviais autant que je lui en voulais de faire si facilement la sourde oreille. En plus, je ne prenais pas en considération le malaise que devait ressentir une fille aînée se retrouvant soudain en dehors de la «scène du dévouement». En plus, après avoir entendu toute ma vie mon père idéaliser Susan, j'étais certes un peu rebutée à l'idée d'être celle à qui il s'accrochait maintenant. Mais le véritable fond de l'histoire, c'est que j'avais besoin de Susan. Je ne pouvais vivre cette nouvelle phase de ma vie sans elle, même si Steve était là sans relâche pour moi et pour mes parents, aussi bien au chapitre des sentiments que des questions pratiques.

Je continuais à dire à Susan ce que j'attendais d'elle, même si j'avais l'impression d'être comme un mauvais disque qui saute quand je lui courais après pour qu'elle prenne le téléphone ou l'avion. Je n'étais pas toujours dans mes humeurs les plus affables et je ne faisais pas toujours preuve de maturité. Mais elle tint bon avec moi, et je lui en suis extrêmement reconnaissante. Ces jours-ci, nous allons beaucoup mieux. Elle est vraiment présente pour moi et pour notre mère, et je pense que nous sommes sorties de cette épreuve plus proches que jamais l'une de l'autre. Chaque fois que je suis inquiète, je recommence à me sentir malheureuse à l'idée que Steve et moi sommes les seuls membres de la famille à voir à la situation. Dans des moments plus calmes, je reconnais les circonstances pour ce qu'elles sont, c'est-à-dire extrêmement complexes, et je prends conscience de la chance que j'ai d'être là pour ma mère pendant cette dernière phase de sa vie et du bonheur que j'ai de l'avoir à mes côtés.

❧

Au cours de cette période tourmentée, j'ai eu l'occasion de beaucoup réfléchir à la grande importance des relations entre frères et sœurs. À moins d'un décès prématuré, les enfants d'une même famille partagent les souvenirs les plus anciens, des souvenirs qui commencent à l'enfance et finissent à la vieillesse. Si les choses vont bien, les enfants peuvent être indispensables les uns pour les autres, surtout quand il y a un parent souffrant ou mourant, un divorce, une maladie ou toute autre crise. Si les choses vont mal, une relation entre frères et sœurs peut devenir très douloureuse. Souvent, les problèmes non résolus chez les enfants d'une génération sont refilés à la génération suivante. Disons, par exemple, que Susan et moi n'étions jamais arrivées à devenir des alliées responsables dans l'aventure de «qui prend soin des parents âgés». Supposons qu'après la mort de nos parents, il y ait du ressentiment et de l'amertume, culminant quand il serait question de «qui prend quoi». Il ne faudrait pas se surprendre alors si mes deux fils trouvaient que le problème des «parents vieillissants» est un sujet lourd à affronter un jour dans leur vie.

L'équité

Nous, les mères, ne pouvons décider comment nos enfants finiront par se sentir l'un envers l'autre, pas plus que nous ne pouvons arranger les choses quand il y a de la tension ou de la distance entre eux. Mais au départ, nous avons une certaine influence sur l'avenir de la relation que nos enfants entretiendront entre eux. La manière dont nous vivons nos relations avec nos frères et sœurs est peut-être la variable la plus importante à ce sujet, étant donné que c'est comme un moule que nous leur transmettons. Aussi, nous remettons à nos enfants tout ce qui reste en suspens dans notre famille d'origine; rien n'est donc plus utile, et pour tous, que le travail que nous faisons à ce chapitre. Plus nous atteignons l'équilibre et l'objectivité au sujet de la famille d'où nous venons, plus il est possible de guérir nos vieilles colères et nos vieilles blessures, et plus nous serons équitables dans notre façon de percevoir et de traiter nos enfants.

L'«équité» est essentielle pour préparer le terrain de la bonne entente entre les enfants. Les enfants ont un sens de la justice incroyablement développé dans une famille, et ils remarqueront la moindre inégalité, aussi subtile soit-elle, comme le fait qu'un parent rie toujours plus aux farces de leur frère ou semble plus ému devant les déceptions de leur sœur. Bien que les enfants invitent naturellement leurs parents à se mêler de leurs conflits («Maman, Jean me prend mon jeu de cubes!»), ils ne réagissent pas bien quand les parents prennent parti dans leurs disputes et leurs querelles, surtout parce qu'aucun parent ne peut vraiment se faire une idée de la contribution respective (et parfois invisible) de chaque enfant. Certains parents ont le réflexe d'intervenir dans les conflits entre enfants en tenant toujours le même enfant responsable d'avoir «commencé»: «Jean, je t'ai vu arracher le cube de ton frère. Pourquoi as-tu fait ça? Va dans ta chambre!» En règle générale, les enfants s'entendent mieux quand les parents ne tentent pas de savoir qui a causé le problème et qu'ils obligent plutôt les deux enfants à le résoudre et à se calmer: «Si vous n'êtes pas capables, ensemble, de trouver moyen d'arrêter la chicane, je vous enlève le jeu de cubes à tous les deux.»

❧

Je n'ai pas besoin de vous dire que si vous voulez éviter d'encourager vos enfants à avoir des relations antagonistes et conflictuelles entre eux, il est bon d'éviter les démonstrations flagrantes de favoritisme. Vous ne faciliterez pas vraiment les relations futures de vos enfants en disant à votre nouveau voisin: «Bonjour! J'aimerais bien que vous fassiez connaissance avec ma belle Catherine, c'est une enfant tellement intelligente, talentueuse et sociable, c'est la meilleure dans la famille. Et, oh oui, c'est vrai, voici Donald, son frère aîné quelque peu stupide, maladroit et repoussant, qui me rappelle énormément son rustaud de père, un irresponsable dont j'ai divorcé il y a six ans et que je ne peux toujours pas supporter.» La plupart des mères savent ne pas dire de pareilles choses en public, même si elles ne peuvent s'empêcher de les penser.

Il est normal pour n'importe quelle mère de réagir différemment face à chacun de ses enfants, en plus du fait que chacun peut avoir un tempérament plus ou moins facile ou difficile. Tout d'abord, il y a la question du rang dans la famille. Par exemple, il est prévisible qu'une mère née comme moi la deuxième (la plus jeune de deux sœurs), et qui a deux fils, ait une relation plus coulante avec l'aîné et plus crispée avec le cadet. (J'ai souvent dit à Ben, pour calmer ses doutes: «Oui, je trouve ton frère plus *facile,* mais non, je ne l'aime pas plus.»)

Il est également courant de voir des mères exprimer plus d'enthousiasme envers un enfant qui a des qualités qu'elle (la mère) aurait aimé avoir mais qu'elle considère comme étrangères à sa nature. Catherine avait été enfant unique et avait passé sa vie en butte à la timidité et à la solitude. Maintenant qu'elle est mère, elle trouve une joie évidente à avoir une fille cadette exubérante, au tempérament libre, sociable et aventurier, et qui n'aimait rien tant que d'être le centre d'intérêt. «Je n'arrive pas à croire que cette fille provient de *mon* corps!» Catherine répétait cela à satiété, avec un plaisir évident. Elle faisait également l'éloge de sa fille aînée qui était «studieuse et organisée» comme elle-même. Étant donné que Catherine se faisait un point d'honneur à «vanter également» ses deux filles, elle ne se rendait pas compte qu'elle faisait preuve de favoritisme. Mais sa fille aînée était convaincue qu'elle préférait la cadette parce que le fait d'être «studieuse et organisée» n'était pas très exaltant aux yeux d'une mère qui ne valorisait pas particulièrement ces qualités en elle-même.

❧

En grandissant, les enfants peuvent préserver le lien qui s'est tissé avec un membre de la famille en trouvant moyen de justifier les inégalités ou de trouver des raisons au favoritisme. Par exemple, le frère de ma mère, Bo, bénéficiait de traitements spéciaux dans sa famille, simplement parce qu'il était le seul garçon. Dans la famille de ma mère, comme dans la plupart des familles d'immigrants juifs, l'éducation des garçons était la grande priorité. Étant donné que l'argent était rare, seul Bo put aller à l'université où il finit par obtenir un doctorat. Ma mère, qui était toujours assoiffée de connaissances et parmi les meilleures de sa classe, s'inscrivit au cours commercial à l'école secondaire et trouva ensuite un emploi pour aider sa famille. Ses parents l'appelaient «leur ange» (et aussi «la douce Rose» et «la bonne fille») parce que, dès son plus jeune âge, elle devait sans broncher assumer des responsabilités familiales et prendre soin des autres, à un point tel qu'il nous aurait été impossible, à Susan et à moi, d'imaginer même en faire autant. Comme ses deux sœurs, Rose s'est arrêtée aux études secondaires.

À première vue, on aurait pu s'attendre à ce que ma mère soit révoltée face à une telle injustice, mais elle ne ressentait absolument aucune amertume. En fait, elle m'a expliqué très souvent qu'elle voyait cela comme le seul arrangement possible pour sa famille, à l'époque. Bien que ma mère ait beaucoup de sympathie pour le féminisme, elle n'a jamais considéré la question du sexe comme une injustice en faveur de son frère. Selon ce qu'elle en disait elle-même, elle n'a jamais ressenti l'ombre d'une jalousie, d'un ressentiment ou d'une rivalité en ce qui concernait la position privilégiée de Bo. C'était ainsi, tout simplement.

Je crois que le fait d'étiqueter Bo comme un être *tellement* extraordinaire permettait à ma mère d'éviter de se voir elle-même comme une honnête compétitrice qui aurait pu revendiquer une partie des rares revenus familiaux disponibles pour les études. Le fait d'idéaliser rend peut-être l'injustice plus acceptable et la compétition impossible. Pendant plusieurs années, ma mère était convaincue que Bo avait toujours été, de par son essence même, d'une classe intellectuelle à part, comme si le fossé entre Bo et ses talentueuses sœurs était infranchissable. Un tel point de vue ne laisse aucune place pour la colère.

❧

En tentant d'éviter la rivalité entre ses enfants, un parent peut également aller trop loin dans l'autre sens, comme Rita, une mère de 35 ans que je voyais en thérapie. Elle avait deux filles et la plus jeune d'entre elles, Marianne, était particulièrement belle, élégante et athlétique. Rita enjoignait constamment Marianne de cacher ou de minimiser ses dons remarquables pour que la sœur aînée de Marianne, Isabelle, ne se sente pas inférieure. Elle lui disait des choses comme, «Marianne, je ne veux pas que tu prennes des cours de danse à l'école de ta sœur. Tu es toujours en train de voler la vedette et Isabelle n'a pas besoin de cette sorte de stress.»

Il s'avéra que Rita elle-même entretenait un énorme sentiment de culpabilité face à son frère handicapé, qu'elle percevait comme ayant une vie beaucoup plus difficile que la sienne. En thérapie, je l'aidai à se rendre compte à quel point elle avait pris ses distances face à lui. Quand Rita prit l'initiative de reprendre contact avec lui et d'en apprendre plus sur ses forces et ses difficultés, elle reconnut qu'elle se sentait beaucoup plus décontractée avec ses enfants. Elle mit en pratique quelques conseils que je lui donnai pour trouver moyen de laisser à son enfant moins douée un domaine qui était «le sien». Elle cessa de vouloir à tout prix lui éviter de voir les différences qui existaient dans la réalité. Au lieu de cela, elle admit une fois pour toutes qu'Isabelle était capable de faire face aux sentiments douloureux qui pouvaient résulter des inévitables comparaisons que deux sœurs font entre elles tout au long de leur vie.

Le pouvoir négatif des étiquettes

Tous les parents doivent finir par reconnaître les différences entre leurs enfants, sans les nier ni les exagérer (et sans les étiqueter, bien sûr). Une étiquette, comme «le vrai petit papillon» peut d'abord refléter un trait de caractère de l'enfant, son tempérament ou ses talents, mais les étiquettes que nous accolons à nos enfants peuvent les diviser pour longtemps. Quand les étiquettes deviennent figées ou rigides (Robert est «l'irresponsable», Marie est «toujours de bonne humeur»), on ne tient pas compte des éléments qui contredisent ces étiquettes familiales. Si Marie la «toujours de bonne humeur» est triste, nous pouvons aussi bien ne pas le remarquer ou simplement attendre l'imminent retour de la «vraie Marie» et rejeter sa tristesse néanmoins authentique.

Le pouvoir négatif d'une étiquette est exceptionnellement amplifié quand celle-ci associe un enfant avec un parent que par hasard nous n'aimons pas ou qui nous préoccupe («Suzanne est une enfant fragile, exactement comme tante Marthe») ou, au contraire, à un parent que nous admirons. Les enfants ne sont personne d'autre qu'eux-mêmes. Ils ont une énorme palette de potentiel inexploité et de nombreux traits de caractère en réserve pour l'avenir, mais le fait de les étiqueter ou de les mettre dans un petit casier réduit pour eux la possibilité de varier leurs comportements et ils auront à l'avenir beaucoup plus de difficulté à changer. Les enfants d'une même famille risquent moins de s'entendre si chacun manque de latitude pour se définir vraiment.

❧

Nous pouvons également nuire aux relations entre les enfants quand nous distribuons les responsabilités de façon inégale. Il n'est pas rare pour une sœur aînée d'avoir à jouer la «responsable», alors que la sœur cadette est plus «gâtée», comme ce fut le cas dans ma famille. Il faut des efforts pour briser ce modèle, parce qu'il est tellement plus facile de demander à la «bonne fille» de mettre la table ou de remplir le lave-vaisselle (après tout, elle le fait mieux et offre moins de résistance) et d'épargner cette tâche à la plus jeune. Ou bien nous exigeons moins que nos fils fassent des travaux ménagers ou s'occupent des enfants plus jeunes, parce que c'est ainsi que nous avons été élevés depuis tellement de générations. Parmi nos tâches de parents, Steve et moi n'avons jamais vraiment excellé dans la distribution des corvées à faire faire à Matthew et à Ben autour de la maison, mais je peux dire pour notre pauvre défense qu'à tout le moins nous étions équitables en exigeant aussi peu de l'un que de l'autre. Nous n'avons jamais eu l'impression que cela avait un rapport avec leur sexe, mais il m'est déjà passé par l'esprit que nous aurions peut-être fait plus d'efforts pour exiger de l'aide si nous avions eu des filles.

Pour traiter nos enfants d'une façon juste, nous devons les percevoir d'une façon juste. Observez-vous si vous vous apercevez que vous décrivez vos enfants comme «complètement opposés» avec des personnalités «radicalement différentes», qui n'ont «rien en commun». Quand on me demande de parler de mes fils, je suis portée, spontanément, à les comparer – «Matthew est rationnel, Ben est émotif» – à moins que je ne fasse un effort particulier pour me rappeler qu'ils sont deux êtres autonomes et qu'ils devraient être décrits comme tel: «Ben fait de la poésie et il y croit passionnément. Matthew étudie en informatique mais il aime également beaucoup la musique.» Dans une étude fascinante, W. S. Barnes a fait valoir que les parents ayant deux enfants tendent à les étiqueter de façon contrastée, alors que les parents qui ont trois enfants ou plus risquent plus de les décrire en des termes indépendants, non dualistes.

Ceux qui savent et ceux qui ne savent pas

Par quels autres moyens pouvons-nous involontairement diviser nos enfants? Il est intéressant de réfléchir à la lettre suivante, que j'ai reçue à titre de courriériste au magazine *New Woman* de la part d'une mère de deux filles qui voulait partager certains secrets avec l'une d'entre elles mais pas avec l'autre.

Chère Harriet,

Ma fille de 14 ans, Claire, ne peut se voir confier un secret sans le dire à sa jeune sœur de 12 ans, Louise. Récemment, j'ai dit à Claire que ma mère allait subir une opération à cœur ouvert. Cela devait rester entre nous mais, comme d'habitude, elle en a parlé à Louise dès le lendemain. Louise est une enfant sensible qui ne peut supporter certains faits pénibles. Je dis tout à Claire, mais comment puis-je lui faire garder une confidence? La punir n'a pas arrangé les choses.

Je suis sûre que cette mère n'avait que de bonnes intentions et il est compréhensible qu'elle ait voulu éviter à sa petite fille une inquiétude inutile. Mais si elle tient à ce qu'une de ses filles ne soit pas au courant de certaines choses, elle devrait songer à ne pas les dire du tout, à aucune des deux. Le vrai problème, ici, ce n'est pas que Claire soit incapable de garder un secret. Le problème, c'est qu'en gardant un secret, Claire se retrouverait dans une impasse. Après tout, elle n'est pas la mère de Louise, elle est son égale. Bien qu'elle puisse être fière d'être la «confidente de sa mère», il faut qu'elle se sente libre de s'ouvrir à sa sœur, sans devoir lui cacher certains faits et surveiller tout ce qu'elle dit.

Les enfants ont besoin les uns des autres dans une famille. Si Claire respecte la consigne du secret, elle et Louise deviendront de plus en plus distantes avec le temps. Sa position en tant que «confidente de sa mère» ou de «meilleure amie» peut dresser Louise contre elle jusqu'à l'âge adulte, sans compter le fait que l'inquiétude de Claire, par exemple au sujet de l'opération de sa grand-mère, ne peut qu'aller en s'intensifiant si elle est tenue au secret.

Qu'en est-il du rôle de Louise comme enfant «sensible»? L'angoisse de Louise ne fera qu'augmenter s'il y a du mystère et des cachettes autour des renseignements qui la concernent ou si elle ressent l'angoisse de sa mère, mais sans avoir aucun moyen de lui trouver un sens. En outre, si la famille de Louise la traite comme un être fragile en évitant de l'inclure dans le groupe, elle devra se battre encore plus pour montrer qu'elle est capable de quelque chose et qu'elle est forte. Plus encore, tout le monde dans la famille bénéficiera du fait que des sujets aussi importants que l'opération de grand-maman, par exemple, puissent être discutés ouvertement et franchement. Les enfants se débrouillent beaucoup mieux avec des faits – même quand ils sont douloureux – qu'avec des secrets ou des tensions inexplicables.

Une autre manière de diviser les enfants entre ceux qui savent et ceux qui ne savent pas consiste à parler à un enfant d'un autre, au lieu de s'adresser directement à celui ou à celle qui cause du souci. Tout le monde fait cela naturellement, passer des commentaires *à propos* d'un membre de la famille («je suis tellement inquiète pour ton frère!») plutôt que de s'adresser directement *à* cette personne, surtout quand nous nous sentons frustrés par rapport à l'enfant dont il est question. Mais les enfants de tous les âges sont tendus et paralysés quand ils se retrouvent au milieu d'une relation conflictuelle entre un parent et un enfant ou un autre membre de la famille. C'est une chose que de mentionner des faits, ouvertement, quand il s'agit de choses importantes, comme: «Je ne veux pas que tu ailles en auto avec ta sœur tant que je ne serai pas convaincue qu'elle conduit prudemment et qu'elle ne boit plus. Je lui en ai d'ailleurs parlé.» Mais c'est une tout autre chose que de dire: «Je ne veux pas que tu sortes avec ta sœur et ses amis. C'est une mauvaise influence pour toi et je ne veux pas que tu sois comme elle!» La première communication s'en tient aux faits. La deuxième est une réaction guidée par l'anxiété et ne contribuera en rien à améliorer les relations familiales.

Même après que vos enfants sont partis depuis longtemps de la maison, il existe plusieurs moyens infaillibles de leur nuire quand ils tentent de résoudre leurs problèmes dans la sérénité. Étant donné que l'argent a tellement d'importance dans notre société, sur le plan symbolique, c'est là un moyen particulièrement efficace de mettre une distance entre vos enfants. Par exemple, vous aidez financièrement votre plus jeune fils et vous lui glissez ce message: «N'en parle pas à ta sœur.» Ou vous laissez à vos enfants des montants inégaux dans votre testament sans discuter de vos plans avec chacun d'entre eux et des raisons qui justifient votre décision. Avec un tel testament, vous pouvez être sûr qu'à la suite de votre mort, vos enfants braqueront les uns sur les autres tout le ressentiment qu'ils risquent d'avoir à votre égard.

Pour finir, êtes-vous responsable du fait que vos enfants peuvent ne pas se parler dans 20 ans? Vous ne pouvez *forcer* vos enfants à avoir une relation embrouillée pas plus que vous ne pouvez les *forcer* à être amis. En fin de compte, il en va de la responsabilité de vos enfants, une fois adultes, de démêler leur passé et leur présent, et de décider de la manière dont ils contribueront au fonctionnement de la famille. Vous pouvez faire tout ce qu'il «faut», et vos enfants peuvent encore vous dire, un jour, qu'ils n'ont rien en commun et qu'ils ne prévoient se rencontrer que lors des réunions familiales, chez vous. Ou vous pouvez tout faire ce que je vous ai conseillé de ne pas faire, et vos enfants peuvent aussi bien devenir un jour les meilleurs amis du monde.

Mais en réalité, vos gestes attentifs influenceront la relation que vos enfants auront entre eux, même s'il vous faut absolument cesser de vous imaginer que vous pouvez décider de cette relation. Il y aura toujours d'innombrables autres variables qui influenceront vos enfants, y compris les gênes, la malchance, et peut-être même la lune et les étoiles, et même la grâce. Mais faites votre possible pour augmenter les chances que les choses aillent dans le sens que vous souhaitez.

Un geai bleu mort, un pépin de pomme et des singes savants

Pendant qu'il est question de frères et de sœurs, voici trois histoires que j'aimerais raconter. Vous n'y trouverez aucune leçon à tirer ni règle à suivre. Ces histoires ne se terminent même pas avec une «morale», quoique dans chacune il soit question de mensonge (un comportement auquel s'adonnent tous les enfants). Mais elles illustrent bien la profondeur des relations que nos enfants entretiennent entre eux et à quel point il s'en passe des choses derrière les coulisses, des choses que nous, les mères, ne voyons pas.

J'ai observé mes fils ensemble pendant plusieurs années, de sorte que je voyais quand ils se querellaient ou s'accordaient, et quand ils étaient distants ou proches l'un de l'autre, autant d'attitudes qui pouvaient changer en un rien de temps. Mais je n'ai pas eu connaissance de la plupart des drames et des événements qui ont tissé leur relation. Même quand un parent est la figure centrale d'une famille, ce qui se passe entre ses enfants est souvent en dehors de son champ de vision, tout comme leur vie affective. Je me suis rappelé cela en lisant le texte suivant que Ben a écrit quand il achevait son secondaire. Je pense que ces histoires montrent bien ce que veut dire être le cadet ou l'aîné, mieux que ne peut le faire n'importe quelle théorie aride sur la position dans la famille ou les interactions entre enfants d'une même famille.

Quand j'avais quatre ans, mon frère m'expliqua comment ramener à la vie un oiseau mort. Félix, notre chat familial, avait déposé un geai bleu bien dodu et sans vie derrière les marches de notre terrasse arrière. Quand mon frère et moi avons découvert l'oiseau, les plumes et le corps parfaitement intacts, nous avons été étonnés tous deux de voir à quel point l'animal avait l'air paisible après avoir enduré une fin si violente.

Comme la plupart des enfants de quatre ans, j'avais une piètre compréhension de la frontière qui séparait la vie et la mort. Quand mon grand-oncle était mort l'été précédent, on m'avait dit qu'il «vivrait dans nos souvenirs» et qu'il n'était «pas vraiment parti». Alors quand mon frère me raconta que le geai bleu pouvait être ranimé, je l'ai cru. Après tout, il s'y connaissait beaucoup mieux que moi en matière de choses mystérieuses comme la mort. Et le geai bleu, qui avait l'air tout doux, semblait plus prêt à faire une sieste estivale qu'à dormir d'un sommeil éternel.

Le plan pour ranimer le geai était simple. Une aiguille à coudre, enfoncée dans le cœur, donnerait un tel coup à l'oiseau silencieux qu'elle le ressusciterait. Bien que le procédé m'ait paru brutal, je faisais confiance à mon frère qui avait une bien meilleure compréhension que moi de ces questions complexes. Alors, honoré que l'on se fie à moi pour assumer une telle responsabilité, j'acceptai. Je ramènerais l'oiseau à la vie.

Comme mon frère, son ami grimaçant et moi-même étions agglutinés autour du geai, je me sentis puissant de tenir soudain une telle position à leurs yeux. Pour une fois, j'étais à l'aise dans un monde où le geste non coupable mais toutefois malséant de Félix pouvait être corrigé, j'étais en sécurité dans un univers qui permettait que les secondes chances existent. Et ainsi, avec l'assurance d'un chirurgien, j'enfonçai l'aiguille à l'intérieur du ventre mou de l'oiseau.

Il est déconcertant de voir à quel point les enfants croient que le monde fonctionne d'une façon rationnelle. Ma foi dans la justesse incontestable de l'ordre des choses et mon innocence prirent fin quand mon frère éclata de rire à mon oreille d'un rire gênant et quand un filet de sang du geai bleu coula sur ma main.

Ben finit sa rédaction en résumant ce qu'il avait retenu des frasques de son frère: que même les grands frères ne pouvaient rien faire devant des choses aussi graves que la mort, que le fait de grandir voulait dire qu'il fallait accepter un monde moins intelligible qu'il ne l'avait cru, et qu'il avait moins de pouvoir qu'il n'aurait aimé en avoir. Il conclut ainsi: «L'expérience en soi m'avait enfoncé une aiguille dans le cœur, c'était la fin de mon innocence et mon éveil aux mystères de la vie.»

Ben, à 17 ans, élabore sur ce que cet incident de son enfance lui a enseigné quant au sens de l'existence. Quand cela s'est produit, toutefois, j'imagine que Ben s'est tout simplement senti stupide et fâché et qu'il ne voulait rien d'autre que se venger de son frère en l'humiliant devant d'autres grands garçons. Je suis aussi convaincue qu'il a évolué grâce à cette expérience.

❧

Comme Ben, je croyais ce que ma grande sœur me disait, et c'est ce qui m'amène à ma deuxième histoire.

Quand j'avais moi aussi environ quatre ans, j'avalai une graine et Susan me raconta qu'un arbre allait pousser dans mon ventre. J'insistais pour dire que ce n'était pas possible, puisque les arbres ont besoin de lumière pour croître, mais Susan, qui plus tard faillit devenir biologiste, avait réponse à tout. Elle me rappela qu'il faisait noir et humide aussi dans la terre où l'on plantait les graines, mais que lorsque les branches de mon arbre allaient devenir assez grosses, elles me sortiraient par les oreilles et auraient alors tout le soleil nécessaire.

«N'en parle pas à maman et à papa!», m'avertissait-elle, alors je n'en faisais rien. Elle m'expliquait que nos parents ne feraient que s'inquiéter et qu'ils n'y pouvaient rien, de toutes façons. Elle me dit d'éviter de boire de l'eau afin de ralentir le processus de croissance, et elle me rassura en me disant que quand les branches commenceraient à pointer leurs bouts en dehors de mes oreilles, nous allions les couper avec des ciseaux. La nuit, quand j'étais couchée tranquille au lit, j'arrivais à sentir l'arbre qui commençait à pousser dans mon ventre.

Or, aucun arbre n'a fini par sortir, mais des dizaines d'années plus tard, Susan et moi avons utilisé cette histoire comme base de notre premier livre pour enfants, intitulé *What's So Terrible About Swallowing an*

Apple Seed? En embellissant l'incident, nous avons imaginé des leçons où il était question des joies et des dangers qu'il y a à s'éloigner de la vérité, et de ce que pouvaient donner la suggestion, l'imagination et l'indulgence entre deux sœurs. À l'époque, toutefois, je ne me rappelle d'avoir retenu aucune leçon épanouissante. J'étais seulement horrifiée parce que je croyais tout ce que me disait Susan, et que l'enfance est déjà assez difficile sans que nous ayons à affronter des arbres qui poussent dans notre ventre et qui nous sortent par les oreilles.

❧

Ma troisième histoire concernant des enfants d'une même famille, c'est ma sœur qui l'a écrite dans le cadre d'un cours d'anglais; c'est la plus émouvante des trois à mon avis. Je l'ai trouvée quand j'étais à l'université, en congé à la maison de Brooklyn et que je faisais le tri dans ma paperasse, ou peut-être était-ce simplement en fouinant dans les affaires de Susan! Tout en me remémorant l'incident qu'elle décrivait, j'appris alors quelque chose de renversant en lisant ce qui s'était vraiment produit.

L'histoire que Susan raconte eut lieu quand j'avais 7 ans et elle, 12. Pour résumer son propos, elle raconte comment notre famille venait tout juste de laisser un petit appartement pour emménager dans une grande et vieille maison de Brooklyn. Mes parents s'étaient arrangés pour trouver l'argent de la mise de fond, mais les choses avaient cessé de fonctionner après le déménagement. L'eau chaude était devenue froide, le réfrigérateur était devenu chaud, et les réparations avaient ruiné mes parents. Alors que ma mère, en particulier, paniquait quand il était question d'argent, Susan et moi avions l'impression que tout cela était une vraie farce, parce que nous n'avions jamais vraiment cru que nous étions pauvres *à ce point*. Alors quand la saison des vacances arriva, Susan dit qu'elle voulait une encyclopédie complète, et moi un vélo. Mes parents nous dirent qu'ils n'avaient pas les moyens de nous offrir de tels présents, mais nous savions qu'ils disaient cela seulement pour que nous soyons encore plus surprises quand nous finirions par voir nos cadeaux.

Quand le temps vint d'ouvrir nos cadeaux, Susan et moi trouvèrent deux petits paquets déposés sur la table de la cuisine. Je fus déçue immédiatement parce qu'il était évident qu'il n'y avait pas de vélo dans une aussi petite boîte, mais toutes les deux avons arraché les emballages de papier, très excitées à l'idée de voir ce qu'ils cachaient. Susan écrit: «Et bien, vous ne devinerez jamais. Nous avions toutes deux reçu exactement le même cadeau: c'était ce genre de boîtier qui sert à cacher les paquets de Kleenex, un boîtier en métal vraiment laid, peint en noir avec d'horribles roses rouges partout. Et alors je me suis rappelé que mon père avait un ami qui faisait de ces boîtiers.»

Voici le reste de l'histoire exactement comme Susan l'a décrite.

Harriet se mit à pleurer et j'étais sur le point d'en faire autant, même si j'étais trop vieille pour cela, mais alors j'ai vu le visage de ma mère et elle avait l'air au bord des larmes. Je déteste voir les adultes pleurer et je savais qu'elle devait être encore plus malheureuse que nous de ne pouvoir nous donner de beaux cadeaux et je sus qu'elle n'aimait pas se faire faire la charité, comme cela avait dû être le cas avec ces boîtiers qui avaient sûrement été donnés par l'ami de mon père, tout comme nos vêtements l'étaient désormais. Alors, au lieu de pleurer, j'ai souri autant que j'ai pu et j'ai embrassé mes parents et leur ai dit que la boîte était absolument extraordinaire et que j'allais la mettre sur ma vanité dès que j'aurais une vanité, et que certainement cela me porterait chance et me permettrait de me faire un copain, bien que Dieu sait à quel point je ne voulais pas qu'un copain me tourne autour, mais cela a certainement aidé ma mère à se sentir mieux. Ensuite, mon père est devenu plus gai et m'a dit qu'il pariait que je deviendrais la reine du bal si j'utilisais ce boîtier à papier-mouchoirs, bien que franchement, je n'aime pas vraiment les mondanités et que je doutais que la boîte de Kleenex puisse m'aider en quoi que ce soit pour un bal, à moins que peut-être je ne me la mette sur la tête, mais les papas sont ainsi faits, ils pensent toujours que leurs filles sont très belles et populaires. En plus, Harriet était tellement surprise de voir que j'aimais la boîte qu'elle cessa de pleurer et se tint en quelque sorte la mâchoire ouverte et pendante, comme elle le fait parfois, et c'est alors que j'ai eu l'idée suivante.

Vous ne pouvez certainement pas deviner ce que j'ai fait, mais j'ai dit à Harriet que ces boîtes avaient été peintes par des singes savants! Au début, elle ne me croyait pas, mais j'ai continué à parler et à parler (je peux parler des heures s'il le faut) et bientôt je me suis presque mise à me croire moi-même. Je racontais tout à Harriet à propos de ces singes, ce qu'ils mangeaient et comment on les payait avec des bananes et des arachides, et comment on les dressait quand ils étaient tout petits et comment certains peignaient le noir sur les boîtes et d'autres peignaient les tiges et les plus intelligents peignaient les roses, ce qui était plus difficile. Et elle finit par être si excitée (vous pouvez bien ne pas croire tout ce que je dis, mais c'est vrai) qu'elle embrassa mes parents et commença à glousser et décida qu'elle adorait sa boîte à Kleenex. Et elle le fit réellement puisqu'elle l'a toujours gardée sur sa commode, même aujourd'hui.

Et bien, mes parents se sentirent vraiment mieux et je voyais bien que ma mère voulait m'embrasser et me remercier, mais étrangement, j'ai grimpé à toute vitesse les escaliers et j'ai commencé à pleurer, la tête sur l'oreiller. Et je n'étais pas triste à cause du cadeau en réalité. Je ne savais même pas vraiment, avec certitude, pourquoi je pleurais, sauf que c'était simplement comme si j'avais renoncé à ce que les gens s'occupent de moi, et maintenant je m'offrais pour jouer le rôle de l'adulte avant même d'être vraiment prête à le faire.

Tandis que j'étais assise sur le plancher de la chambre de ma sœur et que je lisais cette histoire pour la première fois, je me suis presque mise à pleurer moi-même. L'histoire me touchait parce que, en tant que «bébé» de la famille, je n'avais jamais réfléchi à ce que vivait l'aînée. Mais le véritable choc tenait au fait que je venais brusquement de découvrir, à 19 ans, que ma boîte à Kleenex n'avait *pas* été peinte par des singes. Jusque-là, je n'avais jamais songé à remettre en question l'histoire de ma sœur ni à vérifier auprès d'un adulte si cela se pouvait. J'avais cru son histoire sur parole, ce qui montre à quel point une sœur aînée a du pouvoir et à quel point une plus jeune peut être crédule. Cela montre aussi, je suppose, que ces boîtiers étaient tellement laids que n'importe qui aurait sans doute pu croire qu'il avait fallu des singes savants pour les peindre. C'était devenu un de mes biens les plus précieux.

Je raconte ces trois histoires parce qu'elles illustrent bien ce que c'est que d'être la grande sœur ou le grand frère, ou la petite sœur ou le petit frère dans une famille. Les enfants ne sont pas formés uniquement par le comportement que leurs parents adoptent envers eux, bien que ce soit là un facteur très déterminant dans la manière dont ils s'entendent ensemble. Ils sont également influencés les uns par les autres dans des situations complexes que nous ne voyons pas toujours. Plus encore, ces histoires nous rappellent que les incidents contrariants entre enfants d'une même famille font partie de la croissance, et que même les mauvaises expériences peuvent favoriser l'apprentissage et la créativité. Je ne dis pas cela en pensant que nous devrions encourager les situations contrariantes pour nos enfants afin de stimuler leur créativité et leur résistance à venir, mais il est rassurant de voir que tout se tient.

Quatrième partie

Ce que votre mère ne vous a jamais dit

14

Comment une mère peut-elle ne pas aimer ses enfants?

Une amie m'appelle au téléphone et me dit: «Harriet, je suis sur le point de tuer mon enfant. Que devrais-je faire?» Elle frappe à la bonne porte. Après tout, je suis censée être une experte en relations humaines.

«Enferme-le dans la cave», lui dis-je. Il faut dire que sa cave ressemble à un donjon et que personne n'oserait aller là à moins d'une alerte à la tornade. «Mets-le dans le caveau», ai-je continué, «ou pends-le par les pieds. Donne-lui du pain et de l'eau et ne le laisse pas sortir avant un mois.»

– Du pain, c'est trop bon pour lui, me répond-elle. Il ne mérite pas de pain.

– Et bien, donne-lui des croûtes. De vieilles croûtes rancies.

– Non», me dit mon amie. Je veux le tuer. Tu n'as pas idée de ce qu'il m'a fait.

«Tu vas aller en prison», lui dis-je. «Tu n'y échapperas pas et nous ne pourrons pas déjeuner ensemble la semaine prochaine.»

Nous continuons à plaisanter ainsi et à la fin, mon amie est de meilleure humeur quand elle raccroche le téléphone. Je peux très bien comprendre ce qu'elle ressent et je suis fière qu'elle me fasse confiance en se confiant à moi. Il est évident qu'elle n'a pas vraiment l'intention de tuer son fils, mais elle sent que nous sommes suffisamment intimes pour qu'elle puisse me faire part d'une colère tellement énorme que ce n'est qu'en plaisantant sur ce meurtre qu'elle peut exprimer adéquatement ce qu'elle ressent. Avant d'avoir moi-même des enfants, je n'aurais pas vraiment compris. Comme le faisait remarquer la romancière Fay Weldon, «le plus grand avantage à ne pas avoir d'enfant, c'est sûrement que l'on puisse continuer à croire qu'on est une bonne personne: quand on a des enfants, on comprend comment se déclenchent les guerres».

L'humour aide à traverser les périodes difficiles. L'humour nous permet aussi de dire la vérité. Rozsika Parker, l'auteur de *Mother Love/Mother Hate* constate que l'humour et l'ironie permettent aux femmes d'exprimer ouvertement les réalités douloureuses de leur vie de mère. Parce qu'ils sont exprimés sur un ton léger, les sentiments qu'elles ressentent deviennent plus tolérables. Elle décrit admirablement bien comment peuvent coexister chez une mère d'intenses sentiments positifs et négatifs – d'amour et de haine – envers ses enfants. Mais il n'y a pas si longtemps, une conversation comme celle que j'ai eue avec mon amie aurait été perçue comme déplacée, sinon odieuse, même si le ton était à la blague.

Avez-vous des sentiments inavouables?

Lorsque mon fils Matthew avait quelques semaines, une voisine, probablement autour de la soixantaine, s'est arrêtée chez moi pour solliciter des fonds pour une œuvre de charité. J'étais fourbue, j'avais passé la plus grande partie de la nuit debout à tenter en vain de consoler mon bébé. En se penchant sur mon fils endormi, elle observa comme il sentait bon. «Oui», lui dis-je, «Dieu donne à tous les bébés une odeur particulière pour que leur mère ne les jette pas par la fenêtre au beau milieu de la nuit.» Le lourd silence de ma voisine et son départ précipité m'indiquèrent que j'avais fait une erreur de jugement en faisant allusion à la violence que peut ressentir une mère, même si ce n'était qu'à la blague. Les femmes de la génération de ma voisine n'ont jamais eu l'occasion de parler franchement de leur vie de mère, alors que moi, cela me semble tout à fait normal.

Même aujourd'hui, il est probable qu'une mère ait profondément honte ou qu'elle se sente irrémédiablement inadéquate et coupable lorsque ses sentiments envers son enfant ne correspondent pas à sa vision de ce que doit être une bonne mère. Que de fois, en comparant le comportement d'une autre mère au nôtre, nous ne nous sentons pas à la hauteur et nous arrivons à la conclusion que «nous n'avons pas le tour», que cette autre mère est toujours calme, elle, et que jamais elle ne «doit ressentir ce que je ressens».

Bien entendu, les mères passent par tous les sentiments possibles. En une seule journée, ou une seule heure même, une fureur aveugle peut se transformer en aversion, en ennui réel, en ravissement et de nouveau en fureur. Une mère me faisait remarquer ceci: «C'est la fluidité des sentiments que je ressens envers mes deux garçons qui me sauve. Si je suis furieuse contre un ami ou mon patron, ma colère s'installe à demeure jusqu'à ce que je puisse en parler avec cette personne ou que j'aie trouvé un moyen de l'atténuer. Alors qu'avec mes enfants, je peux être enragée contre eux et 10 minutes plus tard, pendant le repas, nous rions tous ensemble et la crise qui précédait n'est plus que du passé.»

En l'absence d'une telle fluidité, les mères risquent de se sentir mal chaque fois qu'elles ressentent de la colère, de la haine, de l'ennui, de la déception ou toute autre émotion douloureuse qui survient chez des parents. (La culpabilité et l'épuisement, bien qu'incontestablement désagréables, sont devenus la marque de commerce d'une bonne mère et, par le fait même, on accepte facilement ces sentiments.) Voici un échantillon des sentiments les plus courants que les mères expriment avec une bonne dose d'irritation.

Germaine:

J'étais à la fête de l'école avec Martine (sept ans), lorsqu'une de ses compagnes de classe avec laquelle elle tenait un kiosque lui fit de la peine. Martine ne s'est pas défendue; elle a couru vers moi en pleurant et elle s'est accrochée à ma veste. Elle a une sensibilité tellement à fleur de peau, à vif, et je ne sentais pas la moindre sympathie pour elle. J'avais envie de la secouer et de lui crier: «Endurcis-toi ma fille, il t'en arrivera des bien pires dans la vie!» Je lui en voulais d'être aussi faible et sensible, de ne pas se défendre. Je sais qu'elle me fait penser à moi lorsque j'étais enfant. D'ailleurs, mes parents ne savaient pas comment réagir devant un témoignage de faiblesse. Mais on a beau être conscient, cela ne sert à rien. Je voudrais que Martine soit comme sa sœur, qui est capable de ne pas trop s'en faire avec la vie.

Hélène:

Hier, je regardais Laura (14 ans) manger avec ses amis. Depuis qu'elle est adolescente, j'ai parfois l'impression que je ne l'aime pas, tout simplement. Je n'aime pas sa personnalité, je n'aime pas ses amis, je n'aime pas sa manière de s'habiller, je n'aime pas sa manière de mastiquer sa nourriture. Si elle n'était pas ma fille, je n'aurais aucune envie de la fréquenter. J'admets qu'on puisse être en colère contre son enfant, d'autant plus que la colère peut s'évanouir aussi vite qu'elle est venue. Mais de ne pas aimer son enfant, c'est terrible. J'essaie de le cacher, mais Dieu sait quelle image elle aura d'elle-même à cause de moi.

Louise:

Je regarde Sully (trois mois) dormir dans son berceau et, parfois, d'horribles images me traversent l'esprit. Comme de le lancer contre un mur ou de l'abandonner sur le bord de la route. Il est si totalement dépendant et faible, tellement à ma merci. Je ne crains pas vraiment de passer aux actes et de faire réellement ces folies, et je ne suis pas du genre à perdre le contrôle. Mais le fait que des idées aussi sadiques me viennent soudainement m'incite à me demander si je ne suis pas un cas psychiatrique.

Monique:

Je regardais Claire (16 ans) lors d'un pique-nique familial, elle était grosse et négligée. C'est difficile à avouer, mais j'avais honte d'elle. Je me suis dit que si elle avait été ma fille biologique, elle n'aurait pas cette allure. C'est alors que ma sœur m'a passé une remarque désobligeante, me laissant entendre que je ne donnais pas à Claire une alimentation équilibrée, et alors j'ai eu envie de l'étrangler. Cette nuit-là, je suis retombée dans ma dépression en repensant à l'hystérectomie que j'avais subie et je me suis demandé si j'avais pris une bonne décision en adoptant un enfant alors que j'étais monoparentale. Claire et moi nous sommes disputées pour un rien et je lui ai crié: «Je te hais!» Par la suite, je lui ai demandé pardon et je lui ai dit que je l'aimais. Je ne peux pas croire que j'ai pu lui dire une chose pareille. Je me sentais tellement mal.

Andrée-Anne:

Je regardais les autres mères au terrain de jeu et elles avaient l'air d'avoir tellement de plaisir avec leurs enfants alors que moi, je m'ennuie pour mourir à pousser la balançoire de José (trois ans) ou à le regarder jouer. Ce qui me sauve c'est de sortir pour aller travailler. Si je dois rester avec lui toute la journée, je deviens folle.

Ces témoignages sortent de la bouche de cinq mères ordinaires et non pas de monstres. Le fait d'être mère fait ressentir des émotions extrêmement ambivalentes. C'est bien compréhensible quand on pense à tout ce que le rôle de mère comporte d'attentes irréalistes et de responsabilités énormes (rarement partagées à parts égales avec un autre adulte), à tout ce que les enfants exigent, dans l'immédiat, et à tout ce qu'ils éveillent de notre passé. Plutôt que de tenir compte de cette ambivalence, la société a tendance à catégoriser les mères et à les juger, en leur collant des étiquettes: il y a les «bonnes» et les «mauvaises» et, quand on est plus généreux, les «assez bonnes» et les autres qui ne sont pas à la hauteur.

Ce qui ne veut pas dire que toutes les mères se comportent bien et contrôlent leurs émotions. Les mauvais traitements faits aux enfants, tant sur le plan physique que sur le plan émotif, sont suffisamment fréquents pour nous indiquer le contraire; il est évident que le niveau de maturité, de compétence et de maîtrise de soi varie considérablement selon les tempéraments. Ce que je veux faire comprendre, c'est que même les sentiments les plus inavouables sont normaux, autrement dit vous n'êtes pas la seule à les ressentir. La plupart des mères ne se rendent pas vraiment compte de ce qu'elles ressentent, car lorsque des pulsions ou des sentiments sont tabous, ils sont aussi très fortement réprimés et niés. De plus, une émotion en retient souvent une autre. Par exemple, quand on ressent de l'amour, on ignore complètement la haine et on ne peut même pas s'imaginer qu'on puisse en ressentir. De même, quand on ressent de la colère, ou tout simplement quand quelqu'un nous déplaît, on est souvent persuadée qu'il n'y aura plus jamais d'amour et c'est ce qui fait le plus peur aux mères — et aux enfants.

Amour de mère aimante, haine de mère

Le livre de Parker intitulé *Mother Love/Mother Hate* traîne sur mon comptoir de cuisine, son gros titre bien en évidence. (J'ai une amie qui garde le sien dans sa serviette, «un peu comme dans un sac de papier brun, pour que mes enfants ne le voient pas», me dit-elle.) Je constate que la plupart des gens qui jettent un coup d'œil sur la page couverture présument que le livre traite de l'amour ou de la haine envers notre mère. Il semble qu'on arrive à concevoir assez facilement l'idée de la mère comme *objet* de «haine», mais pas comme *sujet*. Et pourquoi pas l'inverse?

Quand je pose cette question à table, mon mari Steve me répond qu'à son avis je devrais rayer le mot haine de mes textes, parce que, me dit-il, «bien que je sois thérapeute depuis longtemps, je n'ai jamais entendu une mère me dire qu'elle haïssait ses enfants.» Je débats le point de vue, mais Ben abonde dans le même sens que son père. «Ce n'est pas le bon terme», dit-il, «tu devrais mettre ton livre aux poubelles.»

Plus tard, cette semaine-là, je reprends la discussion avec Ben au sujet de «la haine que ressentent les mères». Or, Ben est finissant au secondaire et (ce n'est pas par vantardise), il est maintenant le champion national de tous les temps en rhétorique. Je m'apprête donc à avoir une discussion animée.

Il n'a aucun doute. Pour lui, les mères ne détestent *pas* leurs enfants. Je lui réponds: «Mais les enfants, eux, détestent leur mère, du moins à certains moments.»

«Non», déclare-t-il, péremptoire, «les enfants ne détestent *pas* leur mère.» Je suis étonnée de voir jusqu'à quel point il est convaincu. A-t-il oublié les pires moments que nous avons traversés ensemble?

«Ce qui arrive», explique Ben, «c'est qu'un enfant ressent des choses tellement négatives qu'il cherche le terme le plus fort qu'il puisse trouver. "Je te déteste" est la pire chose qu'il puisse dire. Mais aucun enfant ne déteste vraiment sa mère.»

Aucun? Je ne comprends pas. Ben n'est pas naïf. Il est au courant des pires situations qui se produisent dans les familles. Peut-être définissons-nous différemment le terme *détester*. Ben lui-même utilise le verbe assez fréquemment ces jours-ci: «Je déteste la mayonnaise faible en gras», dit-il avec passion, ou «Je déteste un tel qui est dans ma classe d'histoire. Il ne mérite pas de vivre.» «Quand on déteste, c'est pour toujours», m'annonce Ben.

Est-ce là ce qui fait peur dans ce mot? Voyons donc, la haine n'est pas immuable du tout. On peut haïr quelqu'un un jour puis changer d'idée le lendemain, comme on peut aimer quelqu'un puis ne plus aimer cette même personne. Il n'y a rien d'immuable dans les choses du cœur et de la tête. «On peut haïr quelqu'un pendant 30 secondes», lui dis-je.

Au cours de notre conversation me vient l'idée que ce qui est en jeu pour Ben, c'est peut-être la crainte que la haine puisse avoir le dessus sur l'amour, en permanence. Les enfants veulent croire que leur mère les aimera sans condition et les mères veulent en croire autant. La simple envie de dire «Je te déteste!» à son enfant peut faire croire à une mère qu'elle est une personne méchante, ce qui veut dire qu'elle est incapable d'aimer, qu'elle n'est pas aimable, qu'elle est perdue, sans foi ni loi.

C'est alors que la conversation prend un tournant inattendu. «M'aimerais-tu quand même si je tuais quelqu'un?», me dit-il pour me provoquer. (C'est ce que j'appelle une vraie question «à la Ben».) Je marque un temps d'arrêt et il renchérit. «Et si je tuais Matt? Ou Matt *et* papa? Est-ce que tu m'aimerais encore?» Je n'arrive pas à me faire une idée à ce sujet. «Si tu faisais cela, tu ne serais pas toi», lui dis-je, mais Ben exige une réponse. Ma réponse c'est *oui*. Oui, je l'aimerais encore. Les questions continuent. Oui, je l'aimerais. Oui, je lui rendrais visite en prison. Oui, je me sentirais coupable et folle de douleur. Oui, je le haïrais. Non, je ne mentirais pas pour lui. Oui, je l'aimerais, il ferait toujours partie de moi. Ben est content.

Le mythe de l'amour inconditionnel

C'est peut-être le mot amour dont il faudrait d'abord préciser le sens. Je ne crois pas à «l'amour inconditionnel», tel qu'on l'applique traditionnellement aux mères, comme tant d'autres idioties sentimentales. Seuls les bouddhistes zen très avancés peuvent regarder leurs enfants difficiles et incontrôlables en ne ressentant rien d'autre qu'un immense respect, de l'ouverture, de la curiosité et l'envie de découvrir pourquoi le destin a envoyé ces petits êtres dans leur vie et quel enseignement leur présence a-t-elle pour but de leur transmettre. Pour atteindre un tel état transcendant d'amour inconditionnel, mieux vaut avoir un chat qu'un enfant, bien que dans certains cas, même un chat puisse vous permettre de découvrir vos limites.

Plusieurs d'entre nous aimons effectivement nos enfants de manière inconditionnelle, mais ne confondons pas cela avec l'idée que nous devrions *ressentir* cet amour constamment, quoi qu'ils fassent. Dans *The Art of Loving*, le livre-référence d'Eric Fromm, celui-ci se penche longuement sur la nature inconditionnelle de l'amour maternel comme s'il s'agissait d'un fait scientifique. Il écrit: «L'amour maternel c'est le bonheur, c'est la paix, pas nécessaire de le conquérir, pas nécessaire de le mériter.» Selon Fromm, une mère aime son enfant du seul fait qu'il est le sien, et si l'amour maternel ne correspond pas à ce critère, «apparaît alors le sentiment amer de ne pas être aimé pour ce que l'on est, mais d'être aimé uniquement parce que l'on plaît et, en dernière analyse, de ne pas être aimé du tout mais plutôt utilisé».

Tout à l'opposé, Fromm note que l'amour paternel est «naturellement conditionnel», qu'il doit être mérité et qu'il peut être perdu ou retiré lorsque l'enfant est désobéissant. Il croit que l'amour inconditionnel de la mère donne à l'enfant une sécurité affective, alors que l'amour conditionnel du père le guide et l'instruit.

Les travaux de Fromm que j'ai étudiés quand j'étais à la maîtrise en psychologie, au cours des années soixante, illustrent bien la polarisation extrême de la pensée de l'époque. Mais c'est toujours très difficile pour les femmes de se rendre à l'évidence: en matière d'amour, l'attitude de la personne en cause importe toujours, même si cette personne est un enfant ou un bébé. Il ne s'agit pas ici de minimiser le lien durable qui nous attache à ceux que nous aimons, malgré la maladie, l'incapacité ou le malheur. Pas plus d'ailleurs que je ne voudrais laisser croire que nos enfants devraient penser, ressentir et se conduire comme nous le voudrions ou comme nous nous y attendons pour que nous les acceptions et que nous les aimions vraiment. Ce que je veux dire au fond, c'est que le comportement de nos enfants influence nos sentiments, tout comme notre comportement influence les leurs.

Cependant, quels que soient les mauvais sentiments ou la distance que nous ressentons par rapport à nos enfants, le lien qui existe entre la mère et l'enfant est si profond et si mystérieux que même la haine ne peut le détruire de façon permanente. Je crois qu'un attachement puissant relie la mère et l'enfant même lorsqu'ils ont été séparés l'un de l'autre par la mort ou par les circonstances. Je crois que ce lien existe même lorsqu'une mère commet des gestes terribles envers ses enfants.

Je crois que ce lien existe même lorsque nous ne trouvons pas en nous-même l'amour que nous y cherchons.

Deux portraits en bref: Myrna et Lisa

Tous ne reconnaissent pas l'aspect négatif de l'ambivalence maternelle. Mon amie Myrna m'appelle un jour de Chicago et nous bavardons de nos projets respectifs. «Je n'arrive pas à comprendre comment une mère peut détester son enfant pendant plus de cinq minutes», me dit-elle quand je lui raconte le sujet sur lequel je suis en train d'écrire. «Je ne me reconnais pas là-dedans.» Et elle me rappelle qu'il y a des mères pour qui tout se passe facilement.

Myrna a été chanceuse jusqu'ici. De toutes les personnes que je connaisse, c'est celle qui a le plus de liens avec son entourage: avec son mari, sa famille d'origine, ses voisins, son milieu, son travail et elle-même. Ses parents et sa grand-mère maternelle demeurent tout près de chez elle, ainsi que sa sœur, qui est la tante la plus généreuse et la plus disponible au monde. Myrna a deux de ses meilleures amies qui demeurent dans son voisinage et dont les enfants ont à peu près le même âge que ses deux filles de trois et six ans. Les amies de Myrna sont vraiment sincères quand elles lui disent: «Laisse tes filles chez moi n'importe quand si tu veux prendre un congé.» Le mari de Myrna, un professeur au niveau collégial, a un horaire flexible, ce qui lui permet de faire plus de la moitié de tout ce qui doit être fait, et il le fait avec plaisir. Tout le monde est en santé et tout va bien.

Si nous allons voir la famille de Myrna dans 10 ans, nous aurons un portrait différent, puisque s'il y a une chose sur laquelle on peut compter dans la vie, c'est le changement. Mais pour le moment, Myrna est une mère déviante, carrément excentrique, selon les commentaires moqueurs d'une amie commune. La plupart des mères ne font *pas* partie d'un voisinage ou d'un quartier stable, avec des frères et des sœurs qui prennent soin les uns des autres, ainsi que des parents et des grands-parents qui demeurent à côté. La plupart des mères n'ont pas de mari ou de conjoint qui assument avec plaisir le rôle de parent principal et qui font plus que leur juste part des tâches. Parmi nous, la plupart nous comptons chanceuses d'avoir seulement certains de ces avantages et à certains moments.

Toutefois, quel que soit son genre de vie, toute mère est hantée par l'idée de ce qu'est censé ressentir une mère. Parce que le mythe de la «bonne mère» nie la force de l'ambivalence qui existe dans la vraie vie – de l'amour *et* de la haine – les mères ont honte de reconnaître leurs «sentiments inavouables» et leurs limites. («Est-ce que tu ne pourrais pas utiliser les mots "amour et colère" insistait une amie. Haine est un mot tellement *affreux*.») Lorsqu'une mère ne peut pas avouer certains sentiments tabous, lorsqu'elle ne peut même pas se les avouer à elle-même, son estime de soi risque de s'effondrer. Elle pourra avoir tendance à se faire trop de souci pour son enfant et à le protéger indûment pour se rassurer et se convaincre que son désir de lui faire du mal ou de s'en débarrasser n'existe pas. Ou alors, le refus de reconnaître ses sentiments pourra la rendre moins apte à protéger son enfant contre elle-même lorsque cela s'avérera nécessaire.

❧

Prenons Lisa par exemple, qui a agressé physiquement son fils de 10 ans avant d'être capable d'admettre qu'il fallait qu'il aille vivre avec son père ou dans un foyer nourricier. Quand elle est venue me voir en thérapie, je lui ai demandé pourquoi elle n'avait pas demandé de l'aide avant, puisqu'elle s'était bien aperçue qu'elle était parfois incapable de se contrôler. «Qu'est-ce qu'on pense d'une mère qui abandonne son fils?», s'exclama-t-elle en réponse à ma question. «Comment aurais-je pu m'avouer que j'étais assez mauvaise pour ne même pas être capable de prendre soin de mon fils?»

J'ai travaillé avec des mères qui avaient agressé physiquement leurs enfants et qui les avaient abandonnés, mais qui les aimaient également. Même si les médias ont tendance à opposer les mères héroïques et les mères démoniaques, les vraies mères sont beaucoup plus complexes que ne le laissent croire les catégories de «bonnes» et de «mauvaises» mères dans lesquelles on les cantonne. Lisa n'était pas un monstre, mais elle contrôlait difficilement ses pulsions agressives et elle était dépassée par les événements. Une brève description de son histoire constituerait l'envers de l'histoire de Myrna. Mais cette même société qui prive les mères et les enfants des ressources dont ils ont besoin nous dit que seule une mère dénaturée peut dire «je ne suis pas capable de m'occuper de mon enfant». Par conséquent, Lisa continuait à essayer de s'occuper seule de son enfant alors qu'elle était complètement épuisée et à bout de ressources.

Contrairement à Lisa, le père dans cette histoire n'a eu aucun problème à retourner son fils chez sa mère deux ans plus tard. Il ne se sentait pas monstrueux et n'avait pas non plus l'impression d'essuyer un échec. Il s'était remarié à une femme qui déclarait ne rien vouloir savoir d'un enfant qui n'était pas d'elle, alors il retourna son fils par avion à Lisa. Il n'y avait pas de petite voix dans sa tête pour le réprimander en lui disant: «Quelle sorte de père es-tu, toi qui abandonnes tes enfants pour les envoyer vivre chez leur mère?» Plus tard, j'ai appris qu'il n'avait pas beaucoup réfléchi avant de prendre cette décision, ce qui en soit constitue un problème. Mais aucun des parents n'était une mauvaise personne, et tous deux aimaient leur fils. Les influences qui forgent nos vies de femmes et d'hommes permettent difficilement aux pères de conserver des liens avec leurs enfants après un divorce et c'est tout aussi difficile pour les mères de dire: «je ne suis pas capable» quand elles ne sont vraiment pas en mesure de s'occuper de leur enfant.

L'instinct maternel?

Pourquoi nos attentes envers les mères sont-elles si grandes et pourquoi les jugeons-nous si sévèrement? Le terme *instinct maternel* a été avancé comme concept explicatif quand j'étais jeune. Je croyais vraiment qu'une telle chose devait exister chez *toute* femme bonne, même si je me suis rendu compte assez tôt que j'en étais dépourvue. Cette théorie de l'organe-crée-la-fonction, appliquée au rôle de mère, signifiait que puisque la nature vous avait équipée pour donner naissance à des enfants, elle vous montrerait aussi comment les élever. Ainsi que le notait la thérapeute de famille Lois Braverman, l'essentiel de ce mythe se perpétue encore aujourd'hui: on dit encore que le rôle de mère se joue d'instinct, que le fait d'avoir un enfant comble une femme plus que toute autre expérience ne pourrait le faire et que la mère est la meilleure personne pour s'occuper de son enfant et, par conséquent, qu'elle devrait être la première responsable de la santé et du bonheur de l'enfant.

Il est bien certain que certains aspects du rôle de parent relèvent plus spécifiquement d'un sexe que de l'autre. Jusqu'à nouvel ordre, une femme ne peut pas devenir donneur de sperme, pas plus qu'un homme ne peut allaiter. Porter un enfant, accoucher et avoir une montée de lait sont des fonctions spécifiquement biologiques et naturelles. Mais quand il s'agit du rôle de parent, la nature (qui prévaut pour la capacité de reproduction des femmes) n'a rien à voir avec l'habileté ou la créativité des mères et des pères. La nature n'a rien à voir avec le fait de décider qui va s'absenter du travail quand le bébé sera malade, qui va trouver quelqu'un pour garder l'enfant et s'en occuper, qui fera le lavage, qui y verra quand Antoine aura besoin de lacets, de cours de rattrapage en mathématiques ou d'aller chez le dentiste. La nature n'a rien à voir avec le fait que la société ne demande pas aux hommes comment ils vont répartir leur temps entre le travail et la famille, même s'il faut que cela devienne autant le problème de l'homme que de la femme si l'on veut aborder ces problèmes adéquatement et, surtout, les résoudre.

La notion «d'instinct maternel» comme moteur universel pour toutes les femmes n'est qu'un mythe. Non seulement ai-je pu le constater par expérience personnelle – car Steve était le plus «naturellement» parent pour nos fils, du moins au cours de leurs premières années –, mais les recherches me le confirment. De fait, ce que l'instinct maternel devrait faire, s'il n'était pas arrêté par la raison ou la retenue, serait de soulager le problème de la surpopulation. En effet, les mères peuvent se comporter assez mal quand la société encourage ou réprime un tel comportement, même si elles ne sont pas démunies, sur les plans affectif et financier.

Braverman résume les travaux d'Elizabeth Badinter, qui a étudié le comportement des mères à Paris à la fin du XVIIIe siècle, une époque au cours de laquelle on avait couramment recours à des nourrices tant chez les riches que chez les pauvres. En 1780, 21 000 bébés naissaient à Paris. De ce nombre, seuls 1 000 bébés étaient allaités par leur mère, et seulement 1 000 restaient à Paris. La grande majorité de ces bébés, soit 19 000, étaient mis en pension à l'extérieur de Paris, parfois jusqu'à 200 km de distance. Il était courant de laisser les enfants là-bas pendant trois à cinq ans. Plusieurs bébés mouraient en route, ne survivaient pas aux conditions de vie à la campagne ou revenaient à la maison frêles, infirmes ou gravement malades.

Cette indifférence apparente était caractéristique des femmes de toutes les couches sociales et ne peut s'expliquer que par une réaction à une situation économique difficile. Les mères n'étaient pas forcées d'envoyer leurs bébés ailleurs, mais on les encourageait à organiser leur vie en fonction de leur mari et non de leurs enfants. L'allaitement était déconseillé parce qu'on croyait qu'il pouvait nuire à la beauté et à la pudeur de la femme, de même qu'à l'épanouissement des besoins sexuels du mari.

Je ne doute pas que plusieurs mères qui abandonnaient leurs bébés à Paris ou ailleurs dans le monde en aient été énormément affligées. Ce à quoi je veux en venir, ce n'est pas tant que les mères sont sans cœur et indifférentes, pas plus que je ne nie l'authenticité de l'amour et du désir de protéger que nous ressentons si fortement envers nos bébés. Mais jusqu'à un certain point, nous apprenons ce que notre culture, notre famille et notre tribu nous enseignent. La façon de penser, de ressentir et de se conduire de la «bonne mère» pourrait bien découler moins de la nature que du climat économique, politique et social ambiant. Élever des enfants n'est pas intrinsèquement merveilleux ou intrinsèquement horrible, pour les hommes et les femmes. C'est presque toujours les deux à la fois.

15

Belle aventure pour une belle-mère

À la fin d'une conférence que je donnais récemment sur la réalité des mères, une femme dans l'auditoire leva la main et demanda: «Et que dire des *belles*-mères?» Que *dire* des belles-mères? Je lui retournai la question, après m'être excusée pour l'erreur flagrante que je venais de faire en omettant ce sujet. Je ne savais pas du tout par où elle voulait que je commence. «Je suis une belle-mère. Tout ce que vous pourriez dire à ce sujet me serait utile», répondit-elle. «Dites-moi seulement trois choses.»

«La première», dis-je, «c'est qu'il est très dur d'être une belle-mère.» (Petits signes de tête approbateurs dans la salle.) «La deuxième, c'est que c'est *vraiment*, *vraiment* difficile.» (Encore plus de signes de tête.) «Et finalement, c'est *beaucoup* plus dur que n'importe quelle femme pourrait sans doute oser l'imaginer quand elle décide de se marier à un type qui se trouve à avoir des enfants.»

Le public rigolait et la femme qui avait posé la question semblait vraiment apprécier le fait que j'aie affirmé (et confirmé) que sa situation représentait un problème. On ne dira jamais assez à quel point le rôle de belle-mère est difficile à jouer. Il n'y a pas de solution facile aux problèmes énormes et complexes auxquels font face les belles-mères, et il n'y a aucun moyen de savoir d'avance dans quelle aventure vous vous embarquez.

Quand vous vous mariez pour la première fois, vous et votre époux apportez tous deux à votre relation le bagage affectif habituel de vos familles d'origine. Mais si vous formez une famille reconstituée en vous mariant, vous y apportez, en plus, le bagage affectif de votre premier mariage et de tous les moments difficiles que vous avez dû vivre pour clore ce premier mariage, que ce soit à cause d'un divorce ou d'un décès. Et il en va de même pour votre nouvel époux, s'il était déjà marié avant. En plus, s'il a des enfants avec lui, le monde entier s'attendra à ce que vous vous occupiez d'eux en même temps que des vôtres, si vous en avez, parce que c'est là «l'affaire des femmes».

Les familles reconstituées sont complexes à plusieurs égards: historique, émotif, logistique, structurel, financier et pratique. Tout est en place dans le système pour créer concurrence, jalousie, conflits de loyauté, exclus et ennemis à l'intérieur des ménages. Si vous vous imaginez que les enfants et les adultes se mêleront tous très rapidement les uns aux autres et que tout le monde se sentira à l'aise et content dans votre nouvelle famille, oubliez cela.

Le terme *belle-mère* est intéressant sur le plan étymologique. La première partie, *belle,* est un terme affectueux, mais il témoigne du fait que la mère n'est pas la vraie mère, c'est la mère du conjoint ou une mère de remplacement. Dans ce dernier cas, les anciens l'appelaient la marâtre[*], terme devenu extrêmement péjoratif avec le temps.

Mais le véritable problème avec le mot belle-mère, c'est la partie «mère». *Aucune femme ne peut entrer dans une famille qui a son histoire et dont elle ne fait pas partie, et s'imaginer devenir instantanément la mère.* Le rôle de mère — n'importe quelle sorte de mère — ne peut être conféré à une femme juste parce qu'elle épouse un homme qui a des enfants. Reconnaissez-vous l'absurdité d'une telle attente?

Portrait d'une famille reconstituée

France avait 33 ans quand elle et son mari, Louis, divorcèrent. Ils s'arrangèrent assez bien pour se partager la garde de leur fils de huit ans, Arthur, qui passait environ la moitié du temps chez l'un et la moi-

---

* Dans la version anglaise, il est question du mot *stepmother,* avec un bref commentaire sur le préfixe *step.* (NDT)

tié chez l'autre. France était une femme chaleureuse et énergique qui, dans son rôle de mère, attachait beaucoup d'importance aux liens familiaux de son fils. Elle mériterait une médaille d'or pour tout ce qu'elle a fait afin de permettre à Arthur de rester en relation avec Louis et afin de favoriser par tous les moyens les liens entre Arthur et la famille de Louis, même si elle avait le sentiment que son ex-belle-famille la provoquait et la critiquait parce qu'on la tenait responsable du divorce.

France était une mère aux idées larges qui agissait spontanément, en prévoyant rarement l'avenir. «Je suis mal organisée», disait-elle, et c'est vrai qu'elle l'était. Par exemple, elle pouvait emmener Arthur chez elle à l'heure du souper et soudain se rappeler qu'il n'y avait plus rien à manger à la maison. Ils ramassaient des hamburgers et des cokes au restaurant le plus près et mangeaient devant la télévision en s'inventant des concours à savoir lequel des deux roterait le plus fort. Ils s'adoraient. France n'était pas sûre de très bien jouer son rôle de mère, mais en fait, Arthur et elle se débrouillaient très bien.

Deux ans après le divorce, France se surprit elle-même à devenir amoureuse d'une femme nommée Germaine. France avait eu quelques petites aventures avec des femmes quand elle était à l'université, mais rien de sérieux. Sa relation avec Germaine était la plus intime qu'elle ait jamais eue, et les deux femmes sentaient qu'elles avaient trouvé dans l'autre la véritable partenaire de leur vie. Quand Arthur eut 12 ans, France et Germaine organisèrent une cérémonie pour souligner leur engagement et par la suite elles se considérèrent comme mariées. En suivant une thérapie, France réussit à affronter Louis et sa famille – calmement et sans se mettre sur la défensive – le jour où ceux-ci sautèrent les plombs parce que Arthur vivait avec deux lesbiennes. Le travail préalable que France avait accompli pour maintenir la communication et les liens entre les deux familles porta ses fruits pendant cette difficile période de transition.

❧

Quand Germaine et France se fréquentaient, leur relation coulait facilement. Germaine avait son appartement et elle s'entendait bien avec Arthur, qui était affectueux et chaleureux avec elle. Mais quand Germaine déménagea chez France, les problèmes commencèrent. Germaine s'aperçut que le côté «négligé» de France lui déplaisait; France ne lui résista pas beaucoup quand elle lui imposa ses règles de fonctionnement pour la maison. Le *fast food* fut interdit. Elle n'accepta plus que l'on mange devant la télévision. Arthur devait faire son lit tous les matins avant d'aller à l'école. Il n'avait le droit de regarder que sept heures de télévision par semaine, pas plus.

Germaine était de cinq ans plus âgée que France. Sa fille Alice venait tout juste de partir de la maison pour aller à l'université et Germaine avait des idées bien arrêtées sur la manière dont une famille doit fonctionner. Elle avouait elle-même avoir tendance à vouloir tout contrôler. En travaillant avec ce couple en thérapie, j'appris que France laissait le contrôle à Germaine pour trois raisons.

D'abord, il y avait eu tant de disputes dans son premier mariage avec Louis qu'elle préférait marcher sur des œufs avec sa nouvelle compagne plutôt que de risquer d'ouvrir de nouvelles hostilités. France tenait tellement à ce que cette relation fonctionne qu'elle avait balayé ses sentiments sous le tapis, même si elle savait que cette «solution» ne ferait que créer encore plus de problèmes à long terme.

Ensuite, France n'avait pas confiance en sa manière à elle de remplir son rôle de mère, malgré le fait qu'elle avait élevé Arthur pendant presque quatre ans après son divorce et que l'enfant s'était très bien épanoui. «Je ne suis pas très bonne pour "prendre les responsabilités" de parent», expliquait France. «Germaine est meilleure que moi pour instaurer des règlements. Elle a plus d'autorité.» Il n'était pas venu à l'esprit de France qu'elle pouvait *apprendre* à faire ces choses, dans la mesure où elle s'apercevait maintenant que cela comptait. Au lieu de prendre en considération les bonnes idées de Germaine et d'en mettre certaines en pratique, tout en restant au poste de commande des décisions, France s'en était totalement remise à Germaine.

Troisièmement, la société ne soutenait pas et même ne reconnaissait pas la nouvelle famille de France, avec son amour profond pour Germaine. Il était compréhensible que France ait voulu lutter contre l'homophobie sous toutes ses formes, à commencer par chez elle. Dans son ardeur à vouloir aider Germaine à jouer en toute bonne foi son rôle de belle-mère, France disait à Arthur: «Obéis à Germaine. Nous sommes une vraie famille et elle, c'est ta belle-mère! Tu devrais te compter chanceux d'avoir deux mères.»

Bien sûr, Arthur ne se trouvait pas particulièrement chanceux. Le divorce lui avait fait vivre une période de crise temporaire, comme le font tous les divorces. Il lui avait fallu du temps à lui et à sa mère pour instaurer une nouvelle routine, et il lui avait fallu du temps pour se trouver un *modus vivendi*, entre deux familles et deux maisons. Dix-neuf mois après le divorce, son père s'était remarié avec une femme qui, de son côté, avait déjà deux enfants, ce qui allait provoquer encore plus de changements et de perturbations dans la vie d'Arthur, du moins à court terme. Maintenant, un nouvel adulte entrait dans le décor, modifiant complètement la relation qu'il avait avec sa mère, celle-ci n'étant désormais plus là pour lui tout seul. Le pire de tout, c'était que cette nouvelle personne agissait comme si elle était une meilleure mère que sa véritable mère et que sa vraie mère avait renoncé à ses obligations, ce qui laissait Arthur avec le sentiment d'être abandonné. Par-dessus tout cela, il y avait le fait que ses camarades de classe faisaient des blagues haineuses à propos des homosexuels. Arthur ne se sentait donc pas particulièrement chanceux de vivre cette expérience.

«Tu n'es pas ma mère!»

Plus Germaine cherchait à s'intégrer à la vie familiale, plus Arthur la rejetait. «Je ne veux pas que tu viennes au pique-nique de l'école!», insistait-il. «Tu n'es pas ma mère!» France et Germaine le trouvaient impoli et le punissaient pour son comportement, ou encore elles voyaient de l'homophobie dans son attitude, ce dont elles tentaient de discuter avec Arthur, tout en le sensibilisant au problème de la discrimination envers les lesbiennes et les gays. Mais bien que l'homophobie soit indéniablement un gros problème dans le monde dans lequel nous vivons, ce n'était pas *là* le problème chez Arthur. Le véritable problème, c'était le fait que France avait renoncé aux tâches quotidiennes qui lui incombaient en tant que parent et que Germaine cherchait à régenter la maisonnée. C'était la recette parfaite pour l'échec, et effectivement, Arthur et Germaine étaient de plus en plus à couteaux tirés.

Quand je vis ce couple pour la première fois en thérapie, les notes d'Arthur étaient passées de presque A à moins de C. France, prise au milieu de chaudes luttes entre Arthur et Germaine, était déprimée, coincée et terrorisée à l'idée que Germaine finisse par partir. Germaine tentait l'impossible pour que les choses fonctionnent. Elle avait déménagé chez France avec des attentes bien différentes. Maintenant elle se sentait tendue, dépassée, mal écoutée et pas appréciée, et elle ne comprenait pas vraiment ce qui se passait.

Il y avait aussi d'autres problèmes. La fille de Germaine lui annonça qu'elle ne viendrait pas à la maison pendant le congé du printemps parce qu'elle n'avait pas de chambre à elle dans la nouvelle maison de sa mère, chez France, et elle ne voulait pas coucher sur le divan. Germaine comprenait bien que de ne plus avoir de chambre donnait à Alice le sentiment de ne pas faire partie de la nouvelle famille, mais elle ne voyait aucune solution dans l'immédiat. Arthur se plaignait à son père que Germaine voulait le mener par le bout du nez et la femme de Louis commençait à critiquer Germaine devant quiconque voulait bien l'entendre, faisant toujours référence à «cette espèce de lesbienne». France et Germaine interdirent ensuite à Arthur de parler de Germaine quand il allait chez son père, ce qui donna à Arthur le sentiment d'être muselé et d'avoir à «se surveiller» dans son autre chez-lui.

Germaine était de plus en plus amère d'avoir si peu d'occasions de se retrouver seule avec France, sans qu'il soit question d'Arthur ou de quelque autre problème familial. «Qui aimes-tu le plus, moi ou Arthur?», demandait-elle à France. Il y avait longtemps qu'elle avait passé l'étape des petits enfants et elle était frustrée de voir que France n'était pas assez disponible. Il n'est pas rare qu'une belle-mère se sente jalouse du lien qui unit parent et enfant, parce que ce lien date d'avant que le couple ne soit formé et il est habituellement plus fort, au début. Aussi est-il difficile pour un nouveau couple de prendre le temps d'être ensemble, étant donné les besoins des enfants et les problèmes relationnels auxquels tout le monde fait face. Germaine s'aperçut que la question «Qui aimes-tu le mieux?» n'avait pas de bon sens, car l'amour et les responsabilités d'un parent envers un enfant ne se comparent pas à ceux que l'on ressent pour un conjoint. Mais le stress chronique n'a jamais rendu aucun d'entre nous plus adulte.

Bienvenue dans le quotidien d'une famille reconstituée, au cours de sa première année! Comme je le disais à la femme de l'auditoire qui me posait la question, oui, être belle-mère est beaucoup plus difficile qu'aucune d'entre nous n'aurait pu l'imaginer.

Alors, que faire?

Il était essentiel que Germaine sorte du rôle de la «méchante belle-mère» et que France l'aide à effectuer ce changement. À cette fin, il fallait que France prenne en charge son fils, ce qui voulait dire, d'abord et avant tout, qu'elle devait décider avec le père d'Arthur de ce qui concernait son éducation, et que c'était à elle d'appliquer les règlements de la maison et de s'assurer qu'Arthur traitait Germaine avec courtoisie et respect. Quand le trio était devenu une famille reconstituée, France avait bien dit à Arthur: «Germaine ne remplacera jamais ton père.» La partie qu'elle avait omis d'aborder était: «Germaine ne *me* remplacera jamais.» Les enfants ont besoin d'entendre les deux messages à voix haute et clairement si l'on veut vraiment qu'ils en viennent à accepter un nouvel adulte dans leur vie.

Germaine et France tentaient également beaucoup trop de créer une nouvelle famille unie. D'après les recherches, il faut de trois à cinq ans pour qu'une famille reconstituée trouve une certaine intégration et une certaine stabilité. Comme l'explique Betty Carter, il faut beaucoup de temps avant qu'une belle-mère puisse passer de l'état de totale étrangère à celui de nouvelle conjointe de papa (ou dans le cas présent, de maman), puis à l'état d'amie de l'enfant et, finalement (avec un peu de chance), à la position d'adulte chérie ou associée à l'image d'un parent. Si l'enfant est adolescent quand le nouveau conjoint arrive (Arthur avait presque 13 ans quand Germaine déménagea chez lui), il peut très bien ne jamais développer de lien affectif très fort, ce qui est parfaitement normal.

Étant donné que France, Germaine et Arthur étaient tous trois dans une situation extrêmement tendue, les deux femmes étaient prêtes à faire leur part pour changer la situation. France reprit en main l'éducation de son fils et apprit à établir des règles et à les appliquer. Germaine eut la pénible tâche de se retirer et d'arrêter de s'en faire avec le fait que son style n'était pas du tout le même que celui de France, en matière d'éducation à donner aux enfants. Il était extrêmement difficile pour elle de se tenir à l'écart quand elle voyait France se démener pour ordonner quelque peu la vie d'Arthur et lui donner un peu plus de structure. Mais il était tout aussi difficile pour France de faire valoir son autorité en tant que mère d'Arthur quand Germaine prenait le contrôle. Avec la pratique, France apprit à dire des choses comme: «Germaine, tu as des idées merveilleuses au sujet de l'éducation et je veux les entendre. Mais il ne sert à rien que tu me critiques ou que tu me dises quoi faire. Et il y a quelques sujets que nous ne voyons pas du même œil. Il faut que j'élève Arthur à ma manière, même si je fais des erreurs.»

En effectuant ces changements, les deux femmes finirent par y trouver leur profit. Ce qui les motivait, c'était de voir qu'elles ne pouvaient pas continuer de cette manière, si elles voulaient tenir bon. Lors de notre dernière session de thérapie, Germaine dit: «Si les choses ne s'étaient pas améliorées, j'aurais écrit un livre intitulé *Belle-mère d'outre-tombe.*» Je lui dit que j'étais convaincue que cela aurait été un best-seller.

J'encourageai également Germaine à fréquenter plus souvent sa fille, Alice, qui prenait ses distances de plus belle parce qu'elle se sentait exclue de la nouvelle vie de sa mère au moment même où elle venait de partir de la maison. En se rapprochant d'Alice, Germaine se concentra moins sur Arthur. À la fin de la thérapie, Germaine et France avaient acheté une maison ensemble à quelques coins de rue de leur ancienne demeure. Cette maison était plus grande et contenait une chambre supplémentaire, que Germaine décora avec les effets d'Alice, de sorte que sa fille sut qu'elle avait sa place dans la famille. Le fait d'acheter une nouvelle maison permit également à Germaine et à France d'être sur un pied d'égalité et offrit des assises plus solides à leur nouvelle famille qui allait continuer à y évoluer.

C'est lui ou c'est elle qui se remarie

Un des avantages qu'avaient pour elles Germaine et France en reconstituant une famille était le fait qu'elles étaient lesbiennes. Je sais que cela peut sembler absurde, étant donné que les homosexuels n'ont pas le droit de se marier, qu'on les décourage de s'aimer ouvertement, qu'ils doivent faire face à une éternelle discrimination et qu'ils sont en quelque sorte obligés de se cacher sans cesse. Mais comme France était une femme, elle savait de quoi je parlais quand je la mettais au défi de reprendre en charge son fils. Un père, au contraire, m'aurait probablement donné 36 raisons pour dire qu'il lui était impossible d'assumer les travaux pratiques liés à la garde de l'enfant, et sa nouvelle épouse aurait probablement été d'accord pour dire que c'était tout simplement plus pratique pour elle d'y voir. Comme le fait remarquer Betty Carter, un couple typique d'hétérosexuels à la veille de se remarier se passe probablement le genre de réflexions suivantes.

Il se dit: «*C'est parfait! Je me marie à nouveau!* Mes enfants vont avoir une mère maintenant, et nous allons redevenir une vraie famille!» (Traduction: «Je vais gagner l'argent, elle va élever mes enfants, et nous aurons l'air à nouveau d'une vraie famille unie.») Ou, pire encore, il se dit: «C'est parfait! Mes enfants vont avoir une bonne mère désormais, qui va être bien meilleure pour les élever que cette femme égoïste et négligente dont j'ai divorcé!» Elle se dit: «*C'est parfait! Je me marie à nouveau!* Maintenant nous aurons quelqu'un pour nous faire vivre, moi et mes enfants, étant donné qu'on y arrive difficilement avec la maigre pension que me donne leur père. Je vais élever ses filles, car son travail l'occupe tellement et moi j'ai un horaire flexible. En plus, de toute évidence, il ne sait pas comment les discipliner. Et les pauvres petites chéries n'ont jamais eu de mère pour s'en occuper en priorité, alors peut-être que si je fais tous les efforts requis, je pourrai leur donner ce dont elles ont besoin et compenser pour ce qui leur a manqué.»

Un tout autre scénario survient quand la future belle-mère ne se rend pas compte qu'un homme avec des enfants constitue *toujours* un contrat global. Elle se dit: «Et bien, ses enfants vivent avec leur mère en Alaska, alors je n'ai pas à m'occuper d'eux.» Bien sûr, ses trois adolescents peuvent aussi bien se pointer un quart de seconde après qu'elle l'ait épousé. Et s'ils n'ont pas de contact régulier avec leur père, il y a quelque chose qui ne va pas parce qu'ils en ont besoin.

Comme le fait remarquer Carter, au cœur du problème se cachent de vieilles perspectives par rapport aux rôles sexuels. On s'attend à ce que l'homme remplisse ses obligations financières envers sa première famille et qu'il renfloue la nouvelle aussi, même si les enfants de sa nouvelle femme ne reçoivent pas assez d'argent de leur propre père. On s'attend à ce que la femme devienne instantanément une belle-mère (ajouter simplement quelques enfants et remuer...) et qu'elle réponde aux besoins affectifs de sa nouvelle famille. Personne ne lui dit qu'elle peut ne pas prendre tout bonnement la relève d'un parent avec des enfants qui ne sont pas les siens.

C'est ainsi que naît la «méchante belle-mère». Plus elle tente de devenir en quelque sorte une mère instantanée, plus elle risque de rencontrer de la résistance de la part des enfants et de leur mère naturelle. Et comme *il* travaille plus fort pour faire vivre deux familles, la tendance naturelle de l'homme à prendre ses distances est amplifiée. Tout est en place pour que la mère et la belle-mère commencent à se faire des reproches réciproques. Ensuite, l'enfant est pris entre deux femmes qui exercent leur rôle en étant chacune sur les dents, hostiles l'une envers l'autre, et en compétition. La belle-mère constitue une cible parfaite pour un enfant désespéré et délinquant. Papa est en dehors de tout cela. Pendant ce temps, le grand responsable est mis de côté, hors de la vue: c'est l'ensemble de nos perspectives périmées sur les rôles sexuels.

Bien que l'on reconnaisse les difficultés qui attendent les femmes dans les familles reconstituées, il ne s'agit pas de suggérer que cette forme de famille est «moins valable» qu'une famille nucléaire traditionnelle. Il ne s'agit certes pas non plus de suggérer que les familles reconstituées font du tort aux enfants. D'innombrables femmes font partie de telles familles qui fonctionnent bien et elles s'enrichissent de cette expérience. Une belle-mère a évidemment la tâche plus facile si les enfants sont assez jeunes pour avoir le temps de développer une relation avec elle ou assez vieux pour ne plus vivre du tout à la maison.

Les belles-mères ont souvent l'impression qu'elles n'arrivent pas à faire les choses correctement. De plus, belles-mères et mères naturelles s'affrontent souvent dans de pénibles différends. (Les pères et beaux-pères risquent beaucoup moins d'avoir de tels conflits puisqu'ils ont appris à rester en dehors de ces histoires, loin de la vie affective de la famille, ou à disparaître totalement.) Pour rendre les choses encore plus difficiles, la société continue d'exalter le mythe de la «famille traditionnelle» (peu importe si cette forme de famille est devenue la minorité), offrant peu d'encouragement et de conseils aux familles reconstituées qui ont des expériences et des exigences différentes. Carter fait remarquer que les familles reconstituées n'ayant pas de modèles à suivre sur le plan pratique, les couples tentent de créer une «nouvelle famille traditionnelle instantanée», ce qui est un désastre total pour les enfants, car les tout nouveaux liens interfèrent avec les liens plus profonds qu'ils ont tissés dans leur famille d'origine, avec leurs grands-parents, leurs tantes, leurs oncles et leurs cousins.

L'avis des spécialistes

Les thérapeutes de famille Betty Carter et Monica McGoldrick ont joint leurs efforts depuis 1978 pour diriger un travail de pionnières sur les familles reconstituées. Je leur sais gré de leur enseignement et de leurs conseils. Elles suggèrent aux beaux-parents de garder à l'esprit les trucs suivants.

1. *Ne présumez pas que les enfants de votre conjoint cherchent une autre mère.* Carter et McGoldrick demandent aux enfants, à la fin de leur thérapie familiale, de décrire la sorte de relation qu'ils aimeraient avoir avec la nouvelle femme ou le nouveau mari de leurs parents. Les enfants expriment le désir d'avoir une relation amicale en quelque sorte, comme avec une tante ou un oncle, un entraîneur sportif, ou un ami particulier. Les enfants expriment rarement le désir d'avoir un autre parent. Leur premier souci concerne la manière dont leurs véritables parents les traitent et dont ceux-ci se traitent entre eux. Personne ne peut remplacer un parent. Même un parent décédé ou absent. Pas même un parent qui serait en prison pour vol qualifié. Betty Carter raconte cette histoire assez convaincante.

   > Un petit garçon de six ans, à qui son instituteur demandait de lui présenter le couple qui venait le reconduire à l'école, répondit: «Voici ma mère et voici mon... Charles.» Son propre père était un homme violent que sa mère avait dû fuir, mais l'enfant lui restait fidèle. Il avait un père. Cet homme-ci, qu'il aimait beaucoup, était quelqu'un d'autre.

2. *Ne vous en tenez pas aux rôles sexuels traditionnels.* Carter et McGoldrick recommandent de «jouer le rôle de parent et de payer» en fonction des relations biologiques ou adoptives avec les enfants, et non en fonction des rôles sexuels. En d'autres termes, papa fera la discipline avec sa fille et assumera les tâches quotidiennes et pratiques, même quand il lui semblerait plus simple que ce soit sa femme qui le fasse. En d'autres termes, belle-maman continuera à apporter de l'argent à la maison, même si ses revenus

sont beaucoup moindres que ceux de son mari. Bien sûr, cela vaut également pour les familles traditionnelles, mais le rôle classique de la femme est très valorisé chez les belles-mères. Les hommes doivent savoir que s'ils confient leurs enfants à la «femme de la maison», ils s'assurent de faire de celle-ci une «méchante belle-mère». Il y a une multitude d'activités que les belles-mères et les enfants peuvent faire ensemble (ils ont besoin de temps seuls à seuls) et qui ne nécessitent pas que la femme se mette sur les épaules les principales responsabilités parentales.

3. *Ne forcez pas l'intimité.* Oubliez vos plans bien intentionnés de former une belle grande famille heureuse, d'avoir de joyeux soupers familiaux et tout cela. Il y faut du temps. Carter note que les adolescents sont particulièrement décontenancés par les exigences auxquelles ils doivent répondre avec une nouvelle famille, parce qu'ils essaient déjà de trouver leur autonomie dans leur première famille. Les filles aînées protègent souvent leurs mères et il arrive aussi qu'elles jouissent d'une position privilégiée avec leurs pères divorcés dont elles ont l'habitude de prendre soin; quiconque s'intègre dans une famille où il y a une adolescente devrait réduire ses attentes à presque zéro en ce qui concerne l'intimité. Comme le note Carter, les filles aînées sont les loyales porte-flambeau de leur mère et deviennent ainsi les spécialistes de la provocation face à une belle-mère.

McGoldrick présente cela ainsi. Si les enfants de votre nouveau conjoint sont jeunes ou si vous êtes très chanceuse, vous pouvez développer une relation qui ressemblera avec le temps à celle d'un parent. Si vous arrivez effectivement à établir une belle relation avec les enfants de votre conjoint, c'est merveilleux, mais c'est du surplus; ce n'est pas banal et ce n'est pas quelque chose à quoi vous devez vous attendre. La seule chose à laquelle vous êtes en droit de vous attendre, c'est qu'il y ait de la courtoisie, de la décence et du respect entre belle-mère et enfants. Et c'est à celui ou à celle qui a la responsabilité principale des enfants de voir à ce que cela soit ainsi, et non pas à la belle-mère ni au beau-père.

Des attentes impossibles et si peu d'aide!

Une patiente en thérapie me raconta qu'elle s'était adressée en ces termes à ses deux belles-filles, une semaine après avoir épousé leur père veuf: «Je sais que je ne suis pas votre mère et que je ne la remplacerai jamais. Mais je veux que vous sachiez que je vous aimerai exactement autant que j'aime mes propres enfants.» Cette femme connaissait ses enfants depuis 9 et 12 ans, respectivement. Elle était avec eux depuis leur conception. En revanche, elle connaissait les enfants de son mari depuis cinq minutes. Qu'est-ce qui la poussait à faire une telle promesse? Comment pouvait-elle s'attendre à faire quelque chose d'aussi peu réaliste? S'imaginait-elle qu'il était de son devoir de calmer leur souffrance comme par magie, avec son amour? S'attendait-elle à ce que ces enfants croient à une promesse aussi irréaliste? C'est incroyable ce que les femmes apprennent à attendre d'elles-mêmes sur le front de l'éducation.

❧

Il est dommage que la seule sorte de famille qui reçoive une aide suffisante dans notre société soit la traditionnelle union créée lors d'un premier mariage. Vous ne trouverez pas grand-chose à la télévision ou dans les médias de masse pour vous aider à comprendre comment fonctionne une famille reconstituée qui se porte bien et ce que peut vivre une belle-mère. Même si plus d'un million de familles reconstituées se forment chaque année. Même si plus d'un tiers des enfants de notre pays font partie d'une famille où les parents sont remariés en secondes noces. Même si les belles-familles sont en passe de devenir la forme de famille qui croît le plus vite dans notre pays.

Emily et John Visher, ces pionniers reconnus dans le domaine des familles reconstituées, nous rappellent que presque toutes les autres unions comprennent au moins un adulte déjà marié (et 60 p. 100 ont eu des enfants de leurs précédentes relations) et que selon les prévisions des démographes, les familles reconstituées deviendront bientôt le type de famille le plus répandu aux États-Unis. Ils insistent pour dire que les membres de ces familles ont besoin de se sentir acceptés, d'être informés et éduqués, et de recevoir de l'aide, autant de choses qui sont rares, peut-être parce que les familles reconstituées ne représentent pas les «valeurs familiales idéales». Une famille reconstituée qui est heureuse et fonctionne bien remet en cause l'idée que le divorce est une mauvaise chose et que des couples malheureux dans leur mariage devraient rester ensemble pour le bien des enfants. La société continue à prétendre que la famille nucléaire (ou n'importe quelle formule ressemblant à une famille nucléaire), c'est ce qui compte et c'est ce qui marche.

Que pouvez-vous faire? Vous pouvez vous joindre à un groupe de soutien ou en former un, ou chercher une association de familles reconstituées. Vous pouvez vous rendre dans la section «familles reconstituées» de votre libraire et lire, lire, lire! Vous trouverez dans ces livres des conseils sur la manière de favoriser les relations dans les familles reconstituées, de créer des rituels pour cerner votre nouvelle famille, et d'organiser la vie pratique, de régler les problèmes financiers, de passer d'une famille à l'autre, et plusieurs autres renseignements sur différents problèmes de la vie des familles reconstituées. Vous y trouverez des conseils contradictoires, alors retenez ce qui vous paraît avoir du bon sens, servez-vous-en, et laissez tomber le reste. Tout est bon, tant que cela vous permet de mieux faire fonctionner votre famille reconstituée, et tant que cela ne se produit pas à vos dépens ou aux dépens d'un autre membre de la famille.

Si les problèmes vous amènent au bord de la crise de nerfs, ne décidez pas que tout est votre faute. Les familles reconstituées recèlent parfois des complexités et des ambiguïtés qui ne comportent pas de solutions simples, et une belle-mère joue avec des attentes qu'aucun mortel ne peut arriver à satisfaire. Ne vous blâmez pas si les choses ne vont pas comme vous vous y attendez (elle ne le feront pas), et ne pensez pas que vous pouvez «arranger» les choses grâce à vos bonnes intentions ou à vos initiatives personnelles. Trouvez un thérapeute de famille qui se spécialise dans les familles reconstituées, et allez consulter le plus vite possible.

❧

Il n'est jamais facile d'être pionnier. Un incident récent me rappela à quel point il est facile de retourner dans les chemins de la tradition. Je voyais un couple aux prises avec des problèmes familiaux, en partie parce que le travail du mari le forçait à être en dehors de la ville durant les jours de semaine. Il laissait sa femme, avec qui il était marié depuis un an, se débrouiller avec ses trois fils (ses beaux-fils à elle), qui faisaient toujours des problèmes pour aller au lit. Quand le mari insistait pour dire qu'il n'avait aucun moyen de s'occuper de l'heure du coucher parce qu'il se trouvait trop loin, je me suis surprise à hocher spontanément de la tête en signe d'approbation. Soudain, je me suis rappelé un commentaire que Betty Carter avait fait à un père dans une situation semblable plus de dix ans auparavant: «Avez-vous déjà entendu parler du téléphone?», avait-elle dit de son ton désarmant. Réveillée par ce souvenir, je demandai au père d'appeler ses fils tous les soirs quand il était loin d'eux. Sa tâche consistait à leur demander comment avait été leur journée à l'école, à leur laisser savoir ce qu'il attendait d'eux au sujet du coucher, et à insister pour qu'ils traitent leur belle-mère avec respect et gentillesse quand elle leur rappelait que c'était le temps du dodo. Toutes les relations familiales s'améliorèrent remarquablement quand il se montra à la hauteur du défi, et il se sentit également mieux à ce propos.

Qu'arrive-t-il quand la complexité de la vie avec la belle-famille vous dépasse? La solution ici, selon McGoldrick, est de songer à avoir une très longue aventure avec ce type que vous aimez — une aventure qui continuera tant que le plus jeune de ses enfants n'aura pas atteint 18 ans et qu'il ne sera pas parti de la maison — et *ensuite* de vous marier ou de déménager avec lui. Dans certains cas, je pense que c'est là une idée très intelligente. Plus précisément, c'est encore une autre façon de dire: «Eh, que c'est difficile!»

16

La danse familiale

Quand les choses s'échauffent dans une famille, c'est rarement à cause d'un dérèglement d'hormones ou des différentes phases de la lune. Les parents jettent leur dévolu sur un enfant dans les périodes de grand stress ou au cours des épisodes difficiles de la vie familiale. Mais quand nous avons du mal avec un enfant, nous nous mettons invariablement des œillères, comme cet enfant était le «problème», et nous en faisons parfois autant avec un autre adulte. Nous ressemblons dès lors à l'homme du proverbe, celui qui perd ses clés dans une ruelle et qui les cherche sous le réverbère parce que c'est le seul endroit où l'on voit bien. Plus nous concentrons notre attention sur l'enfant qui nous cause des problèmes, plus nous risquons de perdre de vue l'ensemble de la situation et la véritable source de notre angoisse.

Je m'apprête à donner un exemple qui montre combien le lien que vous entretenez avec votre enfant peut avoir un rapport avec tous vos autres liens familiaux et combien tous ces liens sont entrelacés et s'influencent entre eux. Comme le dit le naturaliste John Muir: «Chaque fois que nous essayons d'arracher quelque chose, c'est tout l'univers qui vient avec.»

Nous allons également examiner en profondeur le rôle qu'un père peut jouer dans la danse familiale. Pourquoi se pencher là-dessus quand notre sujet est, après tout, la mère? J'ai délibérément choisi d'éloigner la mère des feux de la rampe dans ce bref portrait de famille, non pas que la mère en question ait joué un moins grand rôle dans la vie de famille, mais parce qu'en général on accorde aux mères beaucoup plus de pouvoir qu'elles n'en ont en réalité pour déterminer la vie de leurs enfants. En vérité, aucun membre en particulier n'a tant de pouvoir sur l'ensemble de la famille.

Pour être encore plus précis, disons que nous ne pouvons pas vraiment comprendre la relation entre une mère et son enfant si nous ne réfléchissons qu'à cette relation, sans tenir compte du réseau complexe de relations dans lequel elle s'intègre. Bien que tout le monde participe au ballet familial, il s'agit qu'un seul parent effectue de gros changements pour que les enfants en bénéficient.

Un triangle en action

Hélène et Richard vinrent me voir à la Clinique Menninger parce que leur fille de six ans, Sophie, ne s'intégrait pas bien à l'école où elle venait d'entrer. Ce qui préoccupait le plus Richard, ce n'était pas tant les problèmes scolaires de Sophie que les «caprices» qu'elle faisait avec la nourriture, attitude que Richard trouvait dangereuse pour sa santé.

Avec le temps, en apprenant à connaître Richard et Hélène, séparément et ensemble, j'appris que l'heure des repas se passait souvent comme ceci. Sophie refusait sa nourriture ou disait qu'elle n'avait pas faim. Richard se mettait en colère et faisait des menaces – «Tu n'auras ni dessert ni télé si tu ne finis pas tes légumes!» – et s'inquiétait beaucoup de la santé de Sophie. Hélène s'opposait alors aux tentatives de son mari pour régir les habitudes alimentaires de Sophie, lui disant d'arrêter et de laisser Sophie tranquille. Ses interventions rendaient Richard furieux, car il sentait ses efforts sapés et rabaissés. Il changeait alors l'objet de sa colère, passant de sa fille à sa femme, et il commençait à critiquer Hélène en tant que mère: «Le vrai problème ici, c'est que tu lui donnes n'importe quoi à manger!» Une dispute de couple survenait alors à table, et Sophie se retirait dans sa chambre, après avoir grignoté et pignoché dans son assiette.

La scène que je décris peut se produire dans n'importe quelle famille, dans les mauvais jours, mais dans cette famille en particulier, le modèle était solidement implanté. Jour après jour, Richard et Hélène se disputaient au sujet de l'éducation de Sophie, leurs chicanes ayant presque toujours trait à la nourriture bien que les autres sujets n'aient pas manqué non plus. Vers l'époque où Hélène et Richard vinrent me demander de l'aide, Sophie ne voulait plus aller à l'école et elle se repliait de plus en plus sur elle-même quand elle était avec d'autres enfants de son âge. À la maison, elle était la «meilleure amie de sa mère», le père occupant une position extérieure dans ce triangle-clé. Hélène sortait souvent avec Sophie pour lui offrir des bonbons et l'emmener au restaurant, lui faisant promettre de garder le secret sur ces petits plaisirs. Dès que Richard n'était pas là, elle permettait également à Sophie de désobéir aux règles de Richard, par exemple de «ne pas sauter sur le divan blanc». La mère donnait à la fille d'innombrables messages à l'effet que «tu peux faire ce que tu veux, mais ne le dis pas à papa».

Richard, pour sa part, alimentait le triangle avec ses emportements et sa sévérité, et en laissant entendre à Sophie que sa mère ne s'occupait pas bien d'elle et qu'elle n'avait aucune compétence pour prendre soin de sa fille. À l'époque où j'ai rencontré la famille pour la première fois, la situation s'était intensifiée au point que lorsque Sophie hésitait entre une salade ou un chou à la crème, elle se retrouvait dans un dilemme angoissant puisque, inconsciemment, elle devait en même temps choisir «pour qui elle prenait» dans un incessant conflit conjugal entre deux parents qui n'arrivaient pas à s'entendre sur son éducation.

Richard et Hélène voulaient que je leur dise qui avait raison en ce qui concernait le régime alimentaire de Sophie et d'autres détails de l'éducation de l'enfant, mais le problème n'était pas de savoir qui avait raison. Il n'existe tout simplement pas de façon correcte de vivre en famille. Bien sûr, il est bon d'éviter les extrêmes dans tous les domaines, en d'autres termes il n'est pas idéal pour une famille d'avoir des règles trop rigides et autoritaires ni d'agir en protoplasme, sans limites et sans frontières. Il existe une immense diversité de styles de familles auxquels les enfants s'adaptent parfaitement. Ce à quoi ils s'adaptent mal, c'est quand ils sont l'objet de la colère de leurs parents. Les enfants deviennent particulièrement angoissés quand les parents sont opposés, qu'ils se critiquent mutuellement et sont incapables de se mettre d'accord au sujet de leur éducation.

Cela veut-il dire que Richard et Hélène doivent voir les choses de la même façon? Bien sûr que non. Je m'attends à ce que tous les couples connaissent certains désaccords au sujet de l'éducation de leurs enfants, à moins qu'ils ne soient attachés par les hanches et qu'ils aient un cerveau et un système sanguin communs. Cependant, il fallait que Richard et Hélène arrêtent de se disputer devant Sophie et il fallait aussi qu'ils se dérident, qu'ils apprennent à s'endurer et à s'entendre sur les règles à appliquer et auxquelles ils pourraient rester fidèles tous les deux. S'ils étaient incapables d'en arriver là, ils continueraient à avoir sur les bras une enfant angoissée et troublée.

Cela tient du gros bon sens, n'est-ce pas? Pourtant, si Richard et Hélène avaient pu faire appel au gros bon sens, ils ne se seraient pas retrouvés dans mon bureau, coincés, inflexibles, enfermés dans des positions rigides et opposées, et souffrant beaucoup, leur enfant unique étant de moins en moins capable d'affronter la vie.

La famille de Richard

Des deux parents, Richard était de loin le plus angoissé. À mesure que j'en apprenais sur sa famille d'origine, je comprenais mieux qu'il ait fait de la santé de Sophie le point de mire de son angoisse. Il y avait eu dans sa famille plusieurs décès traumatisants au cours des générations. Les femmes, en particulier, «tombaient comme des mouches», comme il disait; on ne pouvait compter sur elles pour survivre. Le pire de ces décès était survenu quand Richard était au jardin d'enfants, le jour où un étudiant ivre avait tué sa mère et sa sœur aînée, dans un accident d'auto. Richard et son père n'en avaient jamais reparlé et n'avaient pas non plus fait de deuil ouvertement. Quand le père de Richard s'était remarié, deux ans plus tard, et avait emmené sa famille vivre dans une autre ville, Richard avait peu à peu perdu le contact avec la famille de sa mère décédée. Les photos de sa mère et de sa sœur avaient fini dans une boîte, sous les combles, avec d'autres souvenirs familiaux d'avant l'accident.

Quand Sophie était venue au monde, Richard l'avait perçue comme une enfant vulnérable dont la survie n'était pas acquise. Avant de venir en thérapie, il n'avait jamais fait de lien entre l'attention inquiète qu'il portait à la santé de Sophie et le fait que dans sa famille d'origine, l'aînée était morte brusquement et prématurément, tout comme sa mère. Alors que souvent les hommes affrontent leurs angoisses en devenant indifférents, tel n'était pas le cas de Richard. Au contraire, il se conduisait envers sa fille comme une personne qui veut tout contrôler, tentant impatiemment de régler son comportement et exprimant toutes sortes d'inquiétudes. L'anxiété de Richard monta en flèche quand Sophie entra au jardin d'enfants – ce qui coïncidait avec l'âge que Richard avait quand son monde s'était écroulé.

Quand je demandai à Richard de me parler de la manière dont il avait été élevé pour ce qui est de la nourriture et de divers autres aspects, il me dit que son père ne lui avait jamais imposé de discipline, du moins pas qu'il s'en souvienne. Richard décrivait son père comme «en état d'hypnose» après la mort de sa mère et n'exerçant aucune autorité. Le souvenir d'enfance le plus vif pour Richard était celui où il était en colère et il avait lancé une chaise de bois en bas de l'escalier du sous-sol, quand il était en première année. La chaise s'était cassée en deux et pendant tout ce temps son père avait continué à manger comme si de rien n'était. «Mon père ne pouvait supporter la confrontation», dit Richard, «ou bien il ne pouvait me supporter.» Richard était déterminé à ne pas être pour son enfant cette sorte de «non-père», comme il disait.

Quand le père de Richard s'était remarié, sa nouvelle femme avait débarqué comme un sergent d'armée, instaurant des règles strictes pour que Richard soit propre, à l'ordre et responsable, règles qu'elle avait appliquées sévèrement. Comme le père de Richard avait abdiqué toute autorité parentale, elle avait tout le loisir de prendre le rôle de la «méchante belle-mère». Le père de Richard n'avait jamais réussi à tenir tête à cette femme ni même à définir ses croyances et ses valeurs personnelles en tant que père. Le fait que son père ait abdiqué ses responsabilités de parent avait énormément blessé Richard, mais il ne fallait pas se surprendre d'un tel arrangement. Non seulement son père était-il absorbé par son chagrin, mais il faisait exactement ce que les hommes de l'époque faisaient – et ce que plusieurs font encore aujourd'hui, malheureusement – c'est-à-dire laisser la responsabilité des enfants à la femme de la maison.

À la maison, le père de Richard pliait toujours devant sa nouvelle femme, cédant à ses volontés et acceptant ses plans, mais quand il était seul avec son fils et hors du champ de vision de cette femme sévère, il traitait Richard avec beaucoup d'indulgence, en cachette, lui achetant des cadeaux défendus et l'invitant à désobéir aux règles. C'était exactement ce triangle que Richard avait involontairement recréé quand il était lui-même devenu père, bien que les joueurs aient été différents. On pourrait presque dire que Richard avait épousé son père. Il pestait alors contre Hélène parce qu'elle adoptait le même genre «tout va bien» qu'il haïssait tant chez son père.

La famille d'Hélène

Hélène n'avait pas subi de pertes dramatiques dans sa famille immédiate, mais à cause du travail de son père, celui-ci avait toujours passé le plus clair de son temps sur la route, et il était devenu presque un étranger pour sa femme et ses enfants. Depuis qu'elle était toute petite, Hélène s'était donné comme mission impossible d'essayer de combler sa mère et de la rendre heureuse. Tout comme pour la discipline, sa mère, c'était «ça». Celle-ci faisait des efforts incessants pour contrôler le grand frère d'Hélène, Denis, et leurs rapports devinrent hautement orageux quand Denis fut un adolescent. Hélène pouvait être très drôle en imitant leurs disputes quotidiennes, mais il était évident que le ton violent avec lequel sa mère et son frère s'entretenaient était loin d'être drôle. Selon Hélène, les tentatives de sa mère pour régler la conduite de Denis étaient «absolument pathétiques» et ressemblaient à peu près à ceci.

— À quelle heure es-tu entré hier, Denis? Tu sais que tu dois être rentré à 10 heures.

— *Je rentrerai à l'heure que je veux.*

— Pas si tu vis chez moi, non, tu ne peux pas rentrer à l'heure que tu veux. Je ne le tolérerai pas.

— *Tais-toi.*

— Comment oses-tu me dire de me taire? Je ne le tolérerai pas!

— *Arrête-moi.*

— Tu ne sortiras pas cette fin de semaine-ci.

— *Essaie donc de m'arrêter pour voir.*

— Je n'endure pas que tu sois aussi impoli. Tu ne peux pas continuer à vivre dans ma maison si tu me parles comme ça.

— *Alors lance toutes mes affaires sur le trottoir. De toutes façons, je déteste ça vivre ici.*

— Comment peux-tu être aussi impoli envers ta mère? Qu'est-ce que j'ai fait pour mériter ça?

— *Pourquoi tu ne me laisses pas tranquille?*

— Si tu te conduisais mieux, je serais bien contente de te laisser tranquille.

Une telle scène pouvait continuer pendant 10 ou 15 minutes, sa mère criant après Denis à travers la porte de sa chambre. Hélène avait raison de dire que les chicanes étaient pathétiques, parce qu'elles recommençaient sans cesse et n'allaient jamais nulle part. Chaque fois que les chicanes viraient à l'engueulade, Hélène s'enfermait dans sa chambre en se bouchant les oreilles avec ses mains et priait pour que sa mère arrête d'être sur le dos de son frère. En plus, elle s'arrangeait pour donner le moins de soucis possible à sa mère, parce qu'elle voyait bien que les circuits étaient déjà assez chargés par son frère. Hélène et Denis étaient cantonnés dans des rôles opposés, avec Denis dans le rôle du «fauteur de troubles» et Hélène dans le rôle de la «bonne fille».

Hélène était tellement dégoûtée par les chicanes entre sa mère et son frère qu'elle avait fait le vœu de ne jamais se disputer avec Sophie. Elle était tellement allergique à la confrontation qu'elle agissait plus comme si elle était de l'âge de Sophie ou si elle était sa grande sœur que comme sa mère. Maintenant Hélène s'apercevait, désabusée, qu'elle avait envie de courir vers sa chambre et de se boucher les oreilles dès que son mari tentait de s'occuper de leur fille. Elle pouvait à peine tolérer la situation, mais elle n'avait aucune idée de ce qu'elle pouvait faire pour changer, à part que d'essayer d'intervenir sur le comportement de Sophie.

Une enfant au milieu

Pour sa part, Sophie était incapable d'avoir les occupations normales d'une enfant de six ans. Son rôle dans la famille en tant que meilleure amie de sa mère absorbait toute son énergie affective, et elle se sentait coupable et mal à l'aise quand elle entendait des choses du genre: «n'en parle pas à papa», car cela la mettait dans le camp de sa mère aux dépens de son père. Quoique Sophie n'ait rien su des tragédies qui avaient eu lieu dans la famille de son père, elle sentait la peine profonde de celui-ci, comme cela arrive souvent chez les enfants, et elle savait ce qu'il ne fallait pas demander. Elle voulait soulager son père, mais elle ne savait pas comment. Elle craignait aussi que ses parents ne divorcent et qu'elle soit à blâmer pour cela, étant donné qu'elle était l'objet de tant de disputes, du moins à ce qu'il semblait. En fin de compte, ce sont les problèmes scolaires de Sophie qui obligèrent ses parents à venir en thérapie, ce qui était à tout le moins un moyen de débloquer les choses.

Ce qui est le plus important à savoir au sujet de cette famille, c'est à quel point elle est normale. Richard et Hélène n'étaient ni pauvres d'esprit, ni mal intentionnés, ni sans amour, ni malades. Les triangles, les coalitions, les oppositions et les modèles que j'ai décrits sont caractéristiques de la vie d'une famille normale, ce qui veut dire que c'est la norme pour des parents de transposer le bagage affectif de leur première famille à leur nouvelle famille, celle qu'ils créent. Le fait que quelque chose soit «normal» ne veut pas dire que c'est bon pour nous, cela veut plutôt dire qu'il peut arriver à tout le monde d'être pris dans une famille «dysfonctionnelle».

Pourquoi Richard et Hélène sauraient-ils comment fonctionner ensemble, en équipe? Pensons aux modèles de parents que chacun a eus dans sa famille d'origine. Les modèles que Richard avait eus étaient un père accommodant et distant, une mère morte alors qu'il était tout jeune et qu'il avait encore besoin d'elle, et une belle-mère autoritaire. Les modèles qu'Hélène avait eus étaient un père absent et une mère qui se querellait sans cesse avec son fils sans jamais arriver à l'atteindre.

Richard et Hélène n'avaient jamais vu leurs parents travailler de concert, en équipe. Pour cette raison, ils n'avaient jamais vu un parent être compétent, indépendamment de l'autre. Pourquoi devrions-nous nous attendre à ce que, d'une façon ou d'une autre, Hélène et Richard – ou l'un des deux – sache automatiquement comment s'y prendre? La seule chose qui nous vienne naturellement, c'est de répéter l'histoire ou de «faire le contraire». Comme Richard et Hélène, nous faisons tous un peu des deux, même si ni l'un ni l'autre ne fonctionne.

Mon intention ici n'est pas d'inspirer le découragement, mais plutôt de vous exhorter à vous mettre moins de pression, à vous et à votre conjoint. Dans la vie d'une famille normale, il arrivera un malheur à au moins un de vos enfants. Si cela ne vous arrive pas, et bien, vous pouvez simplement vous compter très chanceux, vous considérer comme une étrange exception à la règle, ou vous demander si vous ne niez pas la réalité, à moins que votre heure n'ait pas encore sonné. Comme nous l'avons vu, les familles reconstituées ajoutent une tout autre dimension à la fonction de mère. Bien sûr, peu importe la forme de la famille, il est toujours utile de comprendre en profondeur la partie du problème qui correspond à chacun.

Les bons conseils ont leurs limites

Une fois qu'Hélène et Richard furent prêts pour le changement d'huile de leur moteur, je fis avec eux le tour de ce qui pouvait être instauré comme règles pour ce qui est de la nourriture et des autres aspects de la vie quotidienne où ils pourraient tous deux être d'accord. Je leur dis clairement que Sophie ne pouvait plus tolérer la tension entre eux, et je les mis au défi de travailler en équipe et de la laisser en dehors de leurs mésententes. Mais peu importe ce que je proposais, Richard et Hélène n'arrivaient pas à appliquer mes conseils. Plus je tentais de les aider à trouver des compromis intéressants, plus ils s'opposaient l'un à l'autre. Si Richard disait «noir», Hélène disait «blanc». Si Richard faisait valoir «la loi et l'ordre», Hélène faisait valoir «l'amour et la compréhension». Malgré leur douleur évidente et le souci sincère qu'ils se faisaient pour leur fille, ni l'un ni l'autre ne cédait d'un pouce et chacun se cantonnait le plus possible dans sa position initiale.

Voilà l'attitude typique de parents qui viennent en traitement pour un «problème d'enfant»: même s'ils ne le disent pas tout haut, c'est «s'il vous plaît, arrangez le problème de mon enfant, mais ne me demandez pas à moi de changer». Pourtant, quand les parents s'opposent et se préoccupent de l'enfant (ce qui est souvent le cas), les problèmes importants n'ont habituellement rien à voir avec l'enfant. Celui-ci sert plutôt de réflecteur, absorbant les émotions de ses parents et faisant dévier une violence qui vient d'ailleurs. Après deux sessions, je donnai son congé à Sophie, mais Richard et Hélène continuaient à ne parler que d'elle, chacun souhaitant en secret que je remette l'autre parent à sa place. Ils ne pouvaient s'empêcher de se disputer au sujet de

Sophie, et cela dura, tant et aussi longtemps qu'ils ne réussirent pas à se concentrer sur eux-mêmes et à adopter une nouvelle perspective sur leurs familles d'origine. Ce n'est qu'en reprenant contact avec le passé qu'ils purent s'engager dans l'avenir.

Vous pouvez vous reprendre

Richard n'avait jamais fait le deuil de sa mère et de sa sœur, de sorte que leurs fantômes continuaient de le hanter. Un décès prématuré est l'épreuve la plus difficile à surmonter pour une famille, et cela a habituellement des effets multiplicateurs sur les générations à venir. Faire le deuil était une tâche particulièrement intimidante dans la famille de Richard, qui avait subi deux morts tragiques d'un seul coup et où les uns et les autres avaient coupé les ponts depuis longtemps.

Quand je voulus établir avec Richard un génogramme, ou arbre familial, il ne savait à peu près rien de la famille de sa mère, à tel point qu'il ne connaissait même pas les noms des frères et sœurs de sa mère ni même si ses grands-parents maternels étaient toujours en vie. Il en savait plus au sujet de la famille de son père, mais même là, il connaissait peu de détails, ignorant des faits fondamentaux comme les naissances, les morts, les mariages, les divorces, les maladies et les immigrations. Il ne faut donc pas se surprendre qu'il n'ait pas eu la moindre idée de ce qui s'était passé dans les générations précédentes sur le plan affectif et du genre de relations que les gens entretenaient, renseignements qui l'auraient pourtant aidé à comprendre ce qui se passait aujourd'hui avec sa femme et sa fille. Quand je lui demandais, par exemple: «Qui jouait le rôle autoritaire dans la famille de votre père?» ou «Est-ce que votre père était particulièrement proche de l'un de ses deux parents?» ou «En quoi la relation que vous avez avec votre père est-elle semblable, et différente, de celle que votre père avait avec *son* père?», Richard ne faisait que hausser les épaules et se montrait indifférent comme si je lui posais des questions sur l'astro-physique ou sur les habitudes d'une peuplade habitant dans quelque île perdue au sud du Pacifique.

Richard montra plus d'intérêt, sans toutefois en savoir plus, pour mes questions sur l'accident d'auto, questions comme: «Vous êtes-vous rapproché ou éloigné de votre père après la mort de votre mère?» ou

«Vers qui votre père s'est-il tourné pour demander de l'aide après avoir perdu sa femme et sa fille?» Il faut parfois des trésors de patience et d'habileté de la part d'un thérapeute pour aider des patients à surmonter l'allergie sans bornes que suscite chez eux la découverte des faits concernant leurs racines familiales, afin qu'ils puissent reprendre contact avec leur passé. Parfois nous aimons raconter des anecdotes sur notre famille de cinglés, et nous répétons sans cesse les mêmes histoires, mais la plupart des gens ne veulent pas que ces histoires soient contredites par les faits. Il est également très difficile de *faire* quelque chose de différent avec les membres de notre famille plutôt que de parler d'eux, ce qui est important bien sûr, mais ne sert plus à rien après un moment.

Richard et son père discutaient abondamment de sport et du temps qu'il faisait; il fallut donc passablement de courage à Richard pour parler de l'accident d'auto et demander comment cet événement tragique avait affecté leur vie commune. Je l'encourageai toutefois à choisir le chemin le plus difficile et à commencer par se rapprocher de son père afin de préparer le terrain pour aborder ce sujet délicat. Il était important que Richard accepte de suivre ma suggestion et reprenne vraiment contact avec son père en lui envoyant des cartes, en lui rendant visite, en l'appelant, car on ne peut pas régler des problèmes délicats avec des membres de sa famille si l'on s'est éloigné d'eux.

J'ai vu d'innombrables femmes et hommes débarquer dans leur famille sans avoir vraiment créé de liens, ou en ayant été rarement présents lors d'événements familiaux importants comme les anniversaires, les mariages ou les funérailles. Et plus tard ils mettent sur le tapis, souvent de façon tendue ou désagréable, les sujets les plus délicats, sujets qui n'ont pas été abordés ouvertement depuis une génération ou deux. Cette approche pousse les autres à se mettre sur la défensive, à réagir de façon émotive, au cours de confrontations-éclair, ce qui donne ensuite une bonne excuse pour laisser tomber les membres de la famille et conclure que tout changement est impossible.

Aborder les sujets délicats

Quand Richard s'est senti prêt, il raconta à son père qu'il avait commencé à s'inquiéter énormément quand Sophie était née et qu'il ne pouvait pas s'empêcher de se demander si son inquiétude était liée au fait qu'il avait perdu sa mère et sa sœur quand il était jeune. Il ajouta qu'il hésitait à mettre le passé sur le tapis, parce qu'il ne voulait pas faire souffrir son père plus encore que ce qu'il avait déjà enduré, mais il espérait qu'en sachant plus de choses sur ces pertes, il pourrait devenir un meilleur père lui-même. Son père eut l'air perplexe et lui dit: «Et bien, je ne te suis pas très bien, mais tant mieux si je peux t'aider.»

Richard posa plusieurs questions à son père par la suite. Dans quel état au juste était l'épave de l'auto? (Richard ne s'était jamais autorisé à s'imaginer les corps après l'impact fatal.) Y avait-il eu un ou deux services funèbres? Quels détails son père se rappelait-il au sujet des funérailles, et comment avait-on décidé que Richard n'y assisterait pas? Comment avait-on annoncé l'accident à Richard et aux autres membres de la famille, et qui l'avait pris le plus mal? Qui s'était rapproché de son père après l'accident et qui s'en était éloigné? Est-ce que certains membres de la famille avaient réagi ouvertement après cela, se montrant tristes, fâchés, coupables, déprimés ou repentants? Que pouvait lui dire son père sur la manière dont il (Richard) avait réagi face à ces morts, au début et par la suite?

Chaque question amenait de nouveaux renseignements qui soulevaient de nouvelles questions et de nouveaux renseignements. Par exemple, Richard demanda pourquoi ses grands-parents maternels avaient disparu après que son père se fût remarié. Son père lui expliqua qu'il avait arrêté de voir sa belle-famille parce que sa nouvelle épouse ne les aimait pas et les empêchait de venir en visite. Richard demanda ensuite à son père s'il avait déjà tenu tête à sa seconde épouse ou même montré ouvertement qu'il n'était pas d'accord avec elle. «Quand j'y repense», dit Richard à son père, candidement, «je ne me rappelle pas une seule fois où je t'ai vu lui dire *non*.» Au cours de cette conversation, Richard put mieux comprendre tout ce que son père avait perdu dans chacun de ses mariages, à quel point il n'avait jamais été capable de défendre sa cause et ce qui, dans l'histoire de son père, permettait d'expliquer pourquoi il n'avait jamais réussi à s'exprimer. Tout cela poussa Richard à voir plus objectivement à quel point son style de communication était dictatorial. À la différence de son père, il prenait des positions fortes face à Hélène, mais il était rigide et inflexible, l'envers de la médaille par rapport à la passivité et à la complaisance de son père.

❧

À mesure que Richard devenait plus habile et sensible dans sa manière de poser des questions, son père répondait de plus en plus en détail et lui racontait même ce qu'il avait ressenti, à mesure qu'il s'en souvenait. Chaque fois que Richard envisageait d'aborder des sujets «délicats», il se demandait, inquiet, s'il n'allait pas «détruire» son père, mais bien sûr c'est le contraire qui se produisait. Leur relation s'animait, pour la première fois, tandis qu'ils parlaient ensemble de l'événement le plus important de leur vie. Richard apprit également des choses sur d'autres pertes dans la vie de son père, et un tas de renseignements qui lui manquaient pour bien comprendre l'histoire de sa famille.

Richard se mit à entrer en contact avec quelques-uns des membres de sa parenté du côté de sa mère et entendit leurs histoires à tous, ce qui permit de faire revivre sa mère en tant que vraie personne qui avait été fille, nièce, tante, sœur, mère et passionnée d'ornithologie. Environ six mois après le début de nos sessions de thérapie, Richard se rendit avec son père au cimetière pour voir les tombes pour la première fois et les deux hommes s'enlacèrent et pleurèrent ensemble. À ma suggestion, Richard eut également avec sa fille Sophie une conversation sur l'accident d'auto et il lui dit combien il était triste d'avoir perdu sa mère et sa sœur si tôt. Il ajouta d'un ton léger: «Je sais que es une fille forte et en santé, Sophie, mais je pense que j'ai toujours peur que les gens que j'aime ne disparaissent. C'est peut-être pour ça que je deviens si grincheux quand je veux que tu manges tes légumes! Ça n'a pas beaucoup de bon sens, hein?» Sophie le prit dans ses bras et lui demanda si elle pouvait voir une photo de sa sœur, qu'elle voulut ensuite garder dans sa chambre. L'année suivante, au jour anniversaire de la mort de sa mère, il envoya un chèque de 100 $ à sa mémoire à la société Audubon. Il demanda à Sophie, qui avait maintenant sept ans, si elle voulait ajouter quelque chose à la carte qui accompagnait cet envoi. Elle écrivit: «Je suis triste de ne jamais avoir rencontré ma grand-maman Holly, mais je suis contente qu'elle ait aimé les oiseaux.»

La voie royale du changement

Le travail que fit Richard, qui consistait entre autres à établir un lien plus authentique et adulte avec son père, changea énormément sa manière d'être avec sa femme et sa fille. Il devint plus léger avec Sophie, parce que désormais, il ne la confondait plus avec les femmes disparues de sa famille. Son mariage avec Hélène ressemblait moins à un presto sur le point d'exploser, maintenant qu'il tissait des liens avec sa parenté et, du coup, il solidifiait son identité et s'enracinait dans le passé. Il était désormais capable de s'affirmer sans être dictatorial et il cessa de miner Hélène face à sa fille, parce qu'il se sentait capable d'agir sur Sophie directement.

Hélène travailla elle aussi beaucoup sur les problèmes et les relations qu'elle entretenait avec sa famille. Entre autres, je la mis au défi de travailler sur un triangle important dans lequel elle était proche de sa mère, mais dont les hommes étaient exclus, dévalorisés, que ce soit par leur absence (dans le cas de son père maintenant décédé) ou par leur irresponsabilité (dans le cas de son frère). J'ai déjà expliqué comment fonctionnaient les triangles et comment nous pouvons contribuer à les transformer dans mes livres *Le pouvoir créateur de la colère* et *The Dance of Intimacy*. J'ai demandé à Hélène de lire ces livres, ainsi que le livre de Monica McGoldrick, *You Can Go Home Again*. J'aimerais que mes patients acquièrent autant de connaissance sur la théorie des structures familiales que j'en ai moi-même.

Il suffit de dire que le travail entrepris par Hélène fut déterminant pour reconnaître la compétence de Richard en tant que père, de sorte qu'elle put l'aider à établir un lien avec sa fille plutôt que d'inciter Sophie à se joindre à elle pour le miner et discréditer ses règles. Elle comprit que les enfants peuvent devenir de plus en plus angoissés et troublés quand ils sont au cœur d'un conflit entre leurs parents, de sorte qu'il était plus important de faire baisser la tension à ce sujet que d'être juste ou d'avoir «raison».

Le «travail-sur-sa-famille-d'origine», comme on l'appelle, n'est pas une entreprise très séduisante, mais c'est la voie royale du changement. L'un des plus beaux cadeaux que vous pouvez faire à vos fils et à vos filles consiste à travailler à rendre vos relations familiales les plus solides possible. Les changements que vous faites à ce chapitre se refléteront sur plusieurs générations.

17

Les enfants sont partis – Hourra!?

Si vous avez de jeunes enfants – ou même des adolescents – vous ne pouvez probablement pas vous imaginer ce que c'est que d'avoir un nid vide. C'est une abstraction de l'avenir qui, sans doute, n'a pas vraiment de réalité dans le présent.

Quand mes enfants sont nés, des femmes que je connaissais à peine me disaient: «Profitez-en! Ils grandissent tellement vite! Ils seront partis avant que vous n'en ayez connaissance!» Ce genre de conseil tenant de la sagesse populaire ne me convainquait pas, même si on me l'a répété autant comme autant.

Personne n'est heureux 24 heures sur 24 dans la poursuite d'une entreprise à long terme et certainement pas en élevant des enfants. De plus, le temps ne s'est pas enfui si vite, il n'est pas disparu en un éclair. Au contraire, je peux difficilement me rappeler ce qu'était ma vie avant d'avoir des enfants. J'ai l'impression parfois qu'il s'agit d'une autre vie. Que faisions-nous donc de tout ce temps libre, Steve et moi?

Pendant presque 23 ans, notre maison a bourdonné d'activités, toujours occupée par un de nos fils, ou par les deux, ainsi que leurs nombreux amis. Je ne pouvais plus m'imaginer la vie quotidienne sans enfants quand Ben nous quitta pour le collège, tout récemment. Ma vie s'est soudain transformée.

La vie et le métier d'un écrivain coïncident quelquefois, et en ce qui me concerne, je m'installais pour terminer le présent livre à l'époque même où Ben s'en allait de la maison. Peu de temps avant son départ, je disais à mes amis: «N'est-ce pas une COÏNCIDENCE EXTRAORDINAIRE ET COSMIQUE? Ben s'en va de chez nous *exactement* au moment où je commence à écrire au sujet du nid déserté!» L'auteur et la mère vivaient rigoureusement les mêmes étapes. J'essayais de voir cette synchronicité des événements comme un genre de signe positif. En vérité, cependant, j'essayais surtout de conjurer une énorme tristesse.

À l'idée du départ de Ben, je devenais grincheuse et irritable. Je me plaignais continuellement à Steve que si seulement nous vivions à Cambridge, comme ma sœur Susan, nous serions environ à une heure de distance de l'école de nos fils et nous pourrions les voir plus souvent. «Te rends-tu compte à quel point tout ce processus se vivrait différemment», répétais-je sans cesse, comme un disque usé, «si seulement nous vivions à Cambridge?»

«Nous ne vivons pas à Cambridge», me répondait Steve calmement. «Nous vivons à Topeka. C'est ici qu'est notre vie. Et c'est la seule vie que nous ayons.» Ces paroles ne me consolaient pas. Cela m'irritait qu'il tienne à être aussi posé. Ensuite il me vint à l'esprit que si nous vivions à Cambridge, nos fils auraient probablement choisi des écoles en Californie, et alors il y aurait eu encore plus de distance entre nous. *Cela* me consolait.

Matthew prépare actuellement une demande de bourse pour faire de la recherche au Mexique après sa graduation. Ensuite il espère déménager à Berkeley. Il n'y a aucun endroit où je puisse vivre pour m'assurer que notre famille restera réunie géographiquement.

Le mardi 26 août 1997, 7 h 42

Steve et Ben sortent de l'allée de stationnement. Ils s'en vont à l'aéroport, en partance pour l'université. Matthew fait sa dernière année à l'université Brown, alors il sera là pour aider Ben à s'installer. Je suis extrêmement contente que leurs inscriptions à l'université se chevauchent ainsi et que Matthew joue si bien son rôle de grand frère. C'est là une occasion pour Matthew et Ben de se rapprocher. J'essaie de voir le bon côté des choses.

L'auto sort de mon champ de vision. *Deux de mes gars s'en vont; un seul me revient.* J'entends ces mots tourner dans ma tête comme une vieille chanson folklorique. Je me sens funèbre.

Tout juste avant de partir, Ben est venu s'installer debout dans la cuisine, tenant ses bagages à la main et m'a demandé de lui rendre une dernière grosse faveur en m'arrangeant pour envoyer des fleurs à sa copine. «Je vais les payer», dit-il.

«Il n'en est pas question», lui ai-je répliqué. «Cela ne me regarde pas.» Comme il insiste, je me mets à lui faire un petit sermon sur les coûts exorbitants des fleuristes, sur le fait qu'il a négligé de prévoir le coup, et ainsi de suite. Ben me dit d'oublier ça et il m'annonce calmement qu'il s'en va de la maison sur une note de mauvaise humeur. Une fois qu'il est hors de ma vue, je m'assois sur les marches avant et je me sens très mal. Peut-être aurais-je dû appeler le fleuriste. Après tout, c'était la dernière requête qu'il me faisait avant de partir de la maison. Non. Je suis contente de ma décision, mais le sermon était de trop. Je me sens idiote d'avoir permis que nous nous laissions de cette manière.

❧

Je m'assois en avant de la maison avec une tasse de café et je raconte à une amie l'incident du fleuriste. Nous blaguons en disant que je devrais avoir un T-shirt avec l'inscription «Mauvaise mère» sur le devant. En fait, le T-shirt devrait plutôt afficher, «Aujourd'hui, mon dernier enfant a laissé la maison pour l'université!» Ma vie vient de prendre un gros tournant, mais j'ai exactement la même apparence qu'hier. Alors comment les gens le sauraient-ils? Cela me fait penser au sentiment que j'avais quand j'ai appris que j'étais enceinte de Matthew, et ensuite de Ben, quand j'avais envie d'accrocher les gens pour leur dire: «J'ai peut-être *l'air* de rien comme ça, mais je suis *enceinte,* vous savez.» Maintenant, j'ai envie d'accrocher les gens pour leur dire: «Mes fils sont partis. Je n'ai PLUS DE FILS À LA MAISON!» Mais cette fois, j'ai plus besoin de sympathie que de félicitations.

L'incident du fleuriste n'est pas grand-chose, un petit effet de la tension due à la séparation. Mais le départ de Ben est une grande chose. Je prends une petite gorgée de café et je regarde mes voisins promener leurs chiens, et une «solution» me frappe pour combler le vide que je ressens. Je vais avoir un chien! Un Labrador, ma race préférée. Un chien, oui! Je meurs d'envie d'avoir un chien.

Tandis que je rentre dans la maison en pensant à un Labrador brun, je me rappelle le jour où je suis devenue mère, le moment du plus grand changement à survenir dans ma vie. De deux, nous passions à trois. Steve et moi amenions une nouvelle petite personne chez nous en sortant de l'hôpital et rien n'a plus jamais été pareil. Ensuite Ben est né, et de trois nous sommes passés à quatre, et ensuite Matthew est parti pour l'université en 1993, et de quatre nous sommes passés à trois.

Maintenant de trois nous passons à deux. Comme les divorces et les remariages sont devenus des événements courants dans la vie des gens (autrement dit, cela risque autant d'arriver que de ne pas arriver), et comme les familles modernes se forment et se reforment de toutes les façons possibles, la plupart des mères doivent faire des calculs arithmétiques autrement plus complexes que moi. Mais pour moi, ils ont cette simplicité: 2-3-4-3-2. Steve et moi sommes à nouveau un couple. Je serai toujours une mère pour mes deux fils, mais désormais, quand ils viendront à la maison, ils seront en visite. Et quand Steve reviendra plus tard dans la semaine, nous entreprendrons une nouvelle phase de notre vie commune – sans enfants.

Je me rends au deuxième étage et j'examine le désordre. Les choses sont répandues partout dans la chambre de Ben à la suite de son paquetage de dernière minute. Quand j'aurai fait de l'ordre dans sa chambre, elle restera intacte jusqu'à ce qu'il vienne pour l'Action de Grâces. Je me dis que Dieu a fait les adolescents désordonnés, raisonneurs, bruyants et difficiles pour que leurs parents puissent supporter de les voir partir un jour. Je ramasse un morceau de papier et je commence à griffonner.

Les avantages de ne pas avoir d'enfants chez soi

1. La maison restera propre.
2. Fini d'attendre tard le soir que Ben rentre à la maison.
3. Davantage de temps libres.
4. Retour de la liberté et de la spontanéité dans ma vie.
5. Des repas plus simples.
6. Plus d'excuses pour ne pas faire d'exercice.
7. La tranquillité.

La liste s'achève avec mon projet d'avoir un Labrador brun. Mais je sais qu'il n'est pas bon de faire de gros changements par temps de crise, alors je raye cette chose de ma liste. Après tout, je n'ai jamais eu de chien, je ne sais pas comment les entraîner, je voyage beaucoup, et je me suis fait dire qu'un chien peut exiger autant de travail qu'un enfant. Je décide que je vais jouir pleinement de ma liberté avant de m'ajouter des responsabilités sur les épaules.

Steve et Ben n'ont pas encore atteint l'aéroport de Kansas City pourtant, et j'ai déjà eu le temps de prendre une décision cruciale et de l'annuler. Oui, un chien. Non, absolument pas. Plus tard cet après-midi-là, je me dis que je pourrais peut-être avoir un petit chien, tout doux, et payer quelqu'un pour l'élever.

Juifs, Italiens, Irlandais et WASP

Il y a plusieurs années, j'ai suivi un atelier dirigé par la thérapeute de famille Monica McGoldrick. Sa présentation incluait des recherches sur les différents groupes ethniques et sur la manière dont chacun voyait le départ des enfants. Avec le départ de Ben, je me suis surprise à penser aux portraits qu'elle avait faits des WASP et des Italiens, et qui contrastaient tellement.

En résumé, elle disait ceci. Pour les Blancs protestants d'origine britannique (les WASP), il est très important que les enfants partent de chez eux à l'âge adéquat, qu'ils se lancent dans le monde en tant qu'individus autonomes, capables de se suffire à eux-mêmes et compétents. Étant donné qu'ils mettent tant d'accent sur le fait que les enfants partent «au bon moment», ils peuvent très bien considérer comme un cas-problème le jeune de 18 ans qui n'est pas encore prêt à partir de chez lui ou à fonctionner de façon indépendante. L'autonomie et l'indépendance des membres de la famille sont tellement valorisées, note McGoldrick, que dans certains milieux de la classe supérieure chez les WASP aux États-Unis, «on peut qualifier votre enfant de dysfonctionnel si vous ne l'envoyez pas dans un pensionnat au moins vers 14 ans.»

Les familles italiennes, en revanche, tiennent énormément à la loyauté et à l'unité familiales. On ne conçoit pas un individu sans sa famille, pas plus que l'on ne conçoit une famille nucléaire (papa, maman et les enfants) sans la parenté. Le mariage d'un enfant, par exemple, ne signifie pas qu'on «lance» cet enfant dans le monde, mais plutôt que l'on amène un nouveau ou nouvelle venue dans la famille. Ce qui est le plus valorisé, c'est la loyauté familiale et le fait de prendre soin les uns des autres. Par contraste avec la culture WASP, où le fait d'être dépendant et d'avoir «besoin» des autres sont des sources d'ennuis, les familles italiennes valorisent l'interdépendance. Chez eux, l'on ne risque pas d'applaudir le fait d'aller s'installer loin de sa famille afin de poursuivre des études et des objectifs personnels.

La première fois que j'ai entendu la présentation de Monica, je me suis bien reconnue dans sa description de la culture WASP. Il me semblait que de promouvoir l'individualité et l'autonomie des membres de la famille avait plus de bon sens que de les encourager à rester collés à la maison. Maintenant que Ben venait de partir, je sentais les choses d'une tout autre façon. Pourquoi mes fils sont-ils *là-bas* quand je suis *ici?* Quelle valeur peut-il y avoir à ce que les membres d'une famille soient dispersés si loin les uns des autres?

Quelque chose – je ne sais pas quoi au juste – me semblait fondamentalement de travers dans tout ce processus de «lancement dans le monde». Qu'y a-t-il de normal à vivre avec votre progéniture tous les jours pendant 18 ans (pour un total de 6939 jours), et soudain – pouf! – fini votre engagement de tous les jours dans la vie de votre enfant. Cela est normal?

Je veux ravoir mes fils. Je me dis qu'avec mon héritage de Juifs russes, je dois bien avoir aussi un peu de sang italien.

❧

Après que Ben fut parti depuis deux jours, je décidai de sortir de mes étagères le livre de Betty Carter et de Monica McGoldrick, *The Changing Family Life Cycle,* pour revoir ce qu'elles disaient sur le départ des enfants dans les familles juives. J'étais curieuse de voir si je correspondais aux données de «mon groupe». Voici ce que j'y trouvai.

> On peut dire que ce que les familles juives considèrent comme le plus gros problème dans la phase du départ des enfants, c'est la perspective qu'ils ne réussissent pas. Souvent, on accepte que les enfants se séparent de la famille seulement dans la mesure où ils obtiennent du succès.

Je sais que le succès des enfants est hautement prisé dans les familles juives, mais je proteste contre cette généralisation. Je ne tiens pas à ce que Ben «réussisse»; je veux juste qu'il soit heureux. Bien sûr, Ben est la sorte d'enfant qui ne sera pas heureux s'il ne réussit pas. Suis-je sur la défensive? Bon, eh bien, continuons à lire.

> On s'attend à ce que les gens restent en contact étroit. Il n'est pas rare, par exemple, qu'une fille juive, adulte, confie à sa mère ses problèmes sexuels alors qu'une fille irlandaise ou WASP peut aussi bien ne pas révéler même les faits les plus ordinaires de sa vie courante.

Là, je me reconnais tout à fait. Quand Ben m'a dit au téléphone hier soir qu'il ne pouvait me parler parce qu'il mangeait de la pizza avec sa co-locataire et sa cousine Amy, elle aussi étudiante à l'université Brown, je voulais savoir ce qu'il y avait sur la pizza. Du pepperoni? Des champignons? De l'oignon? Je veux que mes fils me racontent tous les détails de leurs vies. Enfin, peut-être pas *tous* les détails.

En revanche, les Irlandais évitent en général les discussions ouvertes et directes sur des sujets émotifs. McGoldrick et Carter sont toutes deux d'origine irlandaise, ce qui chatouille ma curiosité à propos de ce qu'elles ont à dire sur leur groupe d'appartenance.

> Le problème des familles irlandaises, quand les enfants partent de la maison, c'est sans doute qu'elles ne s'attendent pas à devoir «s'investir» dans le processus de transition. Leur désir de sauver les apparences peut toutefois les amener à être de très mauvaise humeur si quoi que ce soit ne va pas «comme il faut», même si devant les autres on fait habituellement bonne figure, comme si de rien n'était.

McGoldrick continue en disant qu'il y a souvent des ruptures à ce moment-là entre parents et enfants, à cause de leur incapacité à parler des changements qui surviennent nécessairement dans leur relation à la suite du départ.

Même s'il est dangereux de catégoriser les gens – il y a tellement d'exceptions à chaque règle – l'ethnie est, effectivement, un des différents filtres par lesquels nous entrevoyons le monde. Pour moi, le fait d'être Juive est une identité aussi bien ethnique que religieuse. Comme le note McGoldrick, les groupes ethniques diffèrent selon la manière dont ils vivent les grands événements de la vie, comme la naissance, le mariage, le départ des enfants et la mort; selon la manière dont ils réagissent à l'immigration; et selon les traits de caractère, les qualités et les comportements qu'ils veulent que leurs enfants adoptent ou évitent. Ils sont différents dans ce qu'ils entrevoient comme solutions aux problèmes et dans les attitudes qu'ils adoptent quand vient le temps de demander de l'aide pour régler ces problèmes.

Le fait d'être conscient des différences nous rappelle qu'il n'existe pas de «bon» moment ou de moment «normal» pour que les enfants partent de la maison, et pas de «bonne» manière ou de manière «normale» de se sentir à ce moment-là pour une mère. De même, il n'existe pas d'équilibre parfait entre l'autonomie et la cohésion qui convienne à toutes les familles, bien que de toute évidence, il ne soit pas à conseiller d'aller trop loin dans un sens ou dans l'autre. Mais il existe une très grande variété d'attitudes «normales». C'est ainsi que je me console quand je me demande pourquoi je ne suis pas plus enthousiaste de voir que Ben s'en va.

Les pères ont tendance à être aussi angoissés que les mères quand leur dernier enfant s'en va, même s'ils n'expriment pas leurs réactions directement. Steve développa une infection respiratoire qui ne le laissa pas durant un mois, environ à l'époque du départ de Ben. Deux nuits avant qu'il emmène Ben au collège, il prit le mors aux dents, suffoquant, paniquant à l'idée que ses voies respiratoires se boucheraient et qu'il mourrait sur le champ. Il était le premier à penser que sa maladie, et l'intense épisode qui avait été déclenché par le manque d'air, étaient en grande partie dus au stress. De plus, lui et moi nous emportions souvent l'un contre l'autre à mesure qu'approchait le jour du départ de Ben.

Betty Carter raconte une histoire semblable. Quand son fils Tim eut 18 ans et qu'il partit pour le collège, elle et son mari devinrent de plus en plus irritables et distants l'un de l'autre. «Sam eut également des symptômes physiques, des attaques effrayantes de battements cardiaques rapides qui l'empêchaient de bouger pendant plusieurs jours chaque fois et qui nécessitèrent plusieurs hospitalisations pour différents tests.»

Peu importe quel peut-être votre milieu culturel ou ethnique, votre anxiété peut atteindre des niveaux inattendus quand votre dernier enfant part de la maison. Croyez-moi!

Le syndrome du nid vide

En blaguant, je racontais à une amie que je souffrais de SNV (syndrome du nid vide); au début, elle pensait que je parlais des SPM (syndrome prémenstruel), ce qui n'est vraiment plus mon problème désormais.

«Je déteste l'expression *nid vide*», riposte-t-elle, une fois la confusion disparue. «Cela rend les femmes pathétiques, comme si nous n'avions plus de vie quand nos enfants s'en vont.» Je n'aime pas l'expression «lancer les enfants», lui dis-je, ce qui est pourtant l'expression que l'on rencontre le plus souvent dans la littérature concernant les thérapies familiales. «Cela sonne comme si tu mettais ton enfant dans un vaisseau spatial et que tu le faisais décoller en direction de la lune.»

Nous nous mettons d'accord pour dire que peu importe comment nous l'appelons, cette soudaine condition de ne pas avoir d'enfant est un choc. Et oui, c'est également un nouveau début pour bien des femmes. Dans son œuvre autobiographique *My Life as a boy,* l'auteur et psychanalyste Kim Chernin écrivit ce texte après le départ de sa fille pour le collège.

> Oui, une époque dangereuse. Cela implique une rupture avec le passé, le pressentiment d'une liberté soudaine, plus d'enfants à la maison, un nouveau début pour la mère, comme si elle aussi commençait sa vie et pas seulement la fille. Tout est possible. On ne connaît pas l'avenir. Le temps est venu de faire de la place et de donner ses droits à tout ce que vous n'avez pas encore vécu. Tout ce que vous auriez pu être et n'êtes pas devenue; tout ce que vous auriez pu désirer mais que vous avez mis de côté. C'est le temps maintenant.

Chernin était dans la trentaine lorsqu'elle se retrouva sans enfants. Quant à mon amie Jeffrey Ann, elle me rappelle qu'elle recevra des pensions de vieillesse avant que son fils, Alex, aille au collège. Pour ma part, j'ai 52 ans, c'est-à-dire quelque part au milieu des deux. En ce moment, je ne sais pas du tout à quel aspect de ma vie je vais faire de la place pour lui donner ses droits.

Donnez-vous une semaine ou deux

Ma mère disait toujours: «Mes enfants sont tout pour moi.» Comment a-t-elle réagi quand j'ai refusé au dernier moment d'aller au collège de Brooklyn, comme prévu, et qu'au lieu de cela, j'ai pris l'avion pour me rendre dans le Midwest? C'était en septembre 1962, j'ai pris l'avion à l'aéroport LaGuardia avec ma meilleure amie, Marla Isaacs, et nous saluions de la main nos parents. Marla et moi avions grandi chacune d'un côté de la rue à Flatbush et avions été plus ou moins des inséparables depuis notre première année. C'est Marla qui avait décidé que le collège de Brooklyn ne ferait pas partie de notre destin. Elle avait choisi notre destination, l'université du Wisconsin à Madison, et m'avait surveillé de près tandis que je remplissais le formulaire d'inscription qu'elle avait fait venir. J'avais obtenu une bourse de soutien, de sorte que mes parents n'avaient aucune raison financière de protester.

Quand j'ai eu moi-même des enfants, je demandai à ma mère comment elle avait vécu le fait de me voir partir. Elle me donna la réponse la plus triste possible. «C'était terrible», dit-elle, «tout simplement terrible. Nous ne pouvions supporter l'idée de revenir dans cette grande maison vide. En quittant l'aéroport, nous sommes allés directement chez un ami. Nous ne voulions pas revenir à la maison.»

Je ressentis de la compassion pour elle. Une semaine plus tard, il me vint à l'idée de l'appeler pour lui poser une autre question.

«Maman», dis-je, «tu te souviens que tu me disais combien tu avais trouvé cela difficile quand j'étais partie de la maison pour aller au collège? Combien de temps a duré la période la plus difficile? T'en souviens-tu?»

Ma mère resta silencieuse pendant un long moment, le temps de se remémorer cette période. Ensuite elle dit de la façon la plus terre-à-terre possible: «Environ une semaine. Peut-être plus.» «Une semaine!?» Je m'exclamais, plutôt incrédule. Susan et moi avions été tout pour elle. Une semaine?! Comment était-ce possible?

«Et oui», dit-elle sans s'excuser. «Tu t'habitues très rapidement à la paix et à la tranquillité. Ensuite tu l'apprécies vraiment. La vie est beaucoup plus facile.» Elle me rappela qu'après mon départ de la maison, elle avait commencé à travailler pour Anna Neagoe, une extraordinaire artiste européenne qui vivait alors à New York. Neagoe la payait généreusement en tableaux. Cela fut le début d'une grande amitié qui incita ma mère à rassembler une belle collection d'œuvres d'art, qu'elle transforma par la suite en petit commerce lucratif. Ma mère a toujours dit que c'est dans la cinquantaine qu'elle avait été le plus heureuse, au moment où elle avait pu se donner entièrement au monde des arts, qu'elle aimait avec tant de passion et qu'elle voulait partager avec les autres.

❧

Ben étant parti depuis deux jours, je commençais à me plaindre à qui voulait bien m'entendre. Je ne peux m'empêcher de remarquer que l'on peut diviser les réactions des gens en deux catégories, assez précisément.

Quand je me plains à des femmes qui ont de jeunes enfants — ou qui n'ont jamais eu d'enfants – j'obtiens une réaction vraiment pleine d'empathie: «Ce doit être tellement difficile. Comme c'est dur! Je vous comprends.» Ces gentilles personnes m'appellent pour savoir comment je me porte.

Quand je parle à des femmes dont les enfants sont déjà partis, j'obtiens une réaction différente. «Attends un peu», me disent-elles. «C'est très difficile au début, mais ensuite tu vas adorer cela.» Ou encore: «Dans peu de temps ta vie va reprendre son cours. Crois-moi, tu ne voudras pas qu'ils reviennent s'installer chez vous.» Ces femmes, celles qui ont de l'expérience, font écho aux sentiments de ma mère.

Réflexions sur le «bon vieux temps»?

Après trois jours, les choses ne me semblaient toujours pas «normales», sauf que je me rendis compte que Ben m'inquiétait encore, même s'il était hors de ma vue. Il n'avait même pas commencé ses cours, et j'étais déjà inquiète à l'idée que lorsqu'il aurait gradué, il n'y aurait pas de place pour lui dans le monde.

Ben veut enseigner dans le cadre d'une université, et je ne peux m'empêcher de penser à tous ces hommes et ces femmes talentueux qui ont obtenu des doctorats et qui sont si souvent sans emploi. Et puis il y a les gens qui ont perdu des bons postes sans que ce ne soit leur faute et qui maintenant travaillent au salaire minimum parce qu'ils ne trouvent un autre emploi dans le champ de leurs compétences.

J'ai grandi avec la certitude que le fait d'avoir un doctorat était en quelque sorte un ticket pour la sécurité d'emploi. En plus, le boum de l'économie dans les années soixante permettait aux gens de vivre simplement avec un revenu très bas. Pendant presque 10 ans, Steve et moi avons vécu sur des bourses qui augmentaient à peine, mais le peu que nous avions suffisait à bien nous faire vivre, ce qui incluait le fameux voyage à l'étranger pour «cinq-dollars-par-jour». Il n'en va plus de même – pas depuis que l'économie s'est resserrée vers la fin des années soixante-dix et, comme nous le rappelle Betty Carter, depuis que les jeans ont commencé à coûter plus cher que le prix d'un loyer à l'époque.

Je ne peux m'empêcher de penser aux terribles problèmes dans le monde où j'ai lancé mes enfants. Je voudrais que nous nous retrouvions tous dans les bons vieux jours, quand tout paraissait si simple, sûr, prévisible et rassurant. Cet accès de nostalgie dure un bon cinq minutes avant que je ne revienne au bon sens.

Anne Roiphe nous rappelle dans *Fruitful* que le fameux bon vieux temps «était tissé dans le conformisme, la répression et la bigoterie contre tous ceux qui étaient différents des autres. Il n'y avait rien de paisible, d'aimable ou de gentil là-dedans.» Elle l'explique tellement bien.

> La nostalgie peut facilement nous rendre fous. Les familles comme celle de mes parents où il n'y avait pas de divorce, n'étaient pas nécessairement des milieux où s'épanouissaient l'amour, le respect, l'honneur et l'honnêteté. Nous nous plaignons aujourd'hui des émissions de télévision dans lesquelles on lave son linge sale devant des millions de téléspectateurs, mais rappelons-nous le silence des années cinquante, le secret entourant le sexe, les homosexuels qui avaient peur de se montrer en public, les femmes célibataires qu'on ridiculisait en les appelant des «vieilles filles», la crainte d'être anormal, l'anxiété reliée au fait que personne ne savait ce qui se passait chez les autres.

Je me rappelle moi aussi toutes les choses qui se sont améliorées depuis que j'étais au collège, et je ne pense pas seulement aux cartes de souhait, aux fleurs artificielles et aux lecteurs de disques compacts. Je pense à l'expérience de mes fils au collège, aux cours intéressants qui leur sont offerts, à la vitalité de la population étudiante diversifiée et assez éveillée pour remarquer ceux qui sont intégrés et valorisés, et ceux qui ne le sont pas. Je suis allée à l'université avant la seconde vague du féminisme, quand aucune de nous n'avait jamais pensé contester une bibliographie qui ne comprenait pas une femme ou une personne de couleur, quand nous étions en général toutes endormies, quand on enseignait aux hommes à *être* quelqu'un et aux femmes à *trouver* quelqu'un.

Je pense également à la communication entre les générations qui s'est tellement ouverte depuis le temps où j'étais étudiante à l'université. Presque tous mes amis sont plus proches de leurs enfants qu'eux-mêmes ne l'étaient de *leurs* parents. Bien sûr, il y a des exceptions à la règle, mais je n'en fais certes pas partie.

J'ai beaucoup aimé ma mère, mais j'appelais rarement à la maison une fois que j'ai été partie pour le collège. Les appels interurbains étaient généralement réservés aux urgences, et il n'y avait qu'un seul téléphone dans mon dortoir de première année. J'écrivais à mes parents toutes les semaines à la machine, consciencieusement, pour les rassurer et leur dire que j'étais en santé et heureuse, même quand ce n'était pas vrai. La communication était superficielle.

Ma mère aurait été totalement disponible pour moi si je l'avais approchée. L'unique fois que je l'ai appelée durant ma deuxième année d'université et que je lui ai dit que j'étais en train de craquer sous la pression des examens de fin d'année, elle s'était montrée absolument extraordinaire. Le seul fait de lui parler m'avait permis de me sentir tellement mieux. Je savais que ma mère m'aimait et qu'elle serait là dès que je lui montrerais que j'avais besoin de quelque chose. Mais à cette époque, nous ne parlions pas *vraiment* à nos parents et nous ne leur demandions ni de nous conseiller ni de nous consoler. Je ne me rappelle pas non plus mes amis attendant avec impatience que leurs parents leur rendent visite et se promènent avec eux sur le campus. À cette époque, nous évitions à nos parents de connaître la vérité sur nos vies, ou plus précisément, nous nous évitions à nous-mêmes la réaction de nos parents face à cette vérité.

En revanche, Steve et moi sommes restés très près de Matthew grâce au téléphone, au courrier électronique et aux visites que nous nous rendons, et je crois qu'il en sera de même avec Ben. Nos fils nous racontent leurs problèmes et valorisent notre point de vue, un état de faits que Matthew considère comme assez courant chez ses amis. Il trouve lui aussi que les jeunes adultes parlent à leur parents beaucoup plus ouvertement que ce n'était le cas dans la génération précédente. «La communication est beaucoup plus honnête aujourd'hui qu'à l'époque de votre émission «Leave-It-to-Beaver»*, dit-il.

Je ne veux pas non plus chanter les louanges des temps modernes. Notre société est dans un état de profonde corruption; nous n'avons pas encore commencé à résoudre la crise de la santé, ni la crise des soins aux enfants, ni la crise qui oppose travail et famille. De nombreux enfants, surtout des enfants de couleur, vivent dans la pauvreté. Que peut-on dire pour la défense d'un pays qui ne prend pas soin de ses enfants? Il faut certes un acte de foi pour laisser partir un enfant dans ce monde et même, d'abord et avant tout, pour le *mettre* au monde.

Je veux simplement dire qu'il vaut mieux garder un point de vue équilibré. Certains aspects de la vie de famille se sont grandement améliorés depuis que j'ai eu l'âge que mes fils ont maintenant. Comme nous lançons nos enfants dans un monde très difficile, nous devrions faire attention à la fausse nostalgie. Quand il s'agit des familles, il n'y a pas de «bon vieux temps» à ressusciter, même si nous le pouvions.

Passer de trois à deux

Si vous avez des enfants à la maison qui sont tellement difficiles et épuisants que vous rêvez de les enfermer dehors, peut-être priez-vous à genoux pour qu'arrive enfin le jour où ils voleront de leurs propres ailes. Mais ne vous surprenez pas si le jour venu vous vous retrouvez en crise. La crise peut ne pas être en soi celle du «nid déserté», ce à quoi bien des mères s'adaptent à la vitesse de l'éclair. Mais comme je le disais plus tôt, rien n'est plus stressant que l'ajout – et la soustraction – d'un membre de la famille.

* Émission de télévision américaine populaire dans les années cinquante et où l'on voyait vivre une famille de banlieue. (NDT)

Betty Carter note que le taux de divorce s'élève après l'arrivée des enfants et après leur départ, parce que l'arrivée du premier enfant et le départ du dernier sont deux transitions qui requièrent les plus gros changements de comportements et d'émotions. Il vous tarde peut-être de goûter la liberté avec votre conjoint une fois les enfants partis, mais comme le note Carter, vous pouvez aussi bien en être quitte pour une surprise. Cinq minutes après que votre dernier enfant sera parti de la maison, tous les problèmes conjugaux non résolus et les reproches vous frapperont en plein visage, parce que vous n'aurez plus d'enfants sur lesquels détourner votre attention. En plus, vous serez face au défi de décider comment vivre votre vie du mieux que vous le pouvez.

Dans le meilleur de tous les mondes possibles, vous auriez résolu vos problèmes conjugaux *avant* que le dernier enfant ne parte de chez vous. Les gros problèmes surgis quand vous êtes devenue mère pour la première fois auraient été réglés et renégociés au fil des jours – sexe, argent, qui travaille et qui fait quoi. Dans la vraie vie, toutefois, vous ne risquez pas d'avoir totalement réussi cette entreprise. Vous pouvez vous attendre à ce que des problèmes souterrains refassent surface avec une vigueur renouvelée, une fois que vous serez un couple – seuls, ensemble encore une fois. Les gens présument que lorsque les enfants partent, les mères célibataires trouvent cela plus difficile, mais si l'argent n'est pas en cause (ce qui est souvent le cas), les mères célibataires n'ont pas nécessairement plus de difficulté que celles qui sont mariées.

Betty Carter fait la distinction entre les stress non prévisibles dans le mariage (aventures amoureuses, maladies chroniques ou handicaps physiques, décès prématurés et pertes d'emploi) et les moments de stress prévisibles pour un couple (se marier, avoir des enfants, élever des adolescents, voir ses enfants partir, devenir à nouveau un couple et atteindre la vieillesse). Ne vous imaginez pas que parce qu'une transition donnée dans la vie familiale est prévisible et correspond à la norme que vous vous en tirerez facilement. Ce ne sera probablement pas le cas.

Conseils à celles qui voient leurs enfants partir

Essayez de garder à l'esprit les cinq points suivants au moment où votre dernier enfant s'en ira.

1. *Attendez-vous à trouver cela difficile.* C'est un moment de la vie où tous les membres de la famille sont appelés à faire des ajustements majeurs sur le plan émotif et à redéfinir leurs relations.

2. *Répartissez votre «énergie d'inquiétude».* Si vous vous apercevez que vous vous demandez constamment si votre fils poursuit ses études, vous négligez probablement de reconnaître d'autres sources de tension. Pour élargir votre perspective, posez-vous les questions suivantes.

   Comment le départ de votre enfant affecte-t-il votre mariage ou votre couple?

   Pensez-vous que vous et votre mari ou votre conjoint allez vous rapprocher ou vous éloigner au cours des années qui viennent?

   Que prévoyez-vous faire à l'avenir, maintenant que votre travail d'éducatrice est terminé?

   Quels intérêts ou talents particuliers aimeriez-vous développer?

   Qu'est-ce qui peut vous empêcher de formuler et de mener à terme votre plan de vie?

   Quelles difficultés non résolues et ressentiments cachés peuvent refaire surface dans votre ménage maintenant?

3. *Informez-vous pour mieux savoir comment s'est passé le départ des enfants dans votre famille d'origine.* À quel âge êtes-vous partie de chez vous? Quels ont été les moments difficiles pour vous? Qu'est-il arrivé pour les autres enfants de votre famille? Vos parents se sont-ils mieux ou moins bien portés quand le dernier enfant a été parti? Comment chacun d'eux a-t-il vécu cette expérience? Qui, dans votre parenté, a eu de la difficulté à se lancer dans la vie, sur le plan affectif aussi bien que sur le plan financier?

À mesure que nos enfants avancent dans la vie, nos réactions sont filtrées par notre histoire familiale, alors apprenez-en le plus possible sur l'ensemble de la situation.

4. *Prenez en considération le «climat affectif» dans lequel se trouve votre nid déserté.* Vous pouvez vous retrouver sans enfants à une époque relativement stable de votre vie, ou juste au moment où vous devez affronter une crise professionnelle, vous occuper d'un parent âgé, faire face à des problèmes conjugaux ou à quelque autre crise. Plus vous en aurez sur les bras, plus vous réagirez face au départ de votre dernier enfant. Réfléchissez pour savoir si votre maisonnée se vide dans un climat calme ou tendu.

5. *Évitez les comparaisons désagréables avec les enfants de votre amie qui réussissent si bien.* Les enfants ne sont pas tous prêts à partir au même âge – ni à retomber sur leurs pattes. Certains enfants, qu'ils soient ou non handicapés sur le plan affectif ou physique, ou encore sur le plan du développement, requièrent plus de temps que d'autres pour devenir indépendants. Les enfants avancent selon leur propre horloge biologique et non pas d'une manière prévisible. Certains jeunes adultes prennent beaucoup de temps et suivent un parcours très sinueux avant de finir par trouver leur voie dans le monde.
   Nous vivons des temps nouveaux où aucune recette universelle n'est disponible pour un début dans la vie. Les parents qui en ont les moyens aident souvent leurs enfants financièrement longtemps après qu'ils ont fini leurs études. Une fois partis, les enfants peuvent aussi bien revenir à la maison parce que les emplois se font rares ou à cause de circonstances économiques. Si vous croyez que votre enfant a de sérieuses difficultés affectives au moment de s'en aller de chez vous, n'ignorez pas les vrais problèmes. Mais ne concluez pas à l'échec si votre enfant de 23 ans s'installe à tout bout de champ dans le sous-sol de votre maison et qu'il se cherche, alors que la fille de votre voisine est en train de finir sa résidence en neurologie pédiatrique à l'école de médecine de Harvard. L'enfant qui réussit ainsi peut avoir de sérieux problèmes que vous ne pouvez voir, et votre fille peut aussi bien trouver un emploi qu'elle adore plus tôt que vous ne le pensez.

6. *N'hésitez pas à demander de l'aide professionnelle pour vous.* Quand le fait de voir partir ses enfants entraîne une crise conjugale, cela vous permet de faire face à des problèmes importants et d'avancer mieux. Si vous êtes une personne qui peut utiliser les services d'une thérapie de couple, c'est là un excellent moment pour prendre un rendez-vous. Les relations en mutation risquent plus de sauter, mais elles ont également un plus grand potentiel de changement positif.

8 septembre 1997

Le téléphone sonne deux fois, ce qui interrompt ma rédaction. D'abord, c'est Matthew. Il va décidément très bien. Il me dit qu'il se sent très productif dans sa dernière (et cinquième) année à l'université Brown. Il travaille fort sur sa demande de bourse pour étudier au Mexique; il fait partie du groupe de jazz de l'école; il a mis sur pied une équipe de soccer; il vient de commencer un nouveau travail au département de design graphique; ses cours en informatique sont plus intéressants que ce qu'il avait prévu; son nouvel appartement est très agréable; ça va très bien avec sa copine.

Quel changement par rapport à ses deux premières années au collège, quand il ne s'appliquait pas et ne s'intéressait à presque aucun de ses cours, à part ceux d'espagnol. Des amies me disent qu'il en a été tout à l'opposé avec leurs enfants, qui ont démarré avec enthousiasme pour se rendre compte ensuite, à la fin de leur dernière année, qu'ils détestaient la spécialité qu'ils avaient choisie et n'avaient pas la moindre idée de ce qu'ils allaient faire après avoir gradué. Qui sait ce que l'un ou l'autre de nos enfants fera dans 10 ans?

Cinq minutes plus tard, Ben appelle. De toute évidence, il a des difficultés, et il en parle très ouvertement, en détail. Je lui rappelle que ça ne fait que deux semaines qu'ils est à l'université, ce qui n'est rien du tout, et que Matthew aussi a eu une période d'adaptation difficile.

«Et *toi,* comment tu vas?», me demande Ben après un moment. «Comment trouvez-vous ça, toi et papa, de vous retrouver seuls à la maison?» Je lui dis qu'il y a des hauts et des bas, que c'est difficile et étrange, mais que je suis sûre que son père et moi allons nous y faire. Je lui dis combien j'ai hâte de le voir lors du week-end des parents à la fin d'octobre. Je lui rappelle qu'il sera à la maison pour l'Action de Grâces et peu de temps après pour le long congé d'hiver. Je fais comme s'il n'avait pas vraiment déménagé, comme si le collège n'était qu'à une minuscule distance de chez nous.

Ben stoppe ma comédie. Il me dit que l'une des choses qu'il trouve difficile dans son adaptation au collège, c'est justement de s'apercevoir qu'il est vraiment parti de la maison et que sa vie comme il la connaissait à Topeka est terminée. Il me dit à quel point il aurait été plus facile pour lui d'aller à l'université du Kansas, à Lawrence, avec ses meilleurs amis, et comme il aurait plus de plaisir en ce moment; mais il savait tout cela d'avance et il avait opté pour le choix le plus difficile.

Je raccroche le téléphone. Je fixe mon écran d'ordinateur en écoutant le silence dans ma maison tranquille, à l'ordre. Je ne me décide pas à écrire les dernières pages de ce livre, un travail qui me lie à mes fils d'encore plus près. Là aussi, dans mon rôle d'écrivain, je dois laisser aller, lancer ce «bébé» dans le monde et m'asseoir pour observer son destin.

Dans ma tristesse, j'essaie de m'accrocher aux paroles de ma mère. Je me dis qu'elle doit avoir raison, qu'il ne faudra qu'une semaine ou deux pour recouvrer mes esprits et célébrer ma nouvelle vie. Juste là, en ce moment, cela est difficile à imaginer.

ÉPILOGUE

Des enfants? Pourquoi risquer cela?

Matthew a toujours prévu qu'il aurait un jour des enfants, deux, plus précisément. «J'ai la conviction profonde que le fait d'avoir des enfants est la chose la plus importante dans la vie», m'a-t-il dit l'autre jour au téléphone. Il veut devenir père vers 35 ans, ce qui lui donne encore 13 ans pour se consacrer à ses objectifs personnels avant de prendre un «virage fondamental», comme il dit, pour se concentrer sur les enfants. Matthew a toujours été formidable avec les petits et le miracle de la naissance l'a toujours impressionné. Il tient cela de son père.

– Tu serais probablement très déçu alors si tu ne pouvais pas avoir d'enfants, lui dis-je en passant, ayant à l'esprit les nombreux couples que je connais qui ont dû affronter des problèmes d'infertilité.

– J'en adopterais», dit-il sans perdre de temps. Je pense que c'est une bonne chose à faire dans ce monde.

– Qu'est-ce qui te fait le plus peur dans le fait d'être parent? lui ai-je demandé.

– D'être comme vous, mes chers parents, dit-il carrément.

– Vraiment? lui dis-je.

– Bien sûr. Personne ne veut être comme ses parents.

– Qu'est-ce que tu penses qui sera ta plus grand force? lui ai-je ensuite demandé.

– D'être comme vous, mes chers parents, dit-il. Vous êtes pas mal bons, comme parents.

❧

Ben, ces temps-ci, a décidé qu'il était contre le fait d'avoir des enfants. Pendant sa dernière année au secondaire, il avait plusieurs fois affirmé officiellement qu'il n'aurait absolument pas d'enfants. *Jamais.* «C'est trop dangereux», disait-il. «Cela peut ruiner toute une vie.» Il me parlait des jeunes avec qui il avait grandi et dont certains se retrouvaient maintenant face à des grosses difficultés, ou disposés à ne faire rien de bon. Ensuite il y a les tumeurs, les accidents fatals, les drogues et tous ces genres de choses. Ben a vu un paquet de malheurs arriver à des jeunes, et pas seulement à la télévision. Il a aussi tendance à envisager les pires scénarios dans son cerveau en ébullition. Il tient cela de sa mère.

Je sais ce que Ben veut dire. Devenir parent, c'est s'en faire tellement que tu t'exposes à une vulnérabilité qui dépasse l'entendement. Tout peut arriver. Comme Myla et Jon Kabat-Zinn le disent: «Avoir des enfants, c'est chercher la misère.» Face à l'adversité, vous pouvez aspirer à une sorte de détachement zen, mais vos enfants font partie de vous. Ils vous touchent directement et vous déchirent le cœur après l'avoir mis à vif.

— Avoir des enfants c'est l'une des expériences les plus importantes que tu puisses avoir, dis-je à Ben. Attends pour voir. Tu changeras d'idée. Tu seras un papa formidable.

— C'est trop de problèmes, répond-il.

— C'est sûr que ça veut dire des problèmes, ai-je répondu. Mais la vie est un problème. Est-ce que tu veux passer à côté de la vie?

J'entends notre conversation à deux niveaux. En surface, Ben me fait part de ses réflexions du jour sur les dangers de la paternité. À un niveau plus profond, il me demande si lui et Matthew valaient la peine que nous nous donnions tout ce mal, malgré les coups durs que pourrait nous réserver l'avenir. Et ma réponse, c'est *oui*. Absolument. *Oui.*

Au-delà du bonheur

Une amie et moi discutons du sondage d'un magazine qui en arrive à la conclusion que les couples sans enfants mènent des vies plus heureuses. «Pourquoi nous rabâcher l'évidence?», dit mon amie pour faire de l'esprit. «C'est sûr que les couples sans enfants sont plus heureux. Il y a des couches et des couches de leur vie émotive qu'ils n'effleureront jamais. Heureux les ignorants.»

J'ai une réaction quelque peu différente. «Personne ne peut mesurer le bonheur», dis-je. «Et plus encore, on passe un peu à côté de la coche en mettant tellement l'accent sur le bonheur.»

Chez les Américains, le droit à la quête du bonheur est un droit constitutionnel, mais cette garantie m'a toujours frappée par son absurdité. J'ai déjà entendu la romancière Isabel Allende dire que nous ferions mieux de prendre la quête de la sagesse comme droit constitutionnel. Il est certain que de faire des enfants tient du pari, tout comme le bonheur, même s'ils vous procurent des joies indescriptibles.

Il n'est jamais facile d'avoir des enfants, alors ne les mettez pas au monde ou ne les adoptez pas pour atteindre la félicité. Et n'en ayez pas si le but de votre vie est de vous maintenir dans une paix totale, dans le repos et la simplicité; ou si vous avez la hantise d'être interrompue; ou si vous avez fait des choix de vie qui exigent toute votre attention et votre dévouement. Gardez aussi à l'esprit que les enfants ne sont pas une «solution». Comme nous le rappelle Anne Lamott, il n'y a aucun problème pour lequel les enfants représentent une solution.

Choisir d'avoir des enfants, c'est choisir le chaos, la complexité, la turbulence et la vérité. Les enfants feront en sorte que vous les aimiez d'une manière que vous n'auriez jamais crue possible. De plus, ils vous feront également vivre toutes les émotions douloureuses et désagréables que les humains s'évertuent à ne pas vivre. Les enfants vous en apprendront beaucoup sur *vous-même* et vous montreront plus d'une fois que vous n'êtes pas à la hauteur des exigences de la plus grosse responsabilité que vous vous soyez jamais mise sur les épaules. Ils vous montreront que vous êtes capable de compassion profonde, et aussi que vous n'êtes pas la personne gentille, calme, compétente, aux idées claires et hautement évoluées que vous vous imaginiez être avant de devenir maman.

❧

Vos enfants compteront sur vous pour grandir. Ils vous donneront l'occasion d'avoir un point de vue plus complexe et plus riche sur votre mère. Votre mariage, s'il perdure, deviendra à la fois plus profond et plus tendu. Et que vous restiez mariée ou que vous divorciez, votre manière de vous comporter avec le père de votre enfant comptera beaucoup plus.

À tous les points de vue, les enfants font monter les enjeux. Ou comme le disait la romancière Mona Simpson, les enfants *sont* les enjeux. Elle écrit: «Mon mariage, ma mort, mes échecs et mes réussites, mes gentillesses ou mes mesquineries quotidiennes, tout veut dire plus, parce que tout cela devient central et déterminant pour une autre personne que moi.»

Je pense également que les enfants sont les mieux placés pour nous enseigner les grandes leçons de la vie: que la souffrance et la douleur font autant partie de la vie que le bonheur et la joie; que la seule chose sur laquelle nous pouvons vraiment compter, c'est qu'il y aura toujours du changement et de l'inconstance; que nous ne menons pas vraiment notre barque; et que si nous n'arrivons pas à trouver la maturité nécessaire pour admettre ces lourdes vérités, nous serons toujours malheureux de voir que nos vies — et celles de nos enfants — ne se passent pas comme nous l'avions organisé ou prévu. La vie ne se passe pas selon nos plans et nos attentes, et personne n'est parfait, ni nos enfants ni nous-mêmes. Ou, comme le dit Elisabeth Kübler-Ross: «Je ne suis pas parfaite, tu n'es pas parfaite, et *c'est* parfait.» Le miracle, c'est que vos enfants vous aimeront avec tous vos défauts si vous arrivez à en faire autant pour eux.

❧

Au cours de notre dernière conversation sur les enfants, Ben était ferme. Il n'aura pas d'enfants. J'avais envie de lui faire un petit sermon lui expliquant que les enfants en valent la peine, même quand les pires choses arrivent. Je veux qu'il comprenne que chaque vie humaine est unique et que chaque vie humaine a de la valeur. Mais il n'a que 18 ans et, de plus, est-ce que je le sais, moi, s'il devrait ou non avoir un jour des enfants? Tout ce que je sais, c'est que j'aime mes deux fils au-delà de tout ce que je pourrais en dire. Alors au lieu de lui faire un sermon, je lui envoie un gros bisou. Je me permets même de me rappeler que je n'ai moi-même jamais voulu d'enfants — pas du tout — avant d'avoir les miens.

Table des matières

Introduction: Être mère, d'après une mère 7

Première partie: *L'initiation*

1. Conception et naissance: un cours de vulnérabilité intensif... 13
2. Faite pour être mère?.. 23
3. Ramener le bébé à la maison et autres problèmes de parents.... 37
4. À la croisée des chemins: sa nouvelle vie, votre nouvelle vie......... 59

Deuxième partie: *Jouer avec le feu*

5. Assez de culpabilité pour aujourd'hui, merci 83
6. Votre enfant deviendra-t-il tueur en série? 95
7. La boucle d'oreille de Ben et autres jeux de pouvoir 111
8. Comment parler aux enfants avec qui vous n'arrivez pas à parler 137

Troisième partie: *Quand les enfants grandissent, les défis en font autant*

9. Alimentation et sexualité: comment transmettre nos inhibitions 161
10. Votre fille vous observe.. 183
11. Vous élevez un fils à sa maman? Tant mieux! 199
12. Frères et sœurs: supplice et splendeur 213
13. Vos enfants pourront-ils encore se parler dans 20 ans?........... 225

QUATRIÈME PARTIE: *Ce que votre mère ne vous a jamais dit*

14. Comment une mère peut-elle ne pas aimer ses enfants? 245
15. Belle aventure pour une belle-mère 259
16. La danse familiale 275
17. Les enfants sont partis – Hourra!? 289

Épilogue: Des enfants? Pourquoi risquer cela? 309

IMPRIMÉ AU CANADA